D1133069

LA **CURIOSA HISTORIA** DE LAS **MATEMÁTICAS**

LA **CURIOSA HISTORIA** DE LAS
MATEMÁTICAS

JOEL LEVY

LIBSA

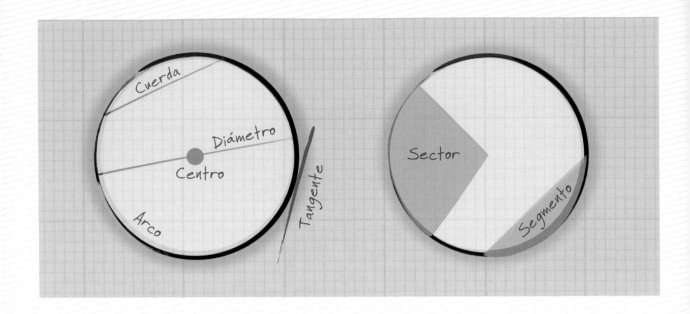

*El autor quiere transmitir su agradecimiento
a Marty Page y dedicar el libro a Brian Levy.*

© 2016, Editorial LIBSA
C/ San Rafael, 4
28108 Alcobendas. Madrid
Tel. (34) 91 657 25 80
Fax (34) 91 657 25 83
e-mail: libsa@libsa.es
www.libsa.es

ISBN: 978-84-662-3397-2

Derechos exclusivos de edición para
todos los países de habla española.

Traducción: Sandra Marín Aragón

Título original: *A corious history of mathematics*

© MMXIII Carlton Books Ltd.

Queda prohibida, salvo excepción prevista en la ley, cualquier forma de reproducción,
distribución, comunicación pública y transformación de esta obra sin contar con autorización
de los titulares de la propiedad intelectual. La infracción de los derechos mencionados puede
ser constitutiva de delito contra la propiedad intelectual (arts. 270 y ss. Código Penal). El
Centro Español de Derechos Reprográficos vela por el respeto de los citados derechos.

DL: M 9496-2016

CONTENIDO

INTRODUCCIÓN

Cuando Carl Friedrich Gauss tenía siete años, su profesor propuso a la clase un reto de aritmética aparentemente difícil: sumar todos los números del 1 al 100 entre sí. El profesor se quedó pasmado cuando, al cabo de unos segundos, el joven Gauss dio la respuesta correcta. ¿Era Gauss un autista prodigio capaz de llevar a cabo proezas como una máquina de alta velocidad o el cálculo de la fuerza bruta?

De hecho, a pesar de que Gauss era sin duda un genio y prodigio matemático, al que más tarde se conocería como «El príncipe de las matemáticas», había logrado, no por la fuerza bruta psíquica, sino a través de una perspicacia asombrosa, darse cuenta de que la manera de abordar la tarea no era a través del 1 + 2 + 3 + 4… + 100; en su lugar, observó que 1 + 100 = 101, 2 + 99 = 101, 3 + 98 = 101, etc., de tal manera que la suma de los números del 1 al 100 es también la suma de 50 pares de números que dan como resultado 101. El cálculo de 50 × 101 era fácil para Gauss, que así consiguió asombrar a su profesor con la respuesta 5.050. Podemos usar este método para dejar boquiabiertos a nuestros amigos de un modo parecido: la suma de cualquier serie de números consecutivos (n) es n/2 veces la suma del primero y el último de la serie; de este modo, la suma de los números del 1 al 20 = 20/2 × (1 + 20) = 10 × 21 = 210.

¿UN GRAN TRUCO?

¿Es más que un buen truco? La observación que hizo Gauss ofrece una visión de un mundo de significado profundo en la que los números se rigen por relaciones ordenadas, leyes aparentemente invisibles que se pueden descubrir a partir de puro esfuerzo de la mente. Este es el mundo de las matemáticas, que Gauss más tarde llamó la «reina de las ciencias». Muchas de las mejores mentes de la Historia coinciden con él. Tanto si analizaban el mundo desde un punto de vista religioso o científico, los filósofos naturales siempre han considerado las matemáticas como la forma más pura y la más profunda de la verdad y la belleza del Universo. Los antiguos griegos creían que las matemáticas fueron el fundamento del cosmos. El matemático y mago isabelino John Dee veía las matemáticas como la última herramienta del creador, empleadas en la «creación distinta de todas las criaturas… por orden, y proporción más absoluta, creadas desde la nada hasta la formalidad de su ser y estado». El matemático y pionero científico italiano Galileo Galilei insistió en que «el libro (del Universo) no se puede entender a menos que uno aprenda a comprender el idioma… en el que está escrito. Está escrito en el lenguaje de las matemáticas…»

EL TEMOR DE LAS SUMAS

Las matemáticas modernas abarcan al menos 30 campos diferentes, desde lo conocido, como la geometría y el álgebra, a lo esotérico, como la topología (las matemáticas de la continuidad, a veces llamada «geometría de goma») y la combinatoria (el campo de las matemáticas que trata los problemas de selección, disposición y orden). Se han vuelto muy especializadas y terriblemente complejas, y grandes aspectos se encuentran irremediablemente fuera del alcance de los no especialistas. De hecho, la verdad es que una gran parte, quizás la mayoría, de las personas se consideran en gran medida ignorantes de las matemáticas, ya que han olvidado casi todo lo que aprendieron en el colegio, mientras que una minoría significativa las consideran «fobia», un miedo activo a las matemáticas. Sin embargo, los números están todo el tiempo a nuestro alrededor, y en la vida cotidiana todos, se den cuenta o no, e incluso sean o no competentes con el cálculo, son una especie de «matemáticos populares», que inconscientemente relacionan cantidades y magnitudes, ángulos y vectores. Cada vez que piensas qué magdalena es más grande, divides una pizza en porciones iguales, cuentas el cambio

La potencia y profundidad de las matemáticas se revela en los patrones exóticos y hermosos que generan las funciones fractales.

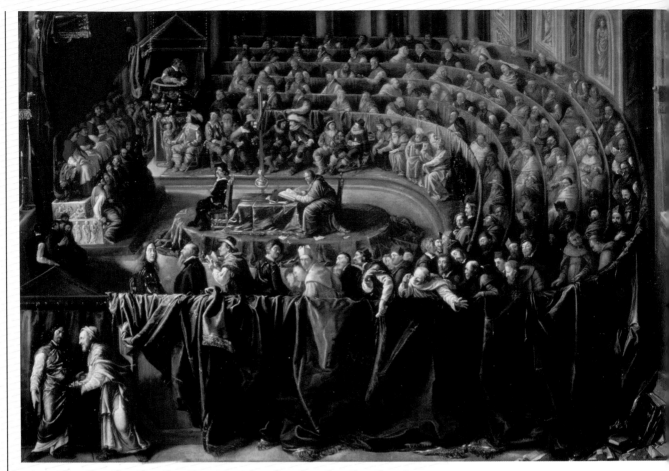

El juicio a Galileo ilustró el poder de las matemáticas para remodelar los conceptos fundamentales sobre el Universo.

o incluso miras el reloj, estás siendo un matemático; por eso este libro es para todos.

EL MAYOR ESPECTÁCULO DEL MUNDO

Este libro cuenta la apasionante historia de las matemáticas desde sus comienzos hasta los avances modernos. Sigue su evolución desde el desarrollo de los conceptos numéricos y el cálculo en la Prehistoria, a través de los descubrimientos de los antiguos babilonios, egipcios y griegos, los grandes eruditos del Islam medieval y Europa, los desarrollos en el Renacimiento y la Revolución Científica, hasta los gigantes de los siglos XVIII y XIX y los nuevos mundos abiertos por las matemáticas en el siglo XX. El libro relata esta fascinante historia, presentando y explicando los conceptos más importantes en un lenguaje accesible, no técnico, desde la aritmética, mediante la geometría y el álgebra, a la trigonometría y, finalmente, el cálculo. Explora las ideas revolucionarias y los increíbles descubrimientos de personajes extraordinarios, desde Pitágoras hasta Newton y de Fibonacci a Fermat, junto con los más grandes misterios y desafíos de las matemáticas, desde el último teorema de Fermat hasta la teoría del caos y los fractales.

PERSUASIÓN DESLUMBRANTE

No se requiere ningún conocimiento avanzado o técnico de las matemáticas para entender este libro; todo lo que se necesita es la aritmética básica y el sentido común. De forma paralela al desarrollo histórico de las matemáticas, se introducen y se exploran conceptos clave como elementos independientes, proporcionando más información y una explicación más completa de temas importantes como los números primos, la geometría, los círculos y los gráficos. El tratamiento de los conceptos más avanzados, como la trigonometría y el cálculo, se incluye, pero el uso de símbolos, la jerga y las técnicas complejas se mantienen en un nivel básico.

Cuando terminemos este curioso viaje, distinguiremos el seno del coseno, entenderemos la diferencia entre una ecuación cuadrática y una cúbica, nos familiarizaremos rápidamente con los límites infinitos y habremos aprendido a construir una plataforma de nivel para una pirámide monumental. En el camino, descubriremos rayos mortales, un hombre desnudo en el baño, manzanas envenenadas y grietas en el continuo espacio-tiempo. Seguramente, estaremos de acuerdo con las palabras de John Dee, para quien el encanto de las matemáticas era nada menos que una «persuasión deslumbrante».

Círculos de piedra del Neolítico: son los indicios de la esencia del pensamiento matemático prehistórico.

La perfección geométrica de las pirámides se manifiesta en esta vista aérea.

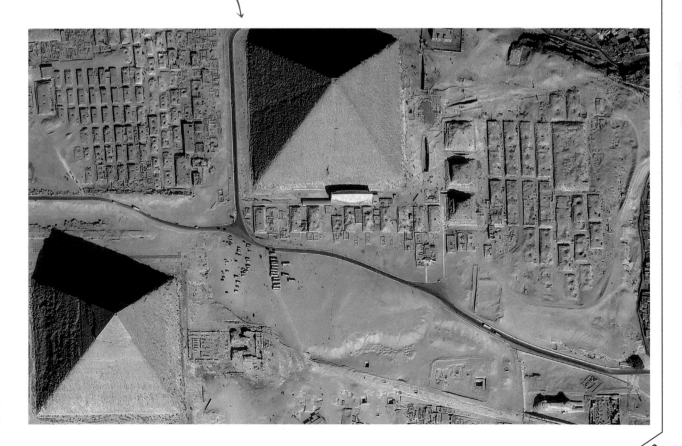

MATEMÁTICAS ANTES DEL PERIODO CLÁSICO

Mural del antiguo Egipto de 1400 a.C. que muestra un escriba midiendo un campo de trigo. Para los antiguos pre-clásicos, las matemáticas eran principalmente de naturaleza práctica.

El mundo de las matemáticas es el ámbito de lo abstracto, de números puros, formas ideales, teoremas universales y fórmulas algebraicas, pero las raíces de las matemáticas y los números se encuentran en el mundo real de las personas y los animales, la piedra y el suelo. Los números fueron concebidos por primera vez en relación con las cosas, y para la mayoría, las matemáticas se referían a lo concreto. La gente prehistórica y de las primeras civilizaciones concebían las matemáticas como herramienta para hacer frente a casos específicos de los objetos reales y las cantidades, por lo que en la era pre-clásica con ellas trataban aspectos como contar los animales, la medición de los campos, el peso del grano y la ubicación de edificios. Aun así, los antiguos egipcios, babilonios, indios y otros pueblos pre-clásicos supieron sentar las bases de la aritmética, la geometría, el álgebra y la teoría de números.

ARITMÉTICA PREHISTÓRICA

Las matemáticas son a menudo consideradas como la expresión más pura de la capacidad humana para el pensamiento abstracto, y por lo tanto la capacidad humana por excelencia. Sin embargo, en la práctica varias especies de animales, de las urracas a los monos, poseen la capacidad de juzgar las diferencias en tamaño y cantidad, e incluso de contar un pequeño número de cosas.

HACHAS DE MANO EQUILIBRADAS

Es de suponer que nuestros primeros ancestros humanos tenían habilidades similares a otros animales y pudieron juzgar dimensiones relativas y cantidades. John Gowlett, arqueólogo británico especializado en el Paleolítico, ha demostrado que los homínidos de hace unos 700.000 años, mucho antes de la evolución del *Homo sapiens* moderno, muestran una apreciación compleja por la proporción en el diseño y la construcción en piedra de hachas de mano. Una muestra de cientos de hachas de mano de diferentes tamaños en la zona de Kilombe, en Kenia, muestra que la proporción entre la anchura y la altura es la misma en todas. Tanto en la modelación de hachas pequeñas o grandes, nuestros antepasados fueron capaces de tener en cuenta una «perfecta» proporción. Incluso se ha sugerido que esta era la proporción áurea tan amada por los antiguos griegos.

DE LO ESPECÍFICO A LO GENERAL

En algún momento, esta capacidad de determinar la proporción se convirtió en la más compleja de contar; la primera forma del pensamiento matemático. Pero, ¿qué se entiende por contar? El cálculo antiguo pudo haber involucrado términos cualitativos más que puramente cuantitativos, que implica contar casos específicos de objetos concretos. Esta distinción entre el uso de términos cualitativos relativos al número de casos concretos y términos cuantitativos más abstractos es importante: dar el salto de hablar de «tres vacas» para hablar de «tres» fue un gran avance en la evolución cognitiva. Algunos rastros de este modo cualitativo del cálculo de antes aún sobreviven en las lenguas y culturas en la era moderna. Por ejemplo, el fiyiano antiguo tiene términos como *bola*, que significa «10 barcos», y *koro*, que significa «10 cocos».

Proporciones uniformes de hachas de mano de los comienzos de la Edad de Piedra. ¿Es esta la evidencia del pensamiento matemático?

CONTAR CON EL CUERPO

Los nómadas y las culturas tribales de cazadores y recolectores de la era moderna también pueden proporcionar otras pistas sobre cómo era el cálculo prehistórico, a pesar de que es casi seguro un error pensar que estos grupos pueden concebir solo cantidades como «uno», «dos» y «muchos». Aunque puede no haber palabras para los números más altos, probablemente porque no son necesarias, los habitantes de estas culturas eran capaces de contar números grandes. En algunos casos, se utilizaban sistemas para contar con el cuerpo, con partes del cuerpo que representaban bastantes números grandes.

La forma más simple de contar con el cuerpo, y quizás la primera en ser utilizada, es con los dedos, lo que conduce a un sistema de base natural de 1 o 10. Pero mediante el uso de otras partes del cuerpo, contar con este puede llegar hasta 20 o más. Por ejemplo, los fasu de Nueva Guinea utilizan los dedos para contar de 1 a 5, y luego la línea mayor de la palma para 6, la muñeca para 7, el antebrazo para 8, y así sucesivamente hasta 18 para la nariz. Los yukaghir, pastores de renos nómadas de Siberia, expresaban el tamaño de una manada de 94 renos como «tres personas, sobre una persona, y la mitad de otra persona más también la frente dos ojos y una nariz».

EL CONTABLE

Cuando se utiliza para contar, el cuerpo se convierte en una ayuda de memoria externa, conocido como un sistema de memoria artificial (SMA). La evidencia más antigua que sobrevive de la capacidad matemática prehistórica es otro tipo de SMA, el palo tallado. Este palo tallado en particular, conocido como el hueso de

MONOS MATEMÁTICOS

Animales capaces de contar puede sonar absurdo, pero una serie de experimentos ingeniosos han demostrado que hasta los animales más improbables pueden mostrar que entienden las diferencias de magnitud y cantidad, y posiblemente incluso contar. Por ejemplo, cuando los petirrojos de Nueva Zelanda ven cuidadores rellenando agujeros con un gran número de gusanos y luego se les permite escoger, parecen ser capaces de distinguir cuándo han sido estafados: cuando algunos de los gusanos se eliminan discretamente por el otro lado del agujero, los petirrojos siguen buscando gusanos que saben que deberían estar ahí. Las crías de pollo han demostrado ser capaces de distinguir entre un grupo de tres figuras y un grupo de dos. Tal vez lo más sorprendente es cómo el mono Rhesus superó a estudiantes universitarios en una prueba en la que se les mostró un grupo de puntos de los que se restan puntos y luego tenían que decidir qué par de grupos de puntos mostraba correctamente el resultado. Incluso un pequeño pez mosquito puede ser entrenado para distinguir entre polígonos basándose en el número de lados que tienen. ¿Cuentan estos animales? ¿Piensan de forma abstracta? ¿Dónde se puede trazar la línea entre la capacidad animal y la humana del pensamiento abstracto? Los investigadores creen que el conteo básico, que aparentemente muestran estos animales, es una adaptación evolutiva útil para juzgar cuál de entre dos grupos ofrece una mayor seguridad en número o para medir la proporción de competidores por los recursos cuando se desplazan a una nueva zona.

Los monos Rhesus pueden llegar a ser mejores en matemáticas que un estudiante universitario.

Palos de cómputo medievales que perduraron cuando Guy Fawkes fracasó.

Lebombo, es el peroné de un babuino (hueso inferior de la pierna) tallado con una serie de 29 muescas. Se encontró en una cueva en las montañas Lebombo entre Sudáfrica y Suazilandia, con unos 37.000 años de antigüedad.

Un palo tallado es simplemente un palo de hueso, asta o madera marcado con una muesca para representar cada ejemplar de lo que se cuente. En vez de guardar mentalmente un registro de la cuenta, que se basa en la memoria a corto plazo, un palo tallado ofrece almacenamiento en una memoria externa. Los palos de cómputo son tan simples y útiles que todavía están en uso hoy en día. Incluso se convirtieron en una forma de dinero: mediante la división de un palo tallado por el centro, se crean dos mitades con características coincidentes únicas (debido a la veta de la madera); cada parte en una transacción coge uno, y la transacción se considerará completa cuando las dos mitades se hagan coincidir de nuevo. De esta manera, la cantidad especificada en el palo no puede ser manipulada o falsificada.

En la Gran Bretaña medieval, los palos de cómputo se utilizaban como comprobantes oficiales de los ingresos del gobierno, y los almacenaba el erario público. Periódicamente, un montón de palos viejos eran destruidos, pero cuando se abolió el erario público en 1826, dos carretas de palos se quedaron en sus oficinas del Palacio de Westminster, sede del Parlamento. En 1834, el Interventor de Obras decidió quemarlos en los hornos del palacio, pero el incendio resultante era tan intenso que todo el edificio se quemó. Fue reconstruido posteriormente como las Cámaras del Parlamento.

QUIPUS

Otros tipos de SMA incluyen nudos en una cuerda, piedras, conchas en montones o pilas. Sin embargo, como son perecederos, los únicos artículos matemáticos del Paleolítico conservados son los palos tallados o variaciones de ellos. Una idea de la complejidad que se puede lograr con una SMA tan simple como cuerdas anudadas proviene de un caso histórico: el quipu o *khipu* inca. Los quipus son hebras, generalmente de lana de alpaca o de llama, que cuelga de un cordón o cuerda. Los nudos en cada hebra representan números, cada cifra exacta está indicada por el número de vueltas en un nudo, y los números más grandes mediante la agrupación de los nudos; con nudos de diferentes colores se representan las distintas categorías u objetos que se cuentan. Usando quipus, y sin la ayuda de la escritura o números, los contables y vendedores incas conocidos como quipucamayocs («guardianes de los nudos») mantenían un registro de los impuestos, diezmos, ingresos, datos del censo, fechas, tierras y datos burocráticos similares en un vasto y poderoso imperio.

EL HUESO ISHANGO

Se pueden utilizar SMA sencillos eficazmente para llevar la cuenta sin tener que contar realmente. Si se utiliza una concha para representar a cada uno de los cerdos, solo es necesario realizar un seguimiento de la pila de conchas y recordar que cada una representa a un cerdo. No obstante, una vez que los números se pueden representar en una forma no específica, como una línea de marcas o partes del cuerpo del dedo a la nariz, es solo un pequeño paso para

Un quipu de estilo inca con cantidades y categorías codificadas por diferentes longitudes, nudos, colores, etc.

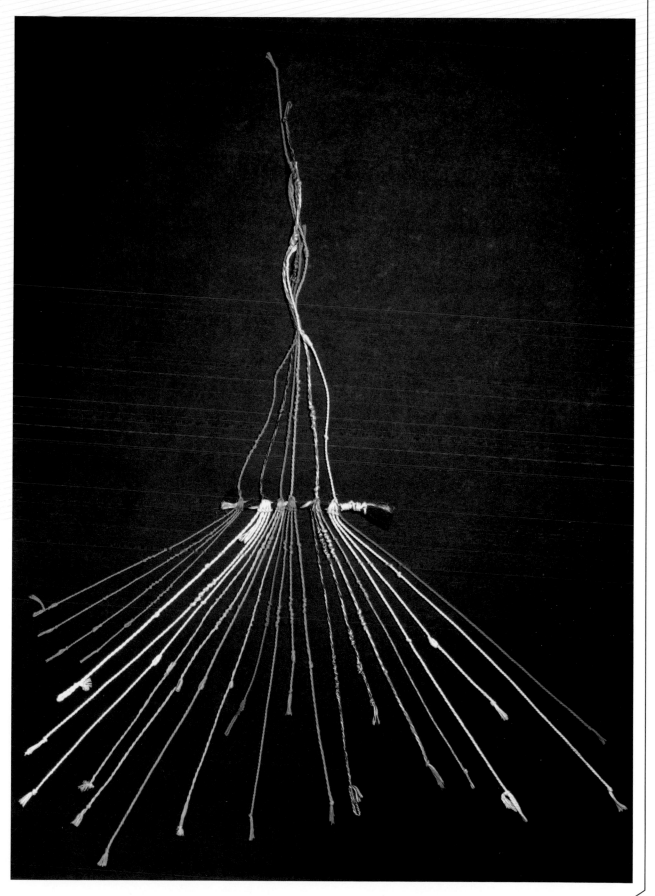

conceptualizar números en abstracto. Una línea de cuatro marcas puede utilizarse para representar cuatro cerdos, cuatro cocos, cuatro días o simplemente el número 4.

Posiblemente el artefacto más antiguo que muestra la evidencia de un pensamiento más abstracto acerca de los números es el hueso Ishango, que se encontró en el centro de África, en las fronteras de Uganda.

Data de hace unos 25.000 años, y el hueso a primera vista parece ser otro palo tallado. Sin embargo, las muescas en el hueso se agrupan en formas interesantes y quizás significativas. Por un lado hay dos filas, cada una suma en total 60, pero la segunda fila consta de grupos de 19, 17, 13 y 11 muescas. Estos son los números primos entre 10 y 20 (*ver* p. 62). ¿El usuario del hueso sabía de números primos? De acuerdo con el arqueólogo estadounidense Alexander Marschack, el hueso Ishango es en realidad un calendario lunar de seis meses, con las marcas de un recuento de las fases de la Luna, por lo que el artefacto puede representar la aplicación más antigua conocida de las matemáticas para la hora. También se ha sugerido que el hueso fue utilizado por una mujer como un calendario menstrual.

Las teorías de Marschack inspiraron al paleo-arqueólogo húngaro László Vértes para interpretar otro antiguo artefacto, conocido como el objeto Bodrogkeresztur, como un calendario lunar y posiblemente también una representación de un útero. Con una pieza con forma de una concha de vieira de piedra caliza, el objeto Bodrogkeresztur tiene 27.000 años, es incluso mayor que el hueso Ishango, y mide solo 56 milímetros de ancho. Las marcas alrededor de sus bordes son tan pequeñas que sería poco práctico para usarlo como referencia de calendario, por lo que existen dudas sobre la interpretación de Vértes.

RECUENTO SUMATORIO

El siguiente paso de forma de contar es simple aritmética. Algunos sistemas de recuento se basan en la suma y resta básicas, e incluyen muchos ejemplos de los pueblos aborígenes de Australia.

El sistema de los gumulgal, por ejemplo, usa este sistema:

1 = urapon
2 = ukasar
3 = urapon-ukasar
4 = ukasar-ukasar
5 = ukasar-ukasar-urupon

Las muescas en el objeto sujeto por la figura de esta Venus del Gravetiense podrían tener un significado matemático.

El sistema de los kamilaroi es:

1 = mal
2 = bulan
3 = guliba
4 = bulan bulan
5 = bulan galiba
6 = guliba guliba

En estos sistemas, los números más altos se forman sumando otros más pequeños, de modo que en el de los kamilaroi, se dice «seis» como «tres y tres». Estos ejemplos utilizan bases pequeñas; el sistema gumulgal tiene de base dos y el kamilaroi tiene de base tres. En tales casos, los números más grandes son dos y tres, respectivamente. (Para una explicación más detallada de las bases, *ver* «Explicación de las bases», p. 40). El uso de los dedos de manos y pies para contar llevó de manera instintiva a la adopción de las bases 5, 10 y 20, conocidas como quinario, decimal y vigesimal, respectivamente. Contar con combinaciones de 5 y 10 se denomina decimal quinario, mientras que al usar bases de 5 y 20 se llama vigesimal quinario. Los chukchi, los pastores de renos del noreste de Siberia, usan un sistema vigesimal quinario para contar sus rebaños: una «mano» es equivalente al número 5 y una «persona» (es decir, la suma de todos los dígitos de una persona) es equivalente al número 20. Un número tan grande como 100 podría articularse como «cinco personas».

En estos sistemas, los números grandes se conciben a menudo al restar de una base, de modo que «17» podría ser «20 menos 3». En 1913, el antropólogo estadounidense W. C. Eels analizó 307 sistemas de numeración utilizados por los pueblos indígenas de América del Norte, encontrando que 146 eran decimales y 106 eran una combinación de quinario, decimales y/o vigesimal.

PATRONES EN VASIJAS Y FIGURAS EN EL CIELO

Contar no es la única expresión del pensamiento matemático. Las artes y artesanías de los pueblos prehistóricos y tribales a menudo expresan conceptos matemáticos. Los patrones geométricos que aparecen en la cerámica y en el tejido de telas, esteras y cestas, se caracterizan por la congruencia (patrones con la misma forma y tamaño), la simetría y la repetición. La presencia de patrones triangulares en la cerámica neolítica de lugares tan diversos como el Egipto del periodo predinástico (c. 4000-3500 a. C.), las viviendas de caña y de Europa central del periodo de Hallstat (c.1000-500 a. C.) muestra la propagación de la aptitud geométrica.

Las raíces de la medición y la topografía también se remontan a la Prehistoria, con el desarrollo de medidas (a menudo basadas en las partes del cuerpo) y las habilidades de trazar líneas rectas y ángulos rectos. La topografía, contar y otras habilidades matemáticas se reunieron en el desarrollo de la astronomía y el cómputo de tiempo. El posible calendario de la fase lunar está lejos de ser el único artefacto de la Edad de Piedra. Una serie de objetos relacionados con la cultura del Gravetiense (hace 28.000-23.000 años) han sido considerados calendarios lunares y posibles mapas de estrellas. Si estas interpretaciones son correctas, constituyen la prueba de que los humanos del Paleolítico estaban pensando y registrando los cielos de una manera sistemática, estimando y midiendo el tiempo y el movimiento de los cuerpos celestes. Este tipo de arqueo-astronomía (astronomía prehistórica) puede haber dado un fruto espectacular en la Edad de Bronce con la construcción de elaboradas obras monumentales de piedra destinadas a medir los fenómenos celestes y funcionar como observatorios (*ver* p. 46).

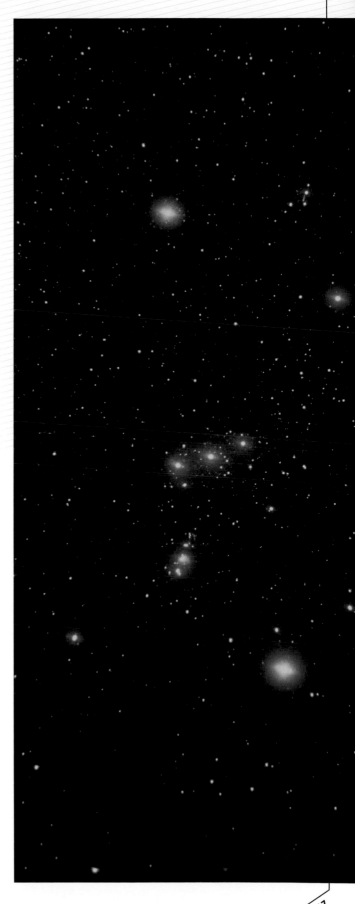

La constelación de Orión, foco de gran parte de la arqueo-astronomía. →

DEJAR UNA HUELLA: CÓMO ESCRIBIR NÚMEROS

Con el desarrollo de un lenguaje cada vez más elaborado para contar, y de sistemas de memoria artificiales (SMA) para el registro de cuentas, el terreno fue establecido para la invención de los números.

Los primeros números, comunes a muchas culturas desde el antiguo Egipto hasta China, son simplemente marcas talladas, trazos simples, dobles o triples o líneas. Nuestro número 1 es una marca tallada vertical; los antiguos egipcios usaban el mismo signo, mientras que los antiguos indios utilizaron una versión horizontal. Anotar los números más grandes se puede hacer de acuerdo a uno de los cuatro sistemas: el de agrupación (también conocido como sumatorio), el multiplicativo, el de cifras, o el sistema de lugar/posicional.

SISTEMA DE AGRUPACIÓN

El sistema de agrupación es el más simple. Los números más grandes implican la adición de más marcas para

Inscripción en latín de la antigua Roma que muestra el uso de las letras como números.

contar, como en la versión en números romanos del número cuatro: IIII. De hecho, un grupo de cuatro es el mayor número de objetos cuya cantidad la mayoría de las personas puede entender sin contar. En otras palabras, si se muestran cuatro manzanas, se puede decir de inmediato que hay cuatro sin tener que contar, pero para un grupo más grande de manzanas se deberá contarlas. Por eso el sistema de agrupación más simple para números grandes es el que utiliza un método de tallado de cuatro golpes simples con una línea a través de ellos para hacer una unidad de cinco: ℍℍ.

Para hacer números mayores en un sistema de agrupación también se puede tener una regla de sustracción, como en la numeración romana, donde una unidad más pequeña colocada antes de una más grande indica una resta. Por ejemplo, XI es 11 (agrupación sumatoria), pero IX es 11 (agrupación de sustracción). Si bien este sistema servía a los romanos lo suficientemente bien como para dirigir un enorme imperio, tiene muchos defectos importantes. Escribir un gran número se convierte en algo complejo, incluso para los números del uno al diez se necesitan cuatro dígitos, y hasta ocho dígitos son necesarios para contar hasta 100, y estos números no permiten un cálculo fácil.

SISTEMA MULTIPLICATIVO

El sistema multiplicativo tiene la ventaja de necesitar menos dígitos que el de agrupación. En el multiplicativo, en lugar de añadir los dígitos juntos, se multiplican y el número especificado es su producto y no su suma (el producto es el resultado de multiplicar números entre sí y suma es el resultado de sumar los números entre sí). Los números chinos modernos utilizan este sistema, con nueve símbolos para los números uno a nueve, y otros símbolos para 10, 100 y 1000. Los números grandes se

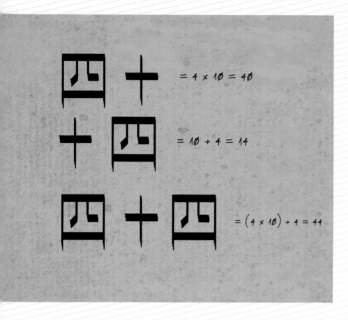

$$= 4 \times 10 = 40$$

$$= 10 + 4 = 14$$

$$= (4 \times 10) + 4 = 44$$

escriben utilizando los símbolos entre uno y nueve como multiplicadores para el 10, 100, etc. Por ejemplo:

Mediante este sistema, los números del uno al diez se pueden mostrar con un dígito, del 11 al 20 con dos y los números hasta el 99 con tres.

SISTEMA DE CIFRAS

Los números grandes se pueden escribir de forma muy compacta con un sistema de cifras, en el que cada múltiplo tiene su propio símbolo. Por ejemplo, en el sistema de numeración hierática del antiguo Egipto hay diferentes símbolos no solo de uno a nueve, sino también para los múltiplos 10, 20, 30, etc.; 100, 200, 300, etc.; y 1.000, 2.000, 3.000, etc. Un número de cuatro cifras por tanto se podría escribir con solo cuatro dígitos en el sistema hierático, pero la gran cantidad de símbolos que intervienen lo hizo difícil y complicado. Esto incluso puede haber sido intencional, ya que significaba que solo los instruidos e iniciados podían comprender y utilizar los números, consolidando así el estatus de una clase de elite de escribas y sacerdotes, los únicos iniciados en los misterios de los números altos. Usar las letras del alfabeto para los números es también un tipo de sistema de cifras y se encuentra en las culturas hebrea y griega. Los antiguos griegos, a pesar de su facilidad con las matemáticas, se esforzaron para representar números grandes, y debido a que necesitaban un símbolo diferente para cada uno, tuvieron que recurrir a las formas de las letras arcaicas que habían caído en desuso para la escritura.

SISTEMA POSICIONAL

El sistema que ofrece el mejor equilibrio entre facilidad de uso y facilidad de aprendizaje es el posicional o de lugar, y este es, con diferencia, el sistema más utilizado en la actualidad en todas partes. El sistema posicional es similar al sistema multiplicativo, excepto que, en lugar de usar un símbolo para explicar el orden de la base (10, 100 o 1000, por ejemplo), la posición, o lugar, del dígito implica el orden; por ejemplo, en el número 437, el hecho de que el «4» sea el tercero por la derecha muestra que se refiere a cientos, por lo que es innecesario poner «4 × 100». Un sistema de lugar solo funciona cuando hay un marcador de «ninguna unidad» de posición, es decir, una forma de escribir cero. Sin un marcador de posición tal, se hace imposible saber si un número que consta de, por ejemplo, un 3 y 4 se supone que es 34, 304 o 340. Este fue un problema detectado por los sumerios, que fueron posiblemente los primeros en utilizar un sistema posicional alrededor del tercer milenio antes de Cristo. Nuestro cero se desarrolló a partir de raíces hindúes y árabes (*ver* p. 93), pero otras civilizaciones trataron de usar espacios amplios como marcadores de posición; los primeros serían posiblemente los antiguos chinos alrededor del tercer siglo antes de Cristo.

Relieve del antiguo Egipto que muestra los números grandes y pequeños.

EL ANTIGUO EGIPTO

La civilización occidental ve a los antiguos griegos como la fuente original de las matemáticas, pero los propios griegos admiraban a Egipto, una civilización que ya era muy antigua en la época clásica. Los vestigios de la antigua civilización egipcia, sobre todo su arquitectura monumental, suponen una sólida comprensión de algunos principios matemáticos, que resultaron esenciales para su desarrollo posterior.

También sabemos que los egipcios administraron enormes ejércitos, emplearon una amplia burocracia e hicieron frente a las complejidades de la gestión de tierras y graneros, los impuestos, y así sucesivamente, y lo hicieron con éxito durante miles de años. Los escribas son el segundo tema más común de estatuas después de los dioses, y había un amplio sistema de escuelas y formación. Pero a pesar de todo esto, la única evidencia directa de la naturaleza y el alcance de las matemáticas egipcias que ha sobrevivido a la era moderna tienen la forma de un par de fragmentos de cerámica y dos papiros. Estos son el papiro de Rhind o de Ahmes, que data de alrededor de 1650 a. C., pero copiados de una versión mucho mayor, y el papiro de Moscú, que data de alrededor de 1890 a. C. (*ver* recuadro «Rastro de papel»).

NÚMEROS EGIPCIOS

Los egipcios utilizaban un sistema decimal o de base 10. En los jeroglíficos, los números del uno al nueve se indicaban con trazos o marcas verticales, con diferentes símbolos para 10, 100, 1000 y así sucesivamente, hasta millones (*ver* tabla en la página siguiente, teniendo en cuenta que las interpretaciones de la identidad de los símbolos varían). Los números se forman por sumas, mediante la agrupación: los símbolos para cada orden de 10 se agrupan hasta nueve veces, dispuestos en patrones consistentes para que sea fácil conocer el número de un vistazo sin tener que contar cada símbolo. Sin embargo, escribir números largos podría implicar más símbolos. Además de los jeroglíficos, los egipcios también utilizaron un sistema de numeración de cifras, conocido como hierático. Este era más difícil de aprender que los jeroglíficos, pero resultaba más compacto y por lo tanto, más adecuado para la escritura en el valioso papiro porque ocupaba menos espacio.

Relieve del antiguo Egipto de escribas con cinceles listos para la acción.

NÚMEROS JEROGLÍFICOS

Estos números jeroglíficos pueden verse en los relieves de tumbas y monumentos. Por ejemplo, un relieve de un recuento de ganado de una tumba representa manadas de animales, incluyendo vacas, burros y cabras, junto con los números de jeroglíficos que detallan el tamaño del rebaño que el individuo enterrado supuestamente había tenido en vida y que ahora espera llevarse con él a la otra vida. Una estela (tablilla de piedra) de la necrópolis de Guiza muestra al difunto príncipe Wepemnofret con una mesa de ofrendas votivas y una lista numerada de los artículos que se llevaba a la otra vida, incluyendo mil recipientes de alabastro, mil jarras de cerveza, ¡y un millar de antílopes!

Los números jeroglíficos también se pueden ver en tallímetro de Maya, tesorero de Tutankamón. Esta es una regla de madera grabada decorada con unidades de longitud marcadas con los números, que también muestra las unidades divididas en fracciones (*ver* recuadro «¿Qué son las fracciones?», p. 24). Para medir las distancias a lo largo, los egipcios utilizaban cuerdas con nudos espaciados a intervalos de un codo real (unos 52'5 centímetros, o 20'7 pulgadas), que se define como la longitud del antebrazo desde el codo hasta la punta del dedo medio. Los topógrafos eran conocidos como «tensores de cuerda».

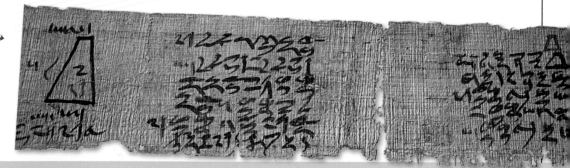

Tabla con los números jeroglíficos y sus equivalentes hieráticos.

Parte del papiro de Moscú.

RASTRO DE PAPEL

Casi todo lo que se sabe acerca de más de 3.000 años de matemáticas egipcias proviene de dos trozos endebles de papel. El papiro de Rhind fue adquirido en Egipto en 1858 por el anticuario escocés Alexander Henry Rhind, de ahí su nombre, aunque es quizás más conocido como el papiro de Ahmes, por el nombre del autor, el escriba que lo escribió alrededor de 1650 a. C. y que firmó con él. Ahmes también registró que había copiado de un papiro más antiguo, probablemente un documento del Reino Medio del 2000 o 1800 a. C. El papiro, que es de unos 30 centímetros de alto y 5'5 metros de largo, contiene una serie de 87 ejercicios y problemas, seguramente para que los estudiantes los hiciesen con la ayuda y guía de un maestro.

El papiro de Moscú fue adquirido en Egipto en 1893 y más tarde vendido al Museo de Bellas Artes de Moscú. También conocido como el papiro Golenischev, por el hombre que lo compró, fue escrito por un desconocido escriba de la duodécima dinastía (en torno a 1890 a. C.). Es más o menos como el papiro de Rhind/Ahmes de largo pero solo mide 7'5 centímetros de alto, y contiene 25 ejercicios.

LA NATURALEZA DE LAS MATEMÁTICAS EGIPCIAS

La imagen de las matemáticas egipcias descrita en los papiros de Rhind/Ahmes y de Moscú es práctica y específica: los ejercicios ilustran ejemplos muy concretos relacionados con aplicaciones prácticas, sin intentar sacar principios generales o ecuaciones. Al parecer los estudiantes tenían que generalizar por sí mismos a partir de los ejercicios enseñados para otros casos, aunque seguramente con la ayuda de profesores.

El método matemático de los egipcios fue construido alrededor de la suma, que es más fácil que la multiplicación. Para la multiplicación o división, los papiros establecían lo que se conoce como la multiplicación diádica (*ver* p. 24), que es una manera de multiplicar y dividir a través de la suma. Aunque los egipcios eran expertos en el uso de fracciones (*ver* p. 24), se aplican los mismos métodos de suma a estas.

Otra característica notable de las matemáticas egipcias es que parecían hacer poca diferencia entre la aproximación y las respuestas exactas. Esto es comprensible porque si las matemáticas se valoran principalmente por sus aplicaciones prácticas, las aproximaciones pueden ser lo suficientemente buenas para los fines prácticos; pero también resulta sorprendente, dada la impresionante precisión que aplicaban en su arquitectura monumental. De hecho, el retrato más bien limitado y básico de las matemáticas egipcias obtenido de los papiros es sorprendente, ya que se consideraba a los antiguos griegos como una fuente

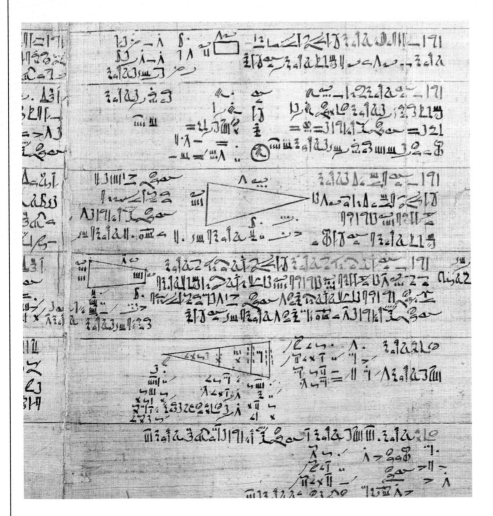

Ejercicios incluidos en el papiro de Rhind/Ahmes.

LA GRAN BIBLIOTECA DE ALEJANDRÍA

Mosaico que representa los edificios en la antigua Alejandría.

Alejandría fue fundada en el 330 a. C. por Alejandro Magno, fue la capital de los Ptolomeos, dinastía greco-egipcia que gobernó Egipto hasta la conquista romana en el 30 a. C. El general de Alejandro, Ptolomeo I, fue el primero de la dinastía, y fundó un templo para las Musas, conocido como el *Museum*. Su hijo, Ptolomeo II, abrió una biblioteca allí, basada en la colección personal de Aristóteles, y su hijo, Ptolomeo III Evergetes, recogió insaciablemente libros y pergaminos de uno en uno hasta que, según la leyenda, la biblioteca contenía medio millón de rollos o más. La leyenda también relata tres destinos diferentes para la biblioteca: se atribuye su destrucción a Julio César en el 47 a. C, a turbas de cristianos en el 391 d. C., o a conquistadores musulmanes en el 640 d. C. Con toda probabilidad, hubo varias bibliotecas, que tenían en conjunto muchos menos libros que los que se dice. Estas bibliotecas seguramente se perdieron poco a poco con el tiempo, allanadas por los coleccionistas codiciosos y dañadas por terremotos, incendios y conflictos constantes. La ubicación de la Gran Biblioteca del *Museum* es todavía desconocida.

de gran sabiduría matemática, y tanto Tales como Pitágoras, unos de los más grandes matemáticos del mundo antiguo, incluso viajaron a Egipto para estudiar matemáticas. Es de suponer que debe haber habido más cosas que aprender de lo que se revela en los papiros de Ahmes y de Moscú, pero ¿qué pasó con el resto de las matemáticas egipcias? Una posibilidad es que los papiros que contienen las matemáticas mucho más complejas fueran recogidos en la Gran Biblioteca de Alejandría y se perdieran cuando fue destruida (*ver* recuadro «La Gran Biblioteca de Alejandría»).

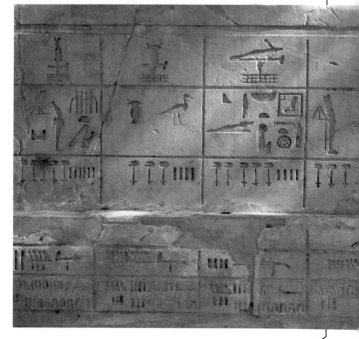

Este relieve de 4.000 años de antigüedad es una tabla de los distritos del antiguo Egipto, con sus áreas y el número de cabezas de ganado.

¿QUÉ SON LAS FRACCIONES?

Las fracciones son una forma de contar las partes de algo. En el sistema moderno de notación para las fracciones, se muestra un número sobre otro número, por lo general separados por una línea divisoria. El número superior se llama numerador y especifica cuántas partes iguales del conjunto se exponen. El número de abajo se llama denominador y especifica en cuántas partes iguales se divide el conjunto. Así que en la fracción ¼, el denominador especifica que el conjunto se divide en cuatro partes, y el numerador dice que la fracción consta de una de esas cuatro partes.

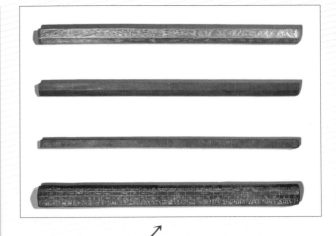

Tallímetros egipcios, con unidades divididas en fracciones.

FRACCIONES EGIPCIAS

De los 87 problemas del papiro de Rhind/Ahmes, 81 tratan de fracciones. El sistema egipcio de cálculo con fracciones, también conocido como cálculo fraccional, es «el aspecto más notable de la aritmética egipcia», según Dirk Struik, un historiador de las matemáticas de origen holandés que pasó la mayor parte de su vida en los Estados Unidos.

Los egipcios utilizaban solamente fracciones unitarias. Estas son fracciones donde el numerador (la parte superior de la fracción) es 1. Así que todas sus fracciones adoptaron la forma ½, ⅓, $\frac{1}{56}$, etc. En notación algebraica, decimos que sus fracciones tomaron la forma $\frac{1}{n}$. La única excepción fue la fracción ⅔, para la que los egipcios tenían un símbolo especial.

Para expresar fracciones con diferentes numeradores, los egipcios sumaban diferentes fracciones unitarias. Por ejemplo, escribieron la fracción $\frac{2}{43}$ como $\frac{1}{42} + \frac{1}{86} + \frac{1}{129} + \frac{1}{301}$. Ninguna de las fracciones unitarias se repite. Uno de los eternos misterios de las matemáticas egipcias es cómo y por qué se obtuvo cada fracción unitaria para la suma. En el caso de $\frac{2}{43}$, por ejemplo, hay varias combinaciones posibles de fracciones unitarias únicas que podrían ser utilizadas. ¿Cómo funcionan estas fracciones, y por qué elegirlas antes que otras?

Para ahorrar a los estudiantes tener que resolver por su cuenta las derivaciones de fracciones unitarias, el papiro de Rhind/Ahmes comienza con una útil tabla de combinaciones de fracciones unitarias de 2 divididas por todos los números impares del 5 al 101. Los egipcios no usaban numeradores (eran innecesarios, dado que el uno se empleó como único numerador), por lo que las fracciones simplemente se señalan con un jeroglífico ovalado escrito encima del denominador. Las fracciones ½ y ⅔ tenían jeroglíficos especiales: ½ se indica mediante un símbolo de tela doblada y ⅔ por un óvalo con dos tallos cortos. La siguiente tabla reproduce el inicio de la tabla de fracciones de Rhind/Ahmes. La primera columna muestra el número impar que se divide en dos, y las columnas posteriores muestran una serie de fracciones unitarias únicas en las que se puede descomponer. Esto demuestra, por ejemplo, que ⅖ es la suma de ⅓ + $\frac{1}{15}$, y que $\frac{2}{13}$ se puede escribir como ⅛ + $\frac{1}{52}$ + $\frac{1}{104}$.

$\frac{2}{n}$	$\frac{1}{p}$	+	$\frac{1}{q}$	+	$\frac{1}{r}$
5	3		15		
7	4		28		
9	6		18		
11	6		66		
13	8		52		104
15	10		30		

MULTIPLICACIÓN DIÁDICA

Para la multiplicación y la división, los egipcios utilizaban un sistema diádico. Es decir, una forma de cálculo binario (cálculo en base 2, *ver* «Explicación de las bases», p. 40) que simplifica la aritmética reduciéndola a la suma, pero hace que las operaciones sean bastante engorrosas. Además, si bien este sistema es simple, funciona solo

EL OJO DE HORUS

Una regla mnemotécnica práctica para las fracciones de las primeras seis potencias de 2 (es decir, fracciones reducidas a la mitad sucesivamente – ½, ¼, ⅛, etc.) fue el símbolo del ojo de Horus. Este fue un símbolo de protección y buena salud, pero sus componentes también se utilizaron para representar fracciones que sumaban uno.

1 – La parte izquierda del ojo = ½
2 – La pupila = ¼
3 – La ceja = ⅛
4 – La parte derecha del ojo = ¹⁄₁₆
5 – El rabillo curvado = ¹⁄₃₂
6 – La lágrima = ¹⁄₆₄

De hecho, estas fracciones no suman del todo hasta uno, el total es ⁶³⁄₆₄. Tal vez esto pretendía tener un significado filosófico («la totalidad perfecta es inalcanzable»), o simplemente reflejara la distinción inestable entre exacto y aproximado que caracterizó las matemáticas egipcias. La fracciones unitarias que componen el ojo podrían ser usadas para expresar fracciones de ninguna unidad, de modo que, por ejemplo, ⅝ se podría escribir como ½ + ⅛, o en términos simbólicos, como el lado izquierdo del ojo + las ceja.

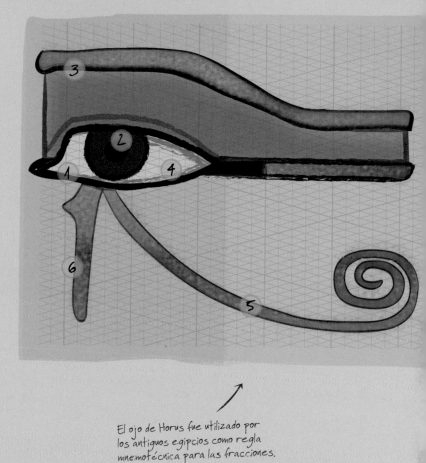

El ojo de Horus fue utilizado por los antiguos egipcios como regla mnemotécnica para las fracciones.

cuando el resultado es un número entero, en lugar de una fracción.

El sistema diádico implica multiplicar un término de la multiplicación por la base 2 que compone el otro término. En términos prácticos, esto significa hacer dos columnas de números, la primera empezando por 1 y duplicándolo con cada fila sucesiva, la otra empezando por el número y duplicando este número con cada fila sucesiva. Entonces el escriba podría hacer una marca al lado de las filas en las que la columna de la izquierda proporcionase los componentes del número principal, y sumar los números correspondientes de la columna de la derecha.

Por ejemplo, para multiplicar 13 por 11, se duplicaría sucesivamente el 11, mientras que se descompone el 13 en sus componentes de base 2, se resaltan las filas que ofrecen los componentes y, a continuación, se suman los números resaltados en la columna de la derecha:

13	11
1	(1 × 11) = 11
2	(2 × 11) = 22
4	(4 × 11) = 44
8	(8 × 11) = 88
(1 + 4 + 8) = 13	(11 + 44 + 88) = 143

Para la división, el proceso se invierte, el escriba construye la misma tabla, pero marca los números en la columna de la derecha y lee los números correspondientes en la columna de la izquierda, y luego los suma para

El problema 79 del papiro de Rhind/Ahmes habla de «7 casas, 49 gatos, 343 ratones, 2.401 espigas de espelta, 16.807 *hekats*» (un *hekat* es una unidad de volumen para medir el grano). Esto es el antecedente de una adivinanza infantil: «Mientras iba hacia St. Ives, conocí a un hombre con siete mujeres; cada mujer tenía siete sacos; cada saco tenía siete gatos; cada gato tenía siete gatitos. Gatitos, gatos, sacos y mujeres, ¿cuántos iban a St. Ives?». Muestra que los egipcios conocían la progresión geométrica porque los números indicados son 7, 7^2, 7^3, 7^4 y 7^5.

dar la respuesta en la parte inferior de la columna de la izquierda. Por ejemplo, para dividir 143 por 13:

?	13
1	$(1 \times 13) = 13$
2	$(2 \times 13) = 26$
4	$(4 \times 13) = 52$
8	$(8 \times 13) = 104$
$(1 + 2 + 8) =$ **11**	$(13 + 26 + 104) = 143$

HALLAR LA PILA Y MEDIR LA PENDIENTE

El papiro de Rhind/Ahmes da pistas interesantes de otras habilidades matemáticas de los antiguos egipcios. La forma más simple de álgebra (*ver* p. 94) es la ecuación lineal $x + ax = b$, donde a y b son cantidades conocidas y x es la incógnita. En el papiro de Rhind/Ahmes hay problemas en los que se pide al estudiante hallar la «pila»; por ejemplo, el problema 24 dice: «Halla el valor de la pila si la pila y un séptimo de la pila es 19». En términos algebraicos, esto es $x + \frac{x}{7} = 19$. El jeroglífico egipcio para una pila a veces se llama *aha*, por lo que esta rudimentaria «pila algebraica» también se conoce como *aha-calculus*. (La respuesta, por cierto, es $x = 16.625$, aunque los egipcios habrían escrito el decimal como una sucesión de fracciones unitarias.)

El papiro de Rhind/Ahmes también analiza cómo encontrar la pendiente de la colina, que los egipcios llamaban el *seket*. Esta es una forma de expresar el

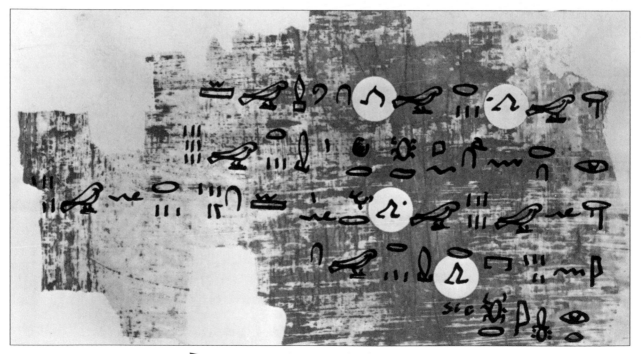

Ejercicio del papiro de Rhind/Ahmes, con los símbolos de «piernas caminando» destacados: las piernas caminando hacia la izquierda simbolizan la suma; las piernas caminando hacia la derecha, la resta.

La Gran Pirámide de Guiza, foco de muchos mitos matemáticos.

aumento de la hipotenusa (lado más largo) de un triángulo rectángulo, y que habría sido importante en la construcción de las pirámides. Otras habilidades topográficas incluyen cómo averiguar el área de un cuadrilátero; de acuerdo con el antiguo historiador griego Herodoto, los egipcios necesitaban estas habilidades para restaurar los límites de la propiedad y del campo borrados periódicamente por las inundaciones del Nilo.

LA CUADRATURA DEL CÍRCULO

El problema 50 del papiro de Rhind/Ahmes establece que «un campo circular de diámetro 9 tiene la misma área que un cuadrado de lado 8», una aproximación que da un valor para pi de $3\frac{1}{6}$ o alrededor de 3'16, que no está lejos del valor real de 3'14159... ¿Cómo averiguaron este valor? El problema 48 muestra un enfoque que demuestra cómo aproximar el área de un círculo dibujando un cuadrado alrededor de él y un octógono dentro del cuadrado. Los egipcios conocían la fórmula para el área de un triángulo (½ de base × altura vertical), así que fue fácil para ellos para trabajar las áreas de los triángulos que quedan en cada esquina y restar estos del área del cuadrado para llegar al área del octógono, que tomaron como una aproximación lo bastante buena del área del círculo.

MISTERIOS Y MITOS

El papiro de Moscú dirige al estudiante para calcular el volumen de un *frustum* (una pirámide truncada). Incluso tiene un diagrama de un corte transversal por el tronco, y explica prácticamente la fórmula para el volumen de un cono truncado. La fórmula es bastante complicada y, a partir de las deducciones modernas de esta, que depende del cálculo diferencial (*ver* p. 160), es un misterio matemático cómo los egipcios llegaron a ella.

Además del *frustum*, los egipcios conocían la fórmula para el volumen de una pirámide, y, evidentemente, muestran una gran habilidad en el planeamiento y la construcción de las pirámides. Sin embargo, los mitos matemáticos abundan, especialmente en lo que respecta a la Gran Pirámide de Guiza. Por ejemplo, se suele decir que el perímetro de la base de la gran pirámide es igual a la circunferencia de un círculo con un radio igual a la altura de la pirámide. Sin embargo, esta fórmula da un valor de pi que es menos precisa que la que los egipcios realmente utilizaban y sobre la que escribieron, como demuestra el problema 50 del papiro de Rhind/Ahmes.

FORMAS BÁSICAS

Las líneas rectas son raras en la naturaleza, y las formas geométricas, como los triángulos, cuadrados y círculos perfectos, son incluso más raros todavía. ¿De dónde vienen estas formas? ¿Las inventaron, las descubrieron o las observaron? El filósofo griego Platón creía que ciertos sólidos fundamentales tenían una existencia «ideal» independiente, tal vez más allá del plano terrenal, y su filosofía fue muy influyente en las concepciones de los matemáticos posteriores.

MÍNIMOS Y MÁXIMOS NATURALES

Aunque es poco frecuente en la naturaleza, es posible encontrar algunas fuentes naturales de formas geométricas. El agua, por ejemplo, forma planos y líneas rectas; de hecho los antiguos egipcios (y seguramente las culturas prehistóricas antes que ellos) utilizaban el agua como una herramienta de estudio. Para nivelar el terreno, para proporcionar una superficie plana para la construcción de grandes templos, los egipcios cavaban una zanja, la llenaban con agua, marcaban la línea del agua, y llenaban y cortaban la zanja hasta que estaba recta y nivelada. Los polígonos (formas con bordes rectos) también se pueden encontrar en la naturaleza, por ejemplo, en los cristales, las formaciones de basalto, como la Calzada del Gigante en Irlanda del Norte, y algunas formaciones de hielo.

Una fuente natural de inspiración geométrica es a menudo pasada por alto por los historiadores de las matemáticas: las formas entópticas, causadas por el «ruido» sensorial en los nervios ópticos; se pueden ver visiones leves apretando los nudillos en los ojos, pero las vividas y llamativas son una característica común de experiencias con drogas que alteran la mente. Hay pruebas de que cada cultura usa o ha usado drogas que alteran la mente, y es muy probable que el hombre prehistórico hiciera un uso extensivo de psicotrópicos naturales, como ciertos hongos. Estos habrían generado ricas cosechas de formas geométricas, y muchos investigadores han destacado las correspondencias entre los patrones en el arte rupestre prehistórico y los fenómenos entópticos.

FORMAS BÁSICAS

Un polígono (del griego «muchos ángulos») es una forma con tres o más lados que son líneas rectas. Donde los lados (también conocidos como aristas) se juntan en una esquina, o en la terminología matemática un vértice (vértices en plural), y las aristas forman ángulos en los vértices. Una línea que va entre los vértices es una diagonal. Las formas poligonales tridimensionales, sólidas, tienen caras.

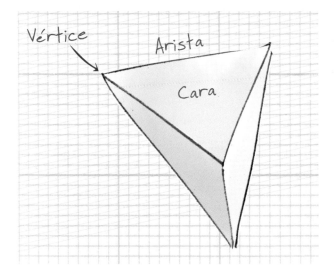

Los polígonos más conocidos son el triángulo, el cuadrado y el rectángulo. Los polígonos se nombran según el número de lados y ángulos que tienen. La tabla de la derecha muestra los nombres y características de los polígonos con hasta diez partes.

ÁNGULOS DE UN POLÍGONO

La suma total de los ángulos interiores de un polígono se puede encontrar mediante la fórmula: (número de lados − 2) × 180°. Un triángulo tiene tres lados, por lo que 3 − 2 = 1 y 1 × 180° = 180°. Para un cuadrado, la fórmula da (4 − 2) × 180° = 360°. Un polígono se puede

Polígono	N.º de lados	N.º de ángulos	N.º de vértices	N.º de diagonales
Triángulo	3	3	3	0
Cuadrilátero*	4	4	4	2
Pentágono	5	5	5	5
Hexágono	6	6	6	6
Heptágono	7	7	7	7
Octágono	8	8	8	8
Eneágono	9	9	9	9
Decágono	10	10	10	10

dividir en triángulos dibujando todas las diagonales posibles a partir de un único vértice. No es una casualidad porque esto divide cualquier polígono en un número de triángulos igual a su número de caras menos dos. Así que un cuadrado tiene ángulos interiores equivalentes a dos triángulos, ya que puede ser dividido en dos triángulos.

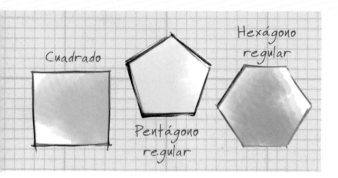

Cuadrado

Pentágono regular

Hexágono regular

TODO SOBRE LOS TRIÁNGULOS

Los triángulos se clasifican en función de sus ángulos: si son iguales y de qué tipo son. Los ángulos interiores de un triángulo siempre suman 180°. Los nombres de los diferentes tipos de triángulo son:

- Un triángulo con tres ángulos iguales también tendrá tres lados iguales y se conoce como un triángulo equilátero. Los ángulos son de 60°.
- Un triángulo con dos ángulos iguales y dos lados iguales se llama un triángulo isósceles.
- Un triángulo sin ángulos o lados iguales es un triángulo escaleno.
- Un triángulo donde uno de los ángulos es 90° es un triángulo rectángulo.
- Un triángulo donde todos los ángulos son de menos de 90° es un triángulo agudo.

- Un triángulo donde uno de los ángulos es más de 90° es un triángulo obtuso.

El perímetro es la distancia alrededor del borde del triángulo, la suma de las longitudes de los tres lados. Cualquier lado del triángulo se puede llamar base, y la altura de un triángulo es la longitud de una línea desde la base hasta el vértice opuesto, en ángulo recto, perpendicular, a la base. La longitud de la base (b) y la altura (h) se puede utilizar para calcular el área del triángulo utilizando la fórmula: Área = ½ × b × h.

Podemos realizar esta fórmula dibujando un triángulo y luego «duplicándolo», imaginando la imagen especular de un triángulo sobre un lado. Esto genera un paralelogramo (un rectángulo inclinado), y el área de un paralelogramo es base × altura. Dado que el triángulo original es la mitad de este paralelogramo, su área es también un medio.

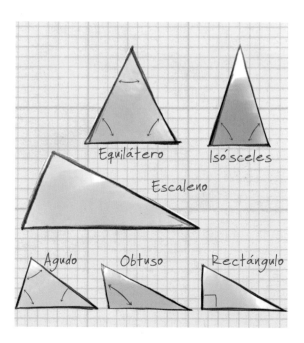

Equilátero

Isósceles

Escaleno

Agudo

Obtuso

Rectángulo

MATEMÁTICAS DE LA ANTIGUA INDIA

Otro foco importante de la civilización de la Edad de Bronce fue el sur de Asia. Se sabe mucho menos acerca de las civilizaciones aquí, pero hay evidencias de logros matemáticos que están al menos a la par de Oriente Próximo, y muchas son anteriores a las de sus homólogos mejor conocidos más hacia el oeste.

LA CIVILIZACIÓN DEL VALLE DEL INDO

El centro más antiguo de la civilización en el sur de Asia se encontraba en el valle del Indo, alrededor de las antiguas ciudades de Mohenjo-Daro y Harappa (ambos en lo que hoy es Pakistán); a veces se conoce como la civilización Harappa. Aproximadamente entre 2600-1900 a. C., por lo menos dos grandes ciudades florecieron a lo largo del valle del Indo, junto con miles de asentamientos más pequeños, constituyendo una civilización de la Edad de Bronce que cubría un área del tamaño de Europa occidental y dos veces mayor que la antigua Mesopotamia o Egipto. Mohenjo-Daro y Harappa eran grandes ciudades con una población de 80.000 personas o más y las amplias redes comerciales se extendían desde Asia Central a Mesopotamia y Arabia.

Las ruinas de Harappa, que una vez fue un importante núcleo de población en el valle del Indo.

Muchos aspectos siguen siendo un misterio, incluyendo su escritura y su lenguaje, pero entre los hallazgos más característicos de los yacimientos arqueológicos de la civilización del valle del Indo son pequeños cubos de piedra de tamaños graduados. Estos fueron los pesos estandarizados que se utilizan para regular el comercio de mercancías de alto valor. La naturaleza minuciosamente calibrada de los pesos revela un alto grado de logros tecnológicos y habilidad en la medición.

La progresión de tamaños también demuestra que la civilización del valle del Indo utilizaba un sistema de cálculo binario, al menos para los pesos. Tomando el peso más pequeño (de poco menos de un gramo) como una unidad, los valores medios de los otros pesos son 2, 4, 6, 8, 16, 32, 64 y 120.

En los pesos grandes, la progresión se hace decimal, con el peso más grande siendo 100 veces del peso de 16, es decir, alrededor de 140 gramos. Evidentemente, la civilización del valle del Indo fue capaz de conceptualizar las proporciones, binaria y cuadrada, aunque en el contexto de las aplicaciones concretas.

Una regla o escala recuperada del yacimiento arqueológico de Lothal (lo que hoy es la India) revela el uso de un sistema de cálculo decimal para las mediciones de longitud. La escala está marcada con 27 líneas extremadamente finas, cada división mide tan solo 1'7 mm en promedio. Estas escalas se utilizaron para estandarizar los tamaños de objetos pequeños, como sellos y objetos más grandes, como los ladrillos utilizados para construir las ciudades de la civilización.

ALTARES Y EL INFINITO

La civilización del valle del Indo se derrumbó alrededor de 1900 a. C., probablemente debido al cambio climático, y la siguiente gran fase de la civilización en el sur de Asia fue el periodo Védico, que duró desde alrededor del 1500 al 500 a. C. Durante este tiempo, las matemáticas indias adquirieron algunas de sus características distintivas. Se desarrollaron los principios de la geometría, se supone que para ayudar con la construcción de los altares de fuego distintivos de la religión védica. La filosofía védica y la posterior budista hicieron hincapié en la naturaleza sin límites del espacio y el tiempo, por lo que las matemáticas de la India estaban preparadas para el concepto de infinito. Se desarrollaron métodos para expresar cada vez números más grandes. Los mantras del periodo védico temprano, alrededor de 1000 a. C., expresaban potencias de 10 hasta un billón, y establecían normas para las operaciones aritméticas de suma y multiplicación de fracciones, cuadrados, raíces y cubos.

Hacia el siglo IV d. C., un texto sánscrito recogía que Buda contó hasta 10^{53} (1 seguido de 53 ceros), mientras que otros sistemas describían números de hasta 10^{421} (1 seguido por 421 ceros), un orden de magnitud cien veces mayor que el número de átomos del Universo (estimado en alrededor de 10^{80}, 1 seguido de 80 ceros). El mismo texto también describe progresiones de escala sucesivamente más pequeñas que describían el tamaño de las unidades más pequeñas de la materia (en una pronta teoría atómica), llegando a una cifra de alrededor de 70 billonésimas de metro (unas 2'8 mil millonésimas de pulgada), lo que está en realidad muy cerca del tamaño de un átomo de carbono. Los textos antiguos jainistas hacen una distinción entre los diferentes tipos de infinito, mientras que los antiguos textos budistas dividen los números en contables, incontables e infinitos, adelantándose a los conceptos matemáticos posteriores, como los números indeterminados (números que no se pueden definir, como 0/0).

En geometría, los antiguos indios también estaban muy avanzados. Los textos védicos conocidos como el Sulba (o Sulva) Sutras, que datan de alrededor del siglo VIII, demuestran el teorema de Pitágoras y enumeran las ternas pitagóricas (*ver* recuadro «Ternas pitagóricas y las pirámides», p. 66), y se ha sugerido que

Pitágoras conocía estos textos. El Sulba Sutras también muestra cómo resolver ecuaciones lineales simples (en las que ninguna variable se eleva a una potencia mayor que 1, como $ax + by + c = 0$) y ecuaciones de segundo grado (en las que al menos una de las variables se eleva al cuadrado, tales como $ax^2 + by + c = 0$). Además, los Sutras muestran cómo calcular un valor muy preciso para la raíz cuadrada de 2. Sumando una serie de fracciones $1 + \frac{1}{3} + \frac{1}{(3 \times 4)} + \frac{1}{(3 \times 4 \times 34)}$, los Sutras llegan a 1'4142156, un valor de la raíz cuadrada de 2 que tiene una precisión de cinco decimales (el valor real es de 1'4142356...).

La ciudadela de Mohenjo-Daro con la estupa budista al fondo.

ARITMÉTICA

La aritmética es la rama más simple y más antigua de las matemáticas que trata de los números normales (los utilizados para contar), las fracciones y las operaciones básicas que se les aplica: suma, resta, multiplicación y división. El término «aritmética» viene del griego *arithmos,* que significa «número», que, a su vez, proviene de la raíz indoeuropea *ar-,* que significa «encajan».

OPERACIONES BÁSICAS

Contar es la forma más simple de la suma: cada número que se cuenta implica la suma de una cosa a la anterior serie de cosas contadas. Sumar dos cantidades, *a* y *b*, es lo mismo que contar primero *a* y luego *b*. Una vez que se hizo evidente para los primeros seres humanos que el resultado era el mismo, independientemente de qué se contase en primer lugar, *a* o *b*, la suma se convirtió en un concepto abstracto al igual que los números se habían convertido en abstracciones (3 es 3, ya sea aplicado a bisontes, a vacas, a cabras o a rocas).

De hecho, esta propiedad de la suma es conocida como la ley conmutativa, y se dice que la suma es conmutativa. Esto significa que invertir el orden de la suma no cambia el resultado; expresado en términos algebraicos: $a + b = b + a$.

También se dice que es asociativa. Esto significa que la secuencia de las cosas que sumes (conocidas como términos) no es importante, o para decirlo de forma algebraica: $(a + b) + c = a + (b + c)$. El resultado que se obtiene cuando se agregan términos en conjunto se conoce como suma.

Lo contrario de la suma es la resta, que es la diferencia entre dos números. La resta no es asociativa o conmutativa. En otras palabras, el orden en que los números se restan uno del otro es importante. Por ejemplo, $7 - 3 = 4$, mientras que $3 - 7 = -4$. Esto puede causar confusión al elaborar el orden de las operaciones (*ver* recuadro «Por favor, disculpe a mi querida tía Sally»).

La forma más fácil de entender esto es pensar en la resta como una forma de suma, en la que el número que se añade es un número negativo, es decir, $a - b = a + (-b)$. Así, por ejemplo, $7 + (-3) = 4$ y $(-3) + 7 = 4$. Ahora las operaciones son conmutativas.

La multiplicación combina dos números, conocidos como factores, en un producto. Es a la vez asociativa y conmutativa.

Por su parte, lo contrario de la multiplicación es la división, que es el cociente (el término usado

POR FAVOR, DISCULPE A MI QUERIDA TÍA SALLY

Las propiedades de las distintas operaciones matemáticas implican que es importante recordar el orden correcto en que han de ser aplicadas. (Poner términos entre corchetes o paréntesis también es útil, ya que ayuda a proporcionar claridad.). En cuanto a las operaciones básicas, la multiplicación y la división tienen prioridad sobre la suma y la resta. Incluyendo los exponentes (también conocidos como potencias, por ejemplo, 2^3 es 2 a la potencia de 3), el orden correcto de todas las operaciones es paréntesis (también llamado corchete), exponentes, multiplicación y división, adición y sustracción.

Este orden se enseña a menudo usando un acrónimo como PEMDAS o CEMDAS, que en inglés se recuerda con la ayuda de un acróstico: *Please Excuse My Dear Aunt Sally* (Por favor, disculpe a mi querida tía Sally). Si la resta y la división se realizan como la adición de números negativos y la multiplicación de los inversos, el orden correcto de las operaciones se convierte en solo PEMA o CEMA.

para el resultado de la división) de dos números conocidos como el dividendo y el divisor (el primero se divide por el último). Al igual que sucede con la resta, la división no es asociativa o conmutativa, pero para llegar a esta división se puede pensar como una multiplicación entre el dividendo y el número recíproco del divisor. En aritmética, el recíproco, o multiplicador inverso, de x es $\frac{1}{x}$. Por lo tanto, tenemos que $a \div b = a \times \frac{1}{b}$. Por ejemplo, $21 \div 7$ no es lo mismo que $7 \div 21$, pero $21 \times \frac{1}{7} = \frac{1}{7} \times 21$.

AYUDAS ARITMÉTICAS

Para la mayoría de la gente, el cálculo mental se convierte en algo difícil de manejar e imposible cuando los números implicados se hacen más grandes y el número de términos se multiplica. Las primeras civilizaciones desarrollaron herramientas para ayudar a dar forma concreta a la aritmética mental. Algunos de estos ejemplos son el quipu de los incas y el ábaco.

El ábaco comenzó su vida como un tablero para contar, que tenía ranuras o surcos en las que los guijarros o contadores se podían colocar. Las líneas dibujadas en la arena o tierra podrían sustituir a un tablero, y es posible que este tipo de dispositivos se utilizaran en tiempos prehistóricos.

El ábaco más antiguo es el ábaco babilonio de Salamina, una losa de mármol blanco que data de alrededor del 300 a. C. Los romanos desarrollaron ábacos de mano portátiles, placas de madera o metal de bolsillo con las gotas que corrían arriba y abajo de las franjas. Hacia el 1.200 d. C., los chinos habían desarrollado el *suan-pan*, la forma más temprana del ábaco como lo conocemos hoy: un marco con perlas que se deslizan hacia atrás y adelante en las barras.

Ábaco chino o «suan-pan».

LOS BABILONIOS

Además de Egipto, el otro centro de las matemáticas en el antiguo Oriente Próximo fue Mesopotamia, «la tierra entre los ríos», el territorio del actual Irak. Este fue el hogar de lo que se llama la civilización babilónica, aunque esta etiqueta cubre una variedad de culturas e imperios. El primero de ellos, los sumerios, desarrollaron la civilización más antigua conocida en el 4000 a. C., anterior a los antiguos egipcios.

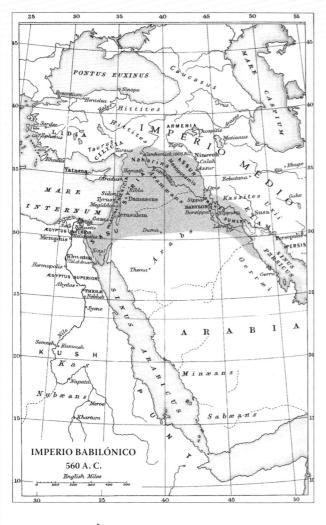

IMPERIO BABILÓNICO
560 A. C.
English Miles

Extensión en el siglo VI a. C. del Imperio Caldeo o Neobabilónico en un mapa de archivo británico

de Babilonia). El dominio sobre la región pasó entre dinastías y grupos étnicos, acabando con Mesopotamia bajo el control de los persas y luego los seléucidas helenísticos (descendientes de uno de los generales de Alejandro Magno). Desde el antiguo Imperio Babilónico hasta la conquista persa en el año 539 a. C., la civilización mesopotámica es llamada a menudo por el nombre de Babilonia. No obstante, las matemáticas babilónicas incluyen desarrollos matemáticos desde alrededor del 2000 a. C. al inicio de nuestra era. Por tanto las matemáticas babilónicas son anteriores y posteriores a las matemáticas egipcias, y generalmente se considera que habrían avanzado a un grado superior.

Los numerosos logros culturales de los babilonios incluyen la arquitectura monumental, como pirámides escalonadas (incluyendo el famoso zigurat de Marduk, o Etemenanki), las grandes paredes de la propia ciudad de Babilonia y los legendarios Jardines Colgantes. Estos últimos, si realmente existieron, fueron probablemente una serie de terrazas regadas por las ingeniosas ingenierías mecánica e hidrológica a gran escala, como la red de canales y acequias de esta región agrícola tan productiva. Los babilonios también son famosos por su conocimiento astronómico avanzado, y hacia finales del periodo babilónico sus eruditos eran capaces de predecir fenómenos astronómicos bastante avanzados con la ayuda de matemáticas complejas.

GRABADOS DURADEROS

Una de las razones por las que los logros matemáticos de los babilonios se han valorado por encima de los de Egipto es que hay más pruebas que han sobrevivido. Con materias primas escasas que usar, los babilonios no tenían el lujo del papiro perecedero; en su lugar utilizaban la abundante arcilla local para hacer conos

Los sumerios fueron conquistados por los acadios, quienes, a su vez, fueron conquistados por las fuerzas de la misma Babilonia (conocido como el antiguo Imperio

Vista romántica de la antigua Babilonia con el Zigurat y los Jardines Colgantes.

Tablilla cuneiforme de la antigua Babilonia con los diagramas de un cuadrado y triángulos.

y tablas, y elaboraron un sistema de escritura en el que se utilizó un lápiz para grabar en el barro húmedo. Las tablillas de arcilla aguantan mucho mejor que el papiro; como consecuencia por lo menos 500.000 de ellos sobreviven hoy día. Muchas de ellas eran textos matemáticos, que generalmente se dividían en dos categorías, conocidos como las tablas de texto y tablas de problemas. Las tablas de texto se componen de tablas de valores, como las tablas de multiplicar, de pesos y medidas, de cuadrados y cubos, e inversos. Por ejemplo, una tablilla encontrada listaba los cuadrados de los números hasta el 59, y otro daba los cubos de los números hasta el 32. La aplicada naturaleza práctica de las matemáticas babilónicas se indica mediante una tablilla que contiene tablas de interés compuesto,

que usaban los antiguos contables. Las tablas de problemas eran similares a los del papiro de Rhind/Ahmes (*ver* recuadro «Rastro de papel», p. 21), con ejercicios para los estudiantes, y las tablillas podrían contener hasta 200 de estos problemas.

NÚMEROS BABILÓNICOS

Los pequeños objetos de arcilla de la antigua Sumeria se encuentran entre las evidencias más antiguas de la evolución del concepto del número abstracto, siendo los mesopotámicos los primeros en utilizar pequeños conos de arcilla para representar una unidad, bolas de arcilla para diez y grandes conos para 60. Hacia el periodo de 2700-2300 a. C. se utilizaban

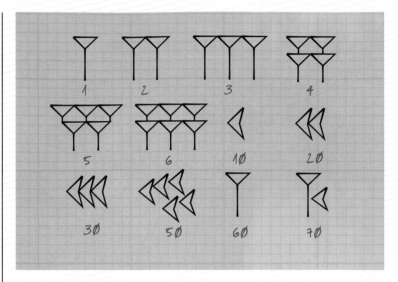

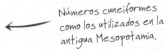

Números cuneiformes como los utilizados en la antigua Mesopotamia.

objetos similares a ábacos o tablas de contar en la arena (*ver* recuadro «Ayudas aritméticas», p. 33). El desarrollo de la escritura cuneiforme, probablemente para finalidades burocráticas y de contabilidad, condujo a la sustitución de objetos simbólicos con símbolos inscritos. Utilizando el primer sistema posicional o de colocación conocido, los babilonios fueron capaces de representar grandes números con solo tres símbolos, que representaban 1, 10 y 60. De hecho, los babilonios desarrollaron dos formas ligeramente diferentes de números, conocidas como cuneiforme y curvilínea, o menos técnicamente como puntiagudo y redondeado. La primera se realizaba con el extremo afilado de una aguja, y la segunda, con el extremo redondeado. Los números curvilíneos se utilizaban para indicar los salarios ya pagados, mientras que los cuneiformes representaban salarios no pagados y la mayoría de las otras cantidades.

BASE 60

Con consecuencias duraderas para el resto de la historia humana, los babilonios adoptaron un sistema de cálculo sexagesimal (de base 60) (*ver* «Explicación de las bases», p. 40), por lo que tenían diferentes símbolos para 60, 3.600 y los recíprocos 60^{-1} ($1/_{60}$) y 60^{-2} ($1/_{3.600}$). Esto significa que un número babilonio escrito como 1, 3, 20 = 3.800 en decimal, porque 1, 3, 20 realmente significa $(1 \times 60^2) + (3 \times 60^1) + (20 \times 60^0)$, o $(1 \times 3.600) + (3 \times 20) + (20$ unidades$) = 3.600 + 180 + 20 = 3.800$.

Un sistema de posición o de lugar como este hace que sea mucho más fácil escribir un gran número sin renunciar a la facilidad de cálculo. El arqueólogo austriaco-americano Otto Neugebauer, jugó un papel clave en descifrar el sistema numérico babilonio, al comparar la importancia histórica del sistema de lugar a la del alfabeto. En el sistema babilónico, si no había unidades en una columna, se dejaba un espacio en blanco. Así, el número babilonio 1, _, 1 significa $(1 \times 3.600) +$ (no 60) + 1 = 3.601 en decimal. Este fue el primer paso en el desarrollo del cero.

Los babilonios más tarde, alrededor del siglo III a. C., dieron el siguiente paso, la introducción de un símbolo real que sirviese como un marcador de posición. Sin embargo, este «cero babilónico» nunca fue utilizado al final de un número, por lo que los números todavía podrían ser ambiguos. Por ejemplo, si nuestro sistema decimal careciese de un cero final, el número 12 podría interpretarse como 12, 120, 1.200, etc. Se suponía que la interpretación correcta se indicaba por el contexto, pero las complicaciones adicionales surgieron por el hecho de que los babilónico utilizaban fracciones, pero no en una notación punto decimal; en otras palabras, 12 podría ser 1'2 o 120, etc.

MEDICIÓN MESOPOTÁMICA

Los babilonios usaban una variedad de unidades, la mayoría de las cuales eran fracciones o múltiplos de 60. Por ejemplo, la unidad más pequeña de longitud fue el *shay*, o grano, equivalente a $1/_{360}$ de un metro (alrededor de 2'8 milímetros, o 0'11 pulgadas). Un dedo eran seis *shay*; 30 dedos hacían un *kush* o codo, alrededor de ½ metro; y 12 *kush* hacían un *nindan*, o vara (unos 6 metros). La unidad básica del área era el *sar*, que se traduce como «parcela», equivalente a unos 36 metros.

La unidad básica de volumen para el grano, aceite, cerveza y así sucesivamente fue la *sila*, equivalente a un litro, mientras que la unidad básica para el peso fue la *mana*, que era equivalente a aproximadamente ½ kilogramo. Las unidades de volumen para sólidos como ladrillos se basaron en las unidades de superficie, por lo que 720 ladrillos estándar hacían un ladrillo-*sar*.

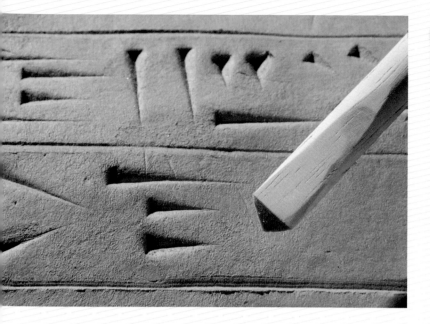

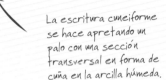

La escritura cuneiforme se hace apretando un palo con una sección transversal en forma de cuña en la arcilla húmeda.

Un ejercicio matemático típico encontrado en una tablilla de «problemas» podría pedir hallar la superficie de un campo irregular. Los babilonios dividieron dichas formas en cuñas (triángulos) y «frentes de toro» (imagina un rectángulo con un triángulo añadido a un lado). Las longitudes y anchuras se dan en varas y codos, y la respuesta estaría en parcelas o *sar*.

Tablilla del 2000 a. C. que registra un comercio de ganado.

¿POR QUÉ BASE 60?

¿Por qué eligieron los babilonios la base 60? Existen muchas teorías. Se ha sugerido que la historia de Babilonia de conquista y asimilación constante llevó a los primeros gobernantes a adoptar un sistema que podría acomodar a dos sistemas anteriores que utilizaban la base 5 y la base 12. Otra posibilidad es que estuviera relacionado con el número de días en un año, o que el 60 es el producto de la multiplicación de los cinco planetas conocidos por los babilonios por el número de meses en el año. Tal vez la explicación más plausible es la sugerida por el antiguo erudito griego Teón de Alejandría en el siglo IV d. C., que dice que 60 es divisible por 2, 3, 5, 10, 12, 15, 20 y 30. De hecho, 60 es el menor entero (número entero) divisible por todos los números enteros del 1 al 6, lo que hace que un sistema sexagesimal sea muy agradecido para el cálculo.

El sistema sexagesimal babilónico ha dejado su huella en el mundo moderno: reliquias que incluyen los 360 grados de un círculo y los 60 minutos y 3.600 segundos de una hora, aunque los babilonios usaban un reloj de 12 horas, con horas compuestas por 60 minutos, cada uno de los cuales era equivalente a dos minutos modernos.

MATEMÁTICAS BABILÓNICAS

Con su complejo sistema de números y de contar, los babilonios alcanzaron varios hitos matemáticos. Sin embargo, sus matemáticas eran muy similares en carácter a las de los egipcios, específicas, prácticas e inexactas. Los problemas que figuran en las tablas se refieren casi exclusivamente a casos específicos, y sin fórmulas generales. No se distinguen claramente los resultados exactos y aproximados. No hay pruebas o demostraciones, como las que caracterizan a las matemáticas griegas.

Al principio, las matemáticas babilónicas evolucionaron evidentemente por razones similares a las egipcias: por necesidad y como una utilidad. La nueva civilización estuvo marcada por una pequeña elite gobernante sobre una enorme población que trataba de producir y distribuir alimentos y agua, construir y mantener grandes obras públicas, recaudar impuestos y hacer cumplir las leyes de propiedad. Así que no es de extrañar que, como en el papiro de Rhind/Ahmes, los ejercicios contenidos en tablillas de arcilla babilónicas tienden a centrarse en las aplicaciones prácticas y específicas, tales como hallar las áreas de campos o sobre cómo dividir los alimentos entre los números impares de personas. Pero hacia el final del periodo babilónico, las matemáticas empezaban a tener un carácter más complejo y académico, con elaborados cálculos de astrónomos y los primeros indicios de la exploración matemática en sí misma.

Algunos cálculos de la época seléucida llevaron a 17 clasificaciones sexagesimales (equivalentes, por ejemplo, para hallar pi como 3'14159265358979323). De acuerdo con el historiador holandés de las matemáticas Dirk Struik, «este tipo de trabajo numérico complejo ya no estaba relacionado con problemas de impuestos o mensura (medida), pero fue inducido por problemas astronómicos o por el puro amor por el cálculo».

Calendario astronómico de la antigua Asiria.

ÁLGEBRA CON OTRO NOMBRE

El álgebra tal como lo conocemos se caracteriza por el uso de letras para representar incógnitas, y la escritura de ecuaciones para mostrar cómo estas incógnitas se relacionan entre sí (*ver* p. 94). Los babilonios hicieron un amplio uso del álgebra, pero no de esta forma. En la época del rey Hammurabi, en el periodo babilónico antiguo alrededor de 1750 a. C., fueron capaces de resolver ecuaciones en las que las incógnitas incluían cuadrados (ahora conocidas como ecuaciones de segundo grado) y cubos (ecuaciones cúbicas). En lugar de utilizar letras y ecuaciones, los problemas se exponían de forma similar a los egipcios. En lugar de *a, b, x, y,* etc., utilizaban problemas retóricos con incógnitas descritas como longitud, anchura, dimensión y área. Por ejemplo, una tablilla babilónica antigua asigna al estudiante el siguiente problema, ligeramente adaptado a un lenguaje moderno: «Un área A, compuesta por la suma de dos cuadrados, es de 1.000. El lado de un cuadrado es ⅔ del lado del otro cuadrado, menos 10. ¿Cuáles son los lados del cuadrado?». En notación moderna, esto establece dos ecuaciones: $x^2 + y^2 = 1.000$, e $y = \frac{2}{3}x - 10$.

Considerando que hoy reconocemos los números negativos, las ecuaciones de segundo grado pueden tener dos soluciones, una positiva y otra negativa. Los babilonios no tenían números negativos y por eso solo reconocían una solución, en este caso, $x = 30$. Estos cálculos tenían aplicaciones prácticas: cuadrados de longitudes y anchuras desconocidas se encontraron de manera común en la topografía de la tierra y en las soluciones de disputas por la propiedad.

PENSAR EN LO ABSTRACTO

Hay, sin embargo, alguna evidencia de que los babilonios estaban empezando a hacer abstractos algunos principios generales de sus matemáticas. Una tablilla, por ejemplo, muestra un diagrama de un cuadrado con su diagonal, y da la relación de los lados de la diagonal de un cuadrado como $1 : \sqrt{2}$. Evidentemente los babilonios habían comprendido que esto era cierto para todos los cuadrados en general, no solo para un campo o parcela en concreto.

Una de las tablillas de arcilla más misteriosas y debatidas se conoce como Plimpton 322 (se trata de la colección de Plimpton de la Universidad de Columbia), que data de alrededor de 1800 a. C. Contiene una tabla de valores, incluyendo las columnas llamadas «diagonal» y «ancho». El arqueólogo austriaco-americano Otto Neugebauer calculó que la tabla muestra una lista de ternas pitagóricas, los casos en que las longitudes de los tres lados de un triángulo rectángulo son números enteros. Por ejemplo, el teorema de Pitágoras nos dice que en un triángulo rectángulo con dos lados de 3 y 4, la hipotenusa será de 5 (*ver* p. 66).

Esto implica que los babilonios conocían el teorema de Pitágoras, aunque obviamente no lo habrían llamado así. Sin embargo, no todo el mundo está de acuerdo

Texto cuneiforme que describe un problema en álgebra retórico.

con que la tablilla Plimpton 322 demuestre esto; puede ser que se tratara simplemente de un ejercicio académico de cálculo, cuyas conclusiones eludieron los babilonios.

Dado que no hay registros que hayan sobrevivido hasta la época actual de las pruebas o demostraciones, es probable que nunca se sepa la verdad, aunque en su famoso libro *Las ciencias exactas de la Antigüedad*, Neugebauer estaba lo suficientemente seguro para insistir: «Por incompleto que sea nuestro conocimiento actual de las matemáticas babilónicas, se puede establecer sin lugar a dudas que se trata de un nivel de desarrollo matemático que en muchos aspectos es comparable con las matemáticas, digamos, de principios del Renacimiento».

EXPLICACIÓN DE LAS BASES

La base de un sistema de lugar o de posición es el número de valores o números utilizados en el sistema de cálculo; también se conoce como el radix. Por ejemplo, en el sistema decimal, o base 10, cada posición de un número puede ser ocupada con uno de hasta 10 valores (0-9), por lo que la base (o radix) es 10. En el sistema binario (de base 2), cada posición se ocupa con uno de entre dos valores (0 o 1), por lo que la base (radix) es 2.

NOMBRES DE LAS BASES

Un sistema de numeración puede funcionar con cualquier base. Las alternativas más comunes a la base 10 se muestran en la siguiente tabla, junto con sus nombres.

Base	Sistema de numeración
2	Binario
3	Ternario
4	Quaternario
5	Quinario
6	Senario
7	Heptal
8	Octal
9	Nonario
10	Decimal
11	Undecimal
12	Duodecimal
16	Hexadecimal
20	Vigesimal
60	Sexagesimal

Para indicar la base en la que está un número, se coloca un subíndice después del número. Por ejemplo, 111_2 significa 111 en binario (de base 2), que es 7 en decimal, y 111_8 significa 111 en octal (de base 8), que es 73 en decimal.

VALORES POSICIONALES DE BASE 10

En un número decimal (base 10), cada posición indica una potencia o inverso de 10. Por ejemplo, si las posiciones o los valores posicionales del número 111,1 se despejan, podemos ver que hay cuatro valores posicionales ocupados por este número:

A	B	C	,	D
1	1	1	,	1

La posición llamada A tiene el valor de 10^2, por lo que un dígito en esta posición indica el número de unidades del valor 10^2. La posición D tiene el valor 10^{-1} o $^1/_{10}$, un dígito aquí indica cuántas décimas hay. Renombrando las columnas con los valores posicionales obtenemos:

10^2 (centenas)	10^1 (decenas)	10^0 (unidades)	,	10^{-1} (decimales)
1	1	1	,	1

Debido a que el sistema decimal es una parte tan esencial de la vida cotidiana, sus labores son implícitas y se utiliza sin reflexión o esfuerzo; cuando ves el número 111, no te paras a averiguar cuántas centenas, cuántas decenas y cuántas unidades tiene, antes de juntarlos para conseguir el resultado final.

BINARIO

Aparte de la base 10 (decimal), el sistema de bases más conocido es probablemente el binario, que se utiliza en la informática. Y es así porque tiene solo dos números,

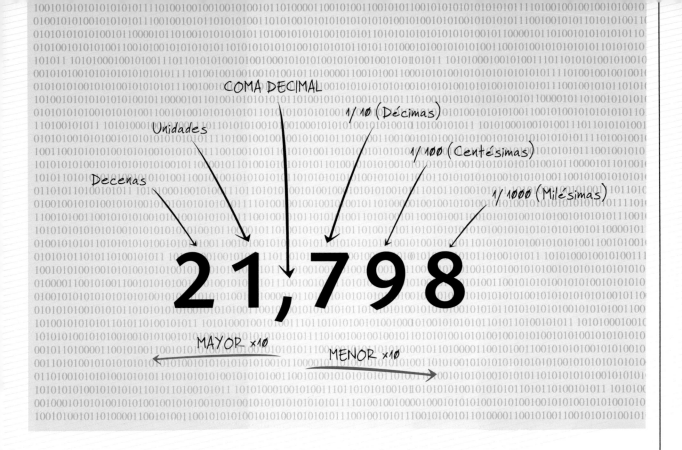

1 y 0, por lo que se puede representar físicamente la información numérica en un sistema informático por un interruptor que esté encendido (1) o apagado (0). Cada cifra (1 o 0) es un bit, una contracción de las palabras «dígito binario». Otras bases utilizadas en la informática son la de base 8 (octal) y la de base 16 (hexadecimal), que son las bases de 23 y 24, respectivamente.

El uso de estas bases es la razón por la que la capacidad de los chips y las unidades de memoria a menudo cuentan con números que no parecen redondos a nuestros ojos decimales, como 16 Mb de RAM o un disco duro de 720 Mb (Mb significa megabytes, o un millón de bits).

La comprensión de los número en binario, o cualquier otra base no decimal, es difícil, porque no estamos acostumbrados a pensar en los valores posicionales de nuestros números. En otras palabras, si ves el 11, piensas en el número once, pero es obvio que no piensas en «$[1 \times 10^1]_{10} + [1 \times 10^0]_{10}$». En base 2, el número 11 = 3 en decimal, debido a que la primera cifra indica una unidad en la columna de los «doses», y el segundo número indica una unidad en la columna de los «unos». Al mirar los números en otras bases, puede ser útil separar mentalmente los dígitos por comas.

Los valores posicionales también se aplican a los números entre 0 y 1; es decir, los decimales. En decimal, por ejemplo, la primera posición después de la coma de decimal es 10^{-1}, pero en binario es 2^{-1}, que es ½. En binario, la segunda posición después de la coma es 2^{-2}, o ¼. Así que el número 1'11 en binario = 1 + ½ + ¼ = 1'75 en decimal.

BASES MAYORES

En bases inferiores a la decimal, nuestro sistema numérico normal tiene suficientes símbolos. Por ejemplo, en la base 8 solo se necesitan los números del 0 al 7. Para bases mayores de 10, sin embargo, no tenemos símbolos numéricos suficientes, porque solo hay 10 números separados (0-9). Una solución es utilizar letras para los números superiores a 9 (*ver* abajo). En hexadecimal, por ejemplo, A = 10 en decimal, B = 11, y así sucesivamente. En hexadecimal, 10 = 16 en decimal, ya que indica un solo «16» y ninguna «unidad». Así que el número $14F_{16} = (1 \times 16^2) + (4 \times 16) + 15$, en decimal = 335_{10}.

| Decimal | 1 | 2 | 3 | 4 | 5 | 6 | 7 | 8 | 9 | 10 | 11 | 12 | 13 | 14 | 15 |
| Hexadecimal | 1 | 2 | 3 | 4 | 5 | 6 | 7 | 8 | 9 | A | B | C | D | E | F |

ANATOMÍA DEL CÍRCULO

Un círculo es una figura plana formada por una línea compuesta de puntos que están a la misma distancia de un punto central. El círculo tiene propiedades que se prestan a la interpretación mística: no tiene principio ni fin, se puede medir partiendo de cualquier lugar y es simétrico en todos los ejes.

Los círculos también son comunes en la naturaleza, desde la aproximación a la cabeza de un girasol o una rodaja de una naranja, al prácticamente perfecto disco del Sol o de la Luna llena. Tal vez por esta asociación con objetos celestes, combinada con sus propiedades «místicas», los hombres prehistóricos estaban profundamente afectados por el círculo. Las marcas circulares, incluyendo grabados y relieves en forma de copa, y los círculos concéntricos, son una característica común del arte rupestre prehistórico de las culturas de todo el mundo, y estas características están en los patrones que se encuentran en las primeras cerámicas y otras formas del comienzo de las artes y los oficios.

MEDIR EL CÍRCULO

La longitud del borde o perímetro del círculo se conoce como circunferencia. La distancia desde el centro del círculo a cualquier punto en el perímetro se conoce como radio. El diámetro es una línea recta trazada entre dos puntos del perímetro y que pasa a través del centro. El diámetro es dos veces el radio. Un truco útil para recordar la diferencia entre el radio, el diámetro y la circunferencia es el uso de las longitudes de las palabras: la palabra más corta es la más corta de las tres distancias, y así sucesivamente.

Tan pronto como la gente comenzó a medir las cosas con cierto grado de exactitud, se fueron dando cuenta de la relación inusual entre el diámetro (d) y la circunferencia (c) de un círculo. La relación es siempre la misma, no importa cuál sea el tamaño del círculo. Esta relación entre la circunferencia y el diámetro es conocida como pi, comúnmente representado por el símbolo π. pi no se puede expresar exactamente ya sea como una fracción o un decimal, aunque 3'14 sirve como una aproximación útil para la mayoría de los cálculos. Para obtener más información acerca de pi, *ver* «La vida de pi», p. 48.

Espiral de piedra tallada en el pasadizo de tumbas de Newgrange, Irlanda, en 3000 a. C.

Conocer la ecuación simple c / d = π ~ 3'14 (el símbolo ~ significa «aproximadamente igual a») hace que sea fácil trabajar fuera de las dimensiones de un círculo si sabes una de sus medidas, porque se puede despejar fácilmente de manera que:

$$c = \pi \times d$$
$$d = c/\pi$$

Por ejemplo, si ves una secuoya gigante de 10 metros de ancho y caminas alrededor de su base, ¿cuánto has andado? La respuesta es simplemente 3'14 × 10 = 31'4 metros. En cambio, si ves el árbol y no sabes su diámetro, solo tendrías que contar el número de pasos que das alrededor del árbol y dividirlos por 3'14 para obtener el diámetro del árbol en pasos. Un ritmo medio de un adulto varón es de unos 0'75 metros, por lo que probablemente daría aproximadamente 42 pasos alrededor del árbol de 10 metros de diámetro.

Marcas prehistóricas con forma circular del arte rupestre en el norte de Gran Bretaña.

EL HOMBRE DE VITRUVIO

El círculo sigue teniendo un significado místico a día de hoy; quizás el mejor ejemplo es el dibujo de Leonardo da Vinci del Hombre de Vitruvio. Es la figura de un hombre con los brazos y las piernas extendidas, con las extremidades de sus miembros marcando puntos en el perímetro tanto de una línea como de un círculo. Leonardo ilustraba un famoso pasaje de la obra de Marco Vitruvio, un arquitecto romano de alrededor del I a. C. cuyo tratado *De Architectura* (*Sobre la Arquitectura*), estaba profundamente influido por los conceptos del número sagrado y la proporción. Hablando de la arquitectura de los templos, Vitruvio escribió: «Si un hombre se coloca tumbado de espaldas, con las manos y los pies extendidos, y un par de compases centrado en el ombligo, los dedos de sus dos manos y pies tocarán la circunferencia del círculo resultante. Y al igual que el cuerpo humano da un contorno circular, también se puede sacar una figura cuadrada de él».

Se ha sugerido que el dibujo de Leonardo es parte de su esfuerzo por encontrar la cuadratura del círculo: halló un principio para dibujar un círculo y un cuadrado con el mismo área sin tener que medirlos.

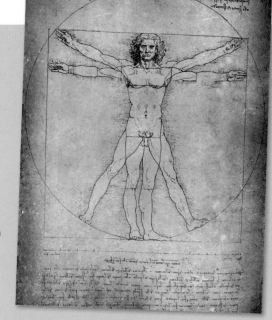

El Hombre de Vitruvio de Leonardo.

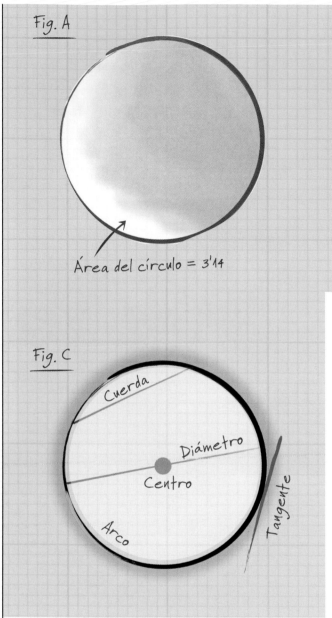

Fig. A

Área del círculo = 3'14

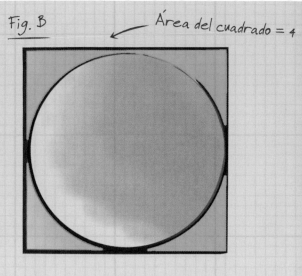

Fig. B

Área del cuadrado = 4

Fig. C

Cuerda

Diámetro

Centro

Arco

Tangente

que se conoce como un círculo unitario. Dado que $1^2 = 1$, el área de un círculo unitario es π, o aproximadamente 3'14 (Fig. A). El uso de un círculo unitario hace que sea fácil de comparar el área de un círculo y un cuadrado, ya que un cuadrado con la misma anchura que el diámetro de un círculo unitario tiene un área de $2^2 = 4$ (Fig. B). Así, el área del círculo unitario / área del cuadrado ~3'14 / 4 ~0'785 o ~78'5%. Esta relación es válida para cualquier cuadrado dibujado alrededor de un círculo.

LÍNEAS Y SECCIONES

La terminología matemática del círculo es densa y compleja, pero importante para la comprensión de la geometría. Los principales tipos de línea asociados con el círculo son (Fig. C):

- Cuerda: una línea que pasa de un punto sobre la circunferencia del círculo a otro.
- Diámetro: un cuerda que pasa por el centro del círculo.
- Arco: parte de la circunferencia del círculo.
- Tangente: una línea recta que toca la parte exterior del círculo.

Un círculo también puede ser «seccionado» (Fig. D). Los dos tipos principales de secciones son:

- Sector: una sección hecha por dos radios, como una rodaja de pizza.
- Segmento: una sección hecha por una cuerda.

Un punto importante que recordar es no confundir el diámetro (d) y el radio (r) . El diámetro es dos veces el radio, por lo que c = π × d = π × 2r (más comúnmente expresada como 2πr). Los problemas matemáticos y los ejercicios suelen dar el radio en lugar del diámetro, porque el radio es lo que se necesita para hallar el área de un círculo.

ÁREA DEL CÍRCULO

La fórmula para el área de un círculo es π × r^2 (o πr^2). Utilizando el diámetro en lugar del radio, la fórmula es (π/4) × d2. El círculo más simple es uno con un radio de 1,

Fig. D

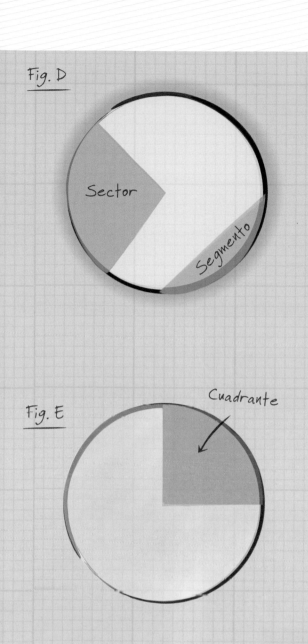

Sector

Segmento

Fig. G

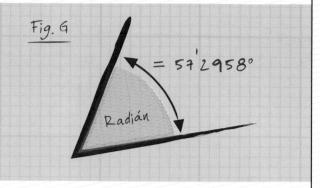

= 57'2958°

Radián

Cuadrante

Fig. E

Fig. F

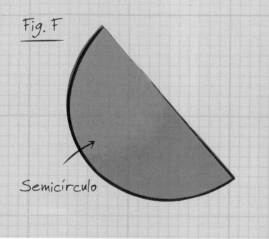

Semicírculo

Un cuadrante y un semicírculo son dos tipos de sector, que comprende un cuarto y la mitad de un círculo respectivamente (Fig. E y F).

El ángulo de un sector es el ángulo entre los dos radios que marcan el sector. Podemos utilizar el ángulo de un sector para averiguar el área del sector. Un círculo completo tiene 360° y un área de πr^2, por lo que un sector con un ángulo de x° debe tener un área de $x/_{360} \times \pi r^2$. Por ejemplo, un cuadrante tiene un ángulo de 90°, por lo que su área es $^{90}/_{360}$ = ¼ del círculo completo.

RADIANES

Los ángulos se miden en grados, y el concepto de 360° en un círculo es conocido. Sin embargo, los matemáticos suelen preferir medir los ángulos en un círculo en radianes. Un radián es el ángulo del sector hecho por un arco de la misma longitud que el radio. Por ejemplo, si tenemos un círculo de 1 metro de radio, tomamos un trozo de cuerda de 1 metro de largo y lo ponemos alrededor de la circunferencia, y luego trazamos una línea desde cada extremo de la cuerda al centro; el ángulo entre las dos líneas sería 1 radián. Los matemáticos prefieren utilizar el radián porque es una medida pura, una medida basada en las propiedades del mismo círculo, y da resultados más simples cuando se utiliza en muchos cálculos, tales como la trigonometría. La fórmula para el área del círculo nos dice que hay radianes 2π en un círculo completo, o π radianes en un semicírculo. Dado que también hay 180° en un semicírculo, podemos decir que 180° = π radianes, o 1 radián = $^{180}/\pi$. Esto significa que 1 radián es de aproximadamente 57'2958° (Fig. G).

Volviendo al ejemplo del círculo con un radio de 1 metro, la fórmula para radianes en un círculo completo también nos dice cuántos trozos de cuerda de 1 metro de longitud se necesitarían para dar toda la vuelta alrededor del círculo: $1 \times 2\pi \sim 6'28$ trozos de cuerda.

CÍRCULOS DE PIEDRA Y GEOMETRÍA SAGRADA

El monumento neolítico de Stonehenge es el foco de muchos mitos e ideas equivocadas. Sin embargo, parece obvio que ejemplifica el conocimiento de los principios matemáticos y geométricos. Stonehenge y otros monumentos megalíticos representan una tradición de conocimiento matemático en las afueras de los centros más conocidos de la civilización, y es interesante especular sobre la naturaleza de esta tradición y la amplitud de los conocimientos matemáticos que pueden haber sido transmitidos en Europa occidental.

Es incluso posible que los últimos herederos de esta tradición «atlántica», los celtas de la Edad de Hierro y sus druidas, puedan haber tenido vínculos con los pitagóricos y sus exploraciones innovadoras de los misterios de las matemáticas.

STONEHENGE

Situado en la llanura de Salisbury, en Wiltshire, Gran Bretaña, el monumento megalítico de Stonehenge a día de hoy se compone de los restos de un anillo de altas

Stonehenge, visto desde el aire, mostrando todo el complejo.

piedras de arenisca verticales (conocidas como *sarsens*) en torno a un grupo de *sarsens* en forma de herradura, junto a los restos de un anillo parcial de piedras más pequeñas llamadas *bluestones*. Alrededor de estas grandes piedras verticales hay anillos concéntricos de pozos y agujeros, un par de montículos funerarios y un conjunto de cuatro piedras de las estaciones dispuestas en un cuadrado, todo rodeado por un foso circular y un bancal. Cerca del noreste se encuentran los restos de una avenida marcada en la tierra, dentro de la cual está la Piedra Talón.

La construcción del Stonehenge abarcó alrededor de 500 años, desde 2950 a. C. hasta alrededor de 2450 a. C., un periodo conocido como el Neolítico Medio, aunque otros movimientos de tierra y monumentos cercanos se remontan a 7500 a. C. Las últimas civilizaciones de la Edad de Bronce siguieron venerando el lugar sagrado, y los jefes de las tribus elegían ser enterrados en los montículos de la zona. Parece probable que incluso los pueblos de la Edad de Hierro (a veces conocidos como los celtas) hubieran seguido utilizando las piedras para fines religiosos, por lo que si bien es una falacia común que data del siglo XVIII que Stonehenge fue construido por los druidas, es posible que hicieran culto allí.

Era evidente incluso para los primeros investigadores que Stonehenge estaba alineado con eventos celestiales importantes, como el amanecer en un

Piedras verticales de Callanish en las Hébridas Exteriores, Escocia.

vez más complejos. Su análisis informático sugiere que un polígono de 56 lados es el más complejo que se puede crear simplemente a través de la geometría de un cuadrado y un círculo utilizando un solo trozo de cuerda, enlazándola con el anillo de 56 «agujeros de Aubrey» (agujeros para postes de madera) alrededor el monumento. Johnson también ha identificado un conjunto de otras formas poligonales en Stonehenge, lo que sugiere que el anillo *sarsen* original era en realidad un polígono de 30 lados. Todo esto, dice Johnson, «muestra que los constructores de Stonehenge tenían un conocimiento elaborado empíricamente derivado de la geometría pitagórica 2.000 años antes de Pitágoras».

día de verano. Recientemente se ha vuelto más evidente que su alineación principal era probablemente en la dirección opuesta, de tal manera que las posiciones que se acercaban desde la Avenida verían el Sol de invierno poniéndose directamente sobre la piedra del altar que estaba en el centro del círculo de piedra de *bluestone* original.

Al igual que en las alineaciones solares, es posible que Stonehenge fuese construido para marcar alineaciones lunares. Las piedras de las estaciones marcan un rectángulo que encierra el círculo *sarsen*. Los lados cortos del rectángulo están alineados con el solsticio de verano y de invierno, mientras que los lados largos están alineados con la salida de la Luna más meridional del ciclo de movimiento de 18 años de esta a lo largo del horizonte. La alineación de esta salida lunar y de la puesta solar en pleno invierno crean un ángulo de 90° en la piedra de la estación del sudeste.

GEOMETRÍA DE LAS PIEDRAS

Esta disposición geométrica destacable ha llevado al arqueólogo paisajista de la Universidad de Oxford, Anthony Johnson, a sugerir que el principio que guio la construcción de Stonehenge no fue astronómico, sino geométrico. Según Johnson, los constructores primero hicieron un círculo, dispuestas las cuatro esquinas de un cuadrado en su circunferencia, y luego otro cuadrado para crear un octágono interior.

Luego utilizaron cuerdas atadas a estacas en los puntos del octógono para describir arcos que cruzasen el círculo, marcando los vértices de polígonos cada

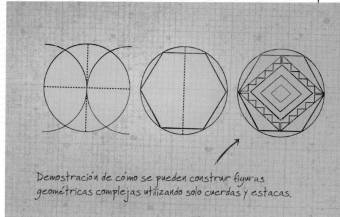

Demostración de cómo se pueden construir figuras geométricas complejas utilizando solo cuerdas y estacas.

LA CONEXIÓN CON PITÁGORAS

Más de 2.000 años después de que esta geometría compleja fuese puesta sobre la llanura de Salisbury, los druidas, la casta sacerdotal de los antiguos bretones, bien pueden haber adorado allí. Poco se sabe acerca de sus creencias o prácticas, pero intrigantes indicios sugieren que compartían creencias comunes con los pitagóricos del sur de Italia, que estaban activos en el mismo periodo. Por ejemplo, se dice que ambos grupos creían en la reencarnación, y los druidas eran famosos por su sabiduría y aprendizaje. ¿Es posible que también compartieran el conocimiento geométrico de los pitagóricos, pero, al no tener cultura escrita, no dejaron constancia de ello? Una leyenda sobre los druidas es que llevaban cinturones con 12 nudos con los cuales podían hacer triángulos rectángulos, usando el cinturón como un artefacto de terna pitagórica para medir los lados de 3, 4 y 5 nudos de longitud (*ver* recuadro «Ternas pitagóricas y las pirámides», p. 66).

LA VIDA DE PI

Pi ha fascinado a los matemáticos desde la antigüedad. Tan pronto como los humanos pudieron entender las proporciones, las fracciones y la división, se habría hecho evidente de forma rápida que había algo extraño en la relación de la circunferencia de un círculo y su diámetro. Por definición, todos los círculos tienen la misma forma; en términos geométricos se dice que son similares. Esto significa que, para todos los círculos, la relación entre el diámetro y la circunferencia es la misma.

Cualquier persona que mida las dimensiones de un círculo, tanto si es un artesano prehistórico como un filósofo griego, se dará cuenta de que la primera no se divide perfectamente entre la segunda. La relación entre la circunferencia y el diámetro es más o menos 3, pero no exactamente.

Estos se puede comprobar: con un trozo grande de papel y un compás, o hacemos nuestro propio compás con un alfiler, un lazo de cuerda y un lápiz. Dibujamos varios círculos de diferentes tamaños y medimos sus diámetros, escribiendo la medida dentro de cada círculo. Ahora tomamos un trozo de cuerda y en cada círculo ponemos tan cuidadosamente como podamos alrededor del perímetro. Midiendo la cuerda obtenemos una estimación de la circunferencia de cada círculo. Ahora dividimos la cifra obtenida de la circunferencia

LA AGUJA DE BUFFON Y LAS HORMIGAS QUE CONOCÍAN PI

El naturalista y matemático francés del siglo XVIII Georges-Louis Leclerc, conde de Buffon, propuso un método extraordinario para estimar pi, conocida como la aguja de Buffon. Al lanzar una aguja aleatoriamente sobre una superficie infinitamente más grande llena de líneas paralelas es posible obtener una estimación estadística de pi. Esto sucede porque, siempre y cuando la longitud de la aguja no sea mayor que la anchura entre las líneas, la probabilidad de que la aguja toque o cruce una línea es el doble de la longitud de la aguja (l) dividida por la anchura de la línea (d) multiplicado por pi: 2l / d × π. Así que si se nos caen agujas aleatoriamente en un suelo de madera y contamos la frecuencia con que se tocan o se cruzan las líneas, podemos hallar pi.

Se decía que Buffon había probado su método lanzando baguettes por encima del hombro a un suelo de baldosas, mientras que en 1901 el matemático italiano Mario Lazzarini afirmó haber arrojado una aguja 3.408 veces y obtuvo un valor de pi igual a 355/113 o 3'1415929..., que difiere del valor exacto por menos de 0'0000003. No hay duda acerca de los resultados de Lazzarini porque los ordenadores incluso luchan para generar una aleatoriedad suficientemente auténtica para que el método funcione.

Increíblemente, la investigación en el año 2000 parece demostrar que existe una hormiga que utiliza esta técnica para establecer el tamaño de sus nidos. Observando las hormigas de la especie *Leptothorax albipennis* en el laboratorio, los investigadores Eamonn B. Mallon y Nigel R. Franks, del Centro de Biología Matemática en la Universidad de Bath, Gran Bretaña, vieron que las hormigas exploraban nuevos sitios dejaban rastros de olor y contaban las intersecciones entre los rastros , y luego convertían esa información en una estimación del área.

El conde de Buffon.

Matemático	País	Año	Valor de pi
Ahmes	Egipto	1650 a. C.	$^{256}/_{81}$ (3'16049)
Arquímedes	Grecia	250 a. C.	$^{223}/_{71} < \pi < {}^{22}/_{7}$ (3'1418)
Chang Hong	China	130 d. C.	$\sqrt{10}$ (3'1622)
Ptolomeo	Egipto (Alejandría)	150 d. C.	3'1416
Zu Chongzi	China	480 d. C.	$^{355}/_{133}$ (3'14159292…)
Aryabhata	India	499 d. C.	$^{62832}/_{20000}$ (3'1416)
Al-Khwarizmi	Persia	800 d. C.	3'1416
Fibonacci	Italia	1220 d. C.	3'141818

por el diámetro. Conseguimos más o menos el mismo resultado, aproximadamente 3'14, para cada círculo, con independencia de su tamaño. Este número es, por supuesto, pi, el nombre dado a la relación entre la circunferencia (c) y el diámetro (d) de un círculo, pi = c / d. Pi es el nombre de la letra griega π que se utiliza como notación estándar.

IRRACIONAL Y TRASCENDENTE

Es imposible representar pi como una relación exacta o una fracción (que son lo mismo). Un número que no puede ser representado como una relación se dice que es irracional, y pi fue el primer número irracional descubierto. Pi también se dice que es trascendente, lo que significa que no puede describirse por cualquier fórmula algebraica utilizando números enteros.

RECORDANDO PI

Estos son los primeros 100 decimales de pi:
3'1415926535897932384626433832795028841971693993751058209749445923078164062862089986280348253421170679…
Aunque solo unos pocos de estos dígitos se queden en la memoria, si queremos impresionar a la gente al recordar los primeros 9 ó 10 dígitos de pi, podríamos usar uno de estos acrósticos mnemotécnicos, donde el número de letras de cada palabra da el dígito correspondiente de pi:

Puedo tener hoy un gran contenedor de mantequilla.
3'1 4 1 5 9 2 6 5

Porque yo sé que elegí el conocimiento para alcanzar la alegría de la vida.
3'1 4 1 1 5 9 2 6 5 3

BREVE HISTORIA DE PI

Un pasaje de la Biblia, matemáticamente famoso, da un valor de pi. El versículo Reyes 7:23 brinda dimensiones para la fundición de un tazón grande (conocido como «El mar») para el lavado ritual, afirmando que su diámetro de diez codos y su circunferencia de 30 codos («E hizo un mar de metal fundido, de diez codos desde la de un borde al otro: era totalmente redondo… y una línea de treinta codos lo ceñía alrededor»). Claramente, $^{30}/_{10} = 3$.

El Libro de los Reyes fue escrito alrededor de 950 a. C., pero en realidad los valores más exactos de pi se conocieron al menos mil años antes de este momento. Los antiguos textos matemáticos sobrevivientes, como el papiro de Rhind/Ahmes y las tablillas de arcilla babilónicas, muestran que los antiguos apreciaban que había una diferencia entre una aproximación útil de pi, como el que se usa en la Biblia, y su valor real. Los textos egipcios y babilonios muestran un valor de 3 que se utiliza para los cálculos en bruto y los que implicaban círculos, frente a valores mucho más precisos que varían de $3\frac{1}{6}$ a $3\frac{1}{8}$.

La primera persona que de manera sistemática calculó el valor de pi con un alto grado de precisión fue el antiguo matemático griego Arquímedes de Siracusa, en torno a 250 a. C. Utilizó el método de agotamiento, que consiste en hallar las áreas de polígonos de muchas caras que sean un poco más grandes que el círculo y un poco más pequeños y usar estas para establecer los límites superior e inferior de pi. Cuantos más lados tenga el polígono, más cercana será su área a la del círculo y más firmemente limitado estará pi. Arquímedes fue capaz de calcular pi usando polígonos de hasta 96 caras.

El método de Arquímedes fue utilizado en los siguientes 1.800 años. Los matemáticos en China, la

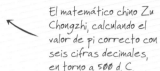

El matemático chino Zu Chongzhi, calculando el valor de pi correcto con seis cifras decimales, en torno a 500 d. C.

A partir del siglo XVII, los nuevos métodos permiten aún mayores proezas de precisión. Alrededor de 1706, el astrónomo británico John Machin calcula pi con 100 decimales. En el siglo XIX, el matemático aficionado británico William Shanks pasó 15 años hallando los primeros 707 dígitos (a un ritmo de alrededor de uno por semana); por desgracia, 180 de ellos estaban equivocados. En 1844, un sabio alemán llamado Johann Dase (o Dahse) calculó pi con 200 decimales en menos de dos meses, y un siglo más tarde, el matemático británico D. F. Ferguson utilizó una calculadora mecánica para calcular pi con 808 decimales. Hoy en día, los superordenadores pueden calcular pi con un millón de millones de dígitos.

EL SÍMBOLO PI

En la antigua Grecia, la letra π simbolizó el número 80. Su uso para la notación para el cociente de c:d data de 1647, cuando el matemático inglés William Oughtred (inventor de la regla de cálculo, *ver* recuadro «El ábaco de Napier», p. 136) la utilizó por primera vez en un texto, aunque en un contexto ligeramente diferente de su significado actual. El primero en utilizar π en el sentido de 3'14159... fue el matemático galés William Jones en 1706, y la notación fue retomada más tarde y popularizada por el matemático suizo Leonhard Euler, a mitad del siglo XVIII.

India y el mundo islámico obtuvieron cifras de pi cada vez con una mayor precisión utilizando el método de agotamiento (*ver* tabla de la página anterior), que culminó en 1596 en las labores heroicas del matemático holandés Ludolph van Ceulen, que utilizó un polígono de 2^{62} (alrededor de 4'6 trillones) lados para calcular pi con 34 cifras decimales. Los dígitos fueron inscritos en su lápida.

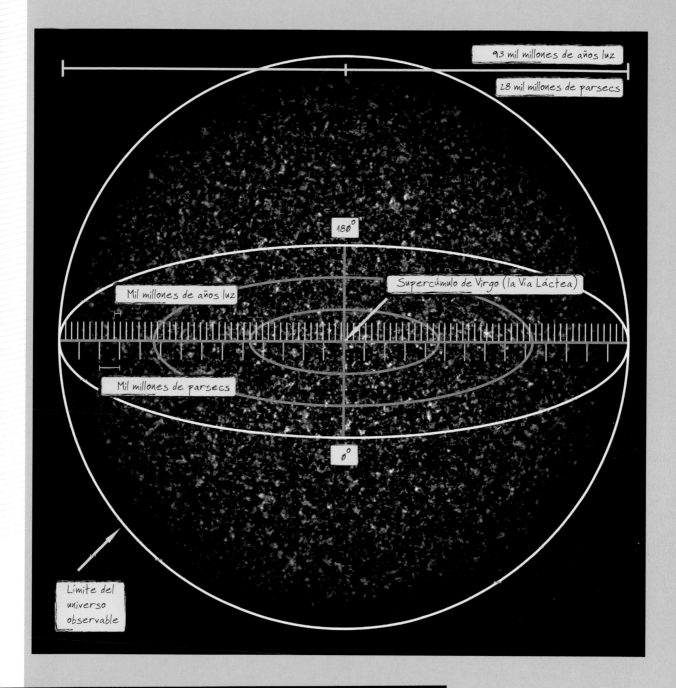

¿CUÁNTOS DECIMALES DE PI SE NECESITAN?

Calcular pi con cientos o incluso un billón de decimales puede ser de interés académico pero, ¿tiene un valor práctico? Obviamente los artesanos, los constructores y los ingenieros que trabajan con círculos se benefician de saber un valor aproximado de Pi pero, ¿cuántos decimales necesitan realmente en la práctica? No muchos. Conocer pi con solo diez cifras decimales nos permite calcular la circunferencia de la Tierra con una precisión de 0'2 milímetros. De acuerdo con los matemáticos escoceses Jonathan y Peter Borwein, «se necesitan tan solo 39 dígitos de π para calcular la circunferencia de un círculo de radio 2×10^{25} metros (un límite superior a la distancia recorrida por un partícula que se mueve a la velocidad de la luz por 20 mil millones de años, y superior al radio del Universo) con un error de menos de 10^{-12} metros [alrededor de 4×10^{-11} pulgadas], un límite inferior al radio de un átomo de hidrógeno».

MATEMÁTICAS
EN LA ANTIGUA GRECIA

Busto de Pitágoras de Samos, el antiguo filósofo y místico griego. Él y sus seguidores fueron los primeros en considerar las matemáticas como una ciencia pura.

Los antiguos griegos tuvieron una profunda influencia en el desarrollo de las matemáticas. Desde el siglo VI a. C. hasta la longeva cultura griega de Alejandría, donde los eruditos seguían todavía con la tarea más de mil años después, los pensadores clásicos del mundo griego fueron los responsables de la fundación de las matemáticas occidentales. Los griegos fueron los primeros en practicar las matemáticas abstractas y en formularlas de una manera científica. Aunque se ocupan principalmente de la geometría, el caso más famoso, el teorema de Pitágoras, los griegos también estaban avanzados en aritmética, la teoría de los números (el descubrimiento de los números primos, por ejemplo), el álgebra, la ingeniería y la geodesia (medición de la Tierra), e incluso comenzaron a explorar el concepto de infinito.

PITÁGORAS, EL HOMBRE QUE INVENTÓ LAS MATEMÁTICAS

El filósofo y místico griego Pitágoras de Samos (c. 565-495 a. C.) es el hombre que inventó las matemáticas, al menos en el sentido de acuñar el término y definir lo que han significado desde entonces. Es una de las figuras de renombre más antiguas y más importantes en la historia de las matemáticas, y sin embargo, se sabe muy poco de él con certeza.

La única excepción es, paradójicamente, que podemos afirmar que no descubrió el teorema que lleva su nombre. No obstante, Pitágoras y/o sus seguidores estaban entre los primeros que demostraron la veracidad del famoso teorema sobre el cuadrado de la hipotenusa, y también hicieron descubrimientos pioneros en geometría, la teoría de números y las matemáticas de la música. Sin embargo, Pitágoras no fue el primer hombre en saber de las matemáticas, en el sentido de la lógica avanzada a través de una serie de principios abstractos; esa distinción pertenece a Tales de Mileto.

TALES DE MILETO

Tales (c. 625-547 a. C.) es el primer gran matemático cuyo nombre conocemos. Conocido como uno de los siete sabios de la antigua Grecia, Tales de Mileto vivió en la costa jónica de Asia Menor (la actual Turquía), pero viajó a Egipto para aprender matemáticas y filosofía. Se dice que determinó la altura de la Gran Pirámide de Guiza usando su sombra (*ver* recuadro «La sombra de la pirámide: geometría y el nacimiento de la ciencia»).

Tales es significativo porque fue el primero en formular teoremas matemáticos. Un teorema es una afirmación o hipótesis que puede ser probada, basada en axiomas aceptados (leyes de las matemáticas). Aunque los teoremas de Tales eran relativamente básicos, ya que a menudo explicaban simplemente las relaciones que parecían evidentes, y la naturaleza de su obra marcó un avance radical y revolucionario en la práctica de las matemáticas. Teniendo en cuenta que los egipcios y los babilonios habían buscado soluciones específicas a problemas concretos, Tales fue el primero en utilizar ejemplos para deducir reglas generales y

universales. Al hacerlo, transformó las matemáticas en una ciencia. Aunque ninguna de las obras de Tales sobrevive, escritores posteriores le atribuyen una serie de descubrimientos en geometría elemental:

1. Cualquier círculo se divide en dos por su diámetro, o un círculo se divide con cualquier diámetro.
2. Los ángulos de la base de un triángulo isósceles son iguales.
3. Cuando dos rectas se cortan, los ángulos opuestos son iguales.
4. Los lados de triángulos semejantes son proporcionales.
5. Dos triángulos son congruentes si tienen dos ángulos y un lado iguales.
6. Un ángulo en un semicírculo es un ángulo recto.

Diagrama del teorema de Tales.

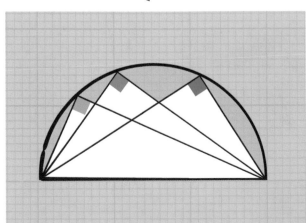

LA SOMBRA DE LA PIRÁMIDE: GEOMETRÍA Y EL NACIMIENTO DE LA CIENCIA

La geometría fue fundamental para la concepción griega de las matemáticas. La palabra «geometría» en sí viene de las palabras griegas *geo*, que significa «tierra», y *metria*, que significa «medida», lo que refleja el carácter práctico, en el mundo real, de la geometría hasta ese momento. Los egipcios y los babilonios habían practicado la geometría en el sentido de determinar las propiedades de las pirámides o los campos, pero los griegos, empezando por Tales, elevaron la geometría a otra dimensión, buscando hacer abstractos principios y axiomas a partir de ejemplos y demostrar teoremas mediante el razonamiento deductivo. De este modo la geometría se convirtió en la ciencia de las cantidades continuas, sus relaciones y proporciones, de una dimensión abstracta que existía únicamente en la mente, o al menos más allá del mundo real. Este fue un gran salto filosófico, que pudo haber ayudado a abrir la mentalidad griega más allá del mundo concreto, lo que les permitió filosofar sobre la vida, el Universo y todo. Tales fue quizás el primero en hacer la geometría abstracta tomando principios geométricos «obvios» y demostrando su carácter universal, la verdad abstracta. Este fue un momento clave en la historia de la ciencia.

Un buen ejemplo del gran salto de la geometría egipcia a la nueva geometría de los griegos es la historia de Tales y la Gran Pirámide de Guiza. Cuando Tales estaba estudiando en Egipto, visitó Luxor para ver la Gran Pirámide y supuestamente asombró a sus guías al calcular la altura del monumento simplemente clavando su bastón en el suelo y comparando la longitud de su sombra con la de la pirámide. Para los egipcios, esto parecía cosa de magia, pero para Tales era simple lógica. Por medio de la razón, Tales pudo empezar a descubrir los secretos de la naturaleza.

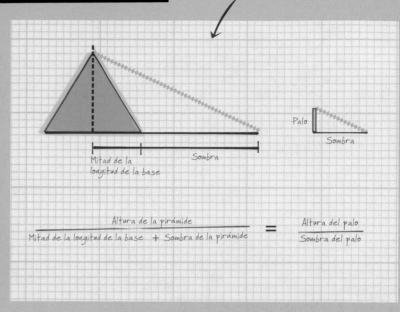

El método de Tales para determinar la altura de la pirámide.

$$\frac{\text{Altura de la pirámide}}{\text{Mitad de la longitud de la base} + \text{Sombra de la pirámide}} = \frac{\text{Altura del palo}}{\text{Sombra del palo}}$$

El sexto punto es lo que generalmente se conoce como el teorema de Tales. Dicho de forma ligeramente diferente, se dice que si se dibuja un triángulo dentro de un círculo de manera que su base es el diámetro y su vértice está en el perímetro, el ángulo opuesto a la base siempre será un ángulo recto.

LA VIDA Y LEYENDA DE PITÁGORAS

Pitágoras se convirtió en una figura legendaria en su propia vida, pero poco se sabe con certeza acerca de su vida. Hijo de Mnesarchus, un comerciante, Pitágoras nació en la isla de Samos y estudió con el filósofo Anaximandro (c. 610-546 a. C.), que había sido alumno de Tales. Supuestamente, a Pitágoras le dijeron que para aprender matemáticas debía viajar a Egipto; y según la leyenda, también viajó a través del mundo persa.

Más tarde, viajó a Sicilia y finalmente se estableció en Crotona, en el sur de Italia, en aquel entonces la ubicación de muchas colonias griegas.

Allí Pitágoras estableció su escuela y atrajo a muchos seguidores, convirtiéndose rápidamente en una figura

Pitágoras de Samos, también conocido como el Simio Sabio.

Pitágoras pesando yunques para determinar la relación entre el peso y la sonoridad.

de culto. Él se atribuyó no solo una gran erudición y sabiduría, sino también poderes mágicos. Se decía que tenía un muslo de oro, podía bilocarse (aparecer en dos lugares al mismo tiempo) y recordar sus vidas pasadas. Junto a sus enseñanzas matemáticas, predicó una extraña mezcolanza de creencias esotéricas, incluyendo la reencarnación, que a su vez condujo a un estricto vegetarianismo (para evitar matar almas humanas reencarnadas en cuerpos de animales). Sus seguidores, la Hermandad de los Pitagóricos, se esperaba que respetasen estrictamente unas normas extrañas, que incluían no orinar hacia el Sol, no casarse con una mujer que usase joyas de oro, no pasar nunca por encima de un yugo y evitar todo contacto con las habas negras.

Para unirse a la Hermandad, se esperaba que los miembros jurasen sobre un triángulo sagrado conocido como el *tetraktys*, transfiriesen todas sus posesiones mundanas al grupo e hiciesen un voto de silencio de

cinco años. Durante este periodo, se convertían en *akousmatikoi* («oyentes»), con permiso para escuchar a Pitágoras enseñar solo desde detrás de un velo. Con el tiempo, ellos se graduaban para convertirse en *mathematikoi* («los que aprenden»), miembros del círculo íntimo. Más tarde, estos dos grupos se separaban; los conocidos como *mathematikoi* seguían los aspectos científicos y filosóficos de las enseñanzas pitagóricas, mientras que los *akousmatikoi* seguían las enseñanzas místicas orales o *symbola*, de Pitágoras.

La Hermandad se involucró en la política de Crotona, pero terminó en el lado perdedor de una violenta lucha de poder. Su sede se incendió y el propio Pitágoras se exilió, muriendo en torno al 495 a. C. Pero su influencia y la leyenda crecieron, inspirando especialmente a Platón y a los que vinieron después de él, de modo que no está claro cuánto de lo que se le atribuye a Pitágoras es simplemente una invención platónica. En términos más generales, cuando los descubrimientos o teorías se atribuyen a Pitágoras, es más exacto decir que pueden haber sido realizados por su escuela.

LOS NÚMEROS Y EL SECRETO DEL UNIVERSO

Se considera que los pitagóricos establecieron las bases de la teoría de los números, el estudio de las propiedades aritméticas de los números. Estaban particularmente interesados en lo que se llaman números figurados: secuencias de números asociados con figuras geométricas. Por ejemplo, descubrieron que el cuadrado de un número (n) es igual a la suma de los primeros n números impares. Por ejemplo, si $n = 4$, $4^2 = 16 =$ la suma de los primeros 4 números impares ($1 + 3 + 5 + 7$). Podemos probarlo con cualquier número.

Los pitagóricos estaban interesados en los números perfectos. Cuando todos los números en los que se puede dividir un número (los divisores) se suman para dar ese número, se dice que es perfecto; por ejemplo, los divisores de 6 son 1, 2 y 3, y $1 + 2 + 3 = 6$, por lo que 6 es un número perfecto. Los pitagóricos también descubrieron al menos el primer par de números amigos. Estos son pares de números para los que la suma de los divisores de un número es igual al otro número. Por ejemplo, los divisores de 220 son 1, 2, 4, 5, 10, 11, 20, 22, 44, 55 y 110, de los cuales la suma es 284; los divisores de 284 son 1, 2, 4, 71 y 142, de los cuales la suma es 220.

El número más venerado por los pitagóricos fue el 10, del que se dice que es un número triangular, ya que es la suma de una sucesión de números cada vez más grandes: $1 + 2 + 3 + 4 = 10$. Su naturaleza triangular se hace evidente cuando estos números se representan por puntos en líneas sucesivas (*ver* abajo).

Los pitagóricos llamaban a la figura triangular de diez puntos *tetraktys*. No solo se forma un triángulo equilátero, sino que sus líneas representaban también las proporciones armónicas que Pitágoras supuestamente había descubierto, 2:1, 3:2 y 4:3.

Estos descubrimientos sobre los números no fueron solo de interés académico para los pitagóricos. Pitágoras llegó a creer que el Universo mismo estaba hecho de números, y que los números subyacían la estructura tangible de la realidad. Su Hermandad practicaba una forma extrema de la numerología o culto al número. A cada número se le atribuyó un carácter y un significado: el 1 era la fuente de todos los otros números; el 2 representaba la opinión; el 3, la armonía; el 4, la justicia; el 5, el matrimonio; el 6, la creación; y el 7, los siete cuerpos celestes. Los números pares se consideraban números masculinos y los números impares, femeninos.

LA MÚSICA DE LAS ESFERAS

Las matemáticas de Pitágoras se distinguen sobre todo por centrarse en las relaciones entre los números. La base de la filosofía pitagórica es la creencia de que ciertas combinaciones de números relacionados entre sí con una armonía mística, que les daba a ambos cualidades abstractas, geométricas y reales, así como unas cualidades físicas, y además la armonía de todo

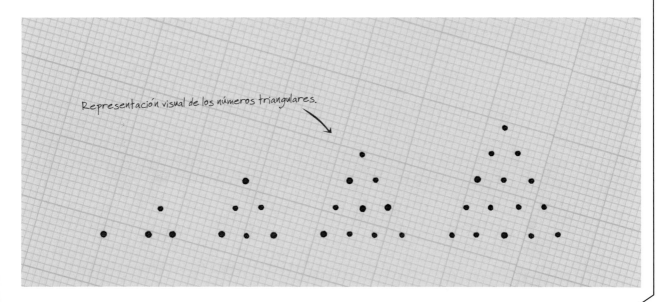

Representación visual de los números triangulares.

Xilografía medieval que muestra las armonías pitagóricas producidas con campanas y vasos de agua.

una nota diferente pero armoniosa. Pitágoras fue capaz de describir las primeras cuatro armonías, los intervalos comunes que forman los elementos básicos de la armonía musical, con las proporciones 2:1, 3:2 y 4:3 en representación de la longitud de las cuerdas correspondientes a la octava y las armonías básicas (la quinta y la cuarta).

Así, los intervalos más armoniosos figuran en la progresión numérica 1:2:3:4, que, por supuesto, es la progresión que indica el número triangular que los pitagóricos llamaban *tetraktys*. Para Pitágoras, esta era la prueba de que las relaciones armoniosas entre los números estaban tras la estructura misma del Universo, con relaciones similares entre los cuerpos celestes que daban lugar a una especie de resonancia celestial, conocida como la «música de las esferas», música que solo él podía oír.

NÚMEROS PROHIBIDOS

El elemento clave de estas teorías numéricas pitagóricas fue que los números enteros pudiesen relacionarse entre sí proporcionalmente. Los pitagóricos creían que tales números, conocidos como números racionales, eran los componentes básicos del cosmos, ordenados y creados por el Creador. Esta creencia se volvió incómoda cuando uno de los suyos descubrió un número irracional. Hipaso, un estudiante de Pitágoras, trató de calcular la raíz cuadrada de 2, pero encontró que no podía expresarse como una relación entre dos números enteros. El pobre Hipaso fue ahogado, supuestamente, por tratar de difundir su descubrimiento herético.

LLEGANDO AL TEOREMA DE PITÁGORAS

Junto a la teoría de los números, los pitagóricos desarrollaron todo un sistema de geometría. Las matemáticas griegas aún no habían llegado al nivel plenamente científico que más tarde establecería Euclides, con demostraciones rigurosas de las pruebas (*ver* «Euclides y los Elementos», p. 74), pero los pitagóricos dedujeron teoremas universales, ninguno más famoso que el que lleva su nombre. Aunque el principio se conocía en todo el mundo antiguo, al menos desde un milenio antes de Pitágoras, fue él quien le dio la forma definitiva y el que desarrolló una de las primeras pruebas registradas (*ver* «El teorema de Pitágoras», p. 66).

el Universo era inherente a esta relación mística. La creencia en parte surgió de un descubrimiento que, según la leyenda, Pitágoras hizo en su juventud. Al pasar por una fragua donde los herreros estaban trabajando, se dio cuenta de que los sonidos que emitían los martillos resultaban melodiosos, además de que parecían sonar en armonía. Investigando esto, encontró que los martillos diferían en tamaño, variando entre sí de una manera regular.

Experimentos posteriores, posiblemente en un monocordio, un instrumento de una sola cuerda con un puente que se puede mover para dividir la cuerda en dos partes de proporción variable, revelaron que los intervalos musicales coincidentes estaban relacionados por proporciones de números enteros simples. Si el puente se movía para dividir la cadena en el medio, se producía la misma nota, pero una octava más alta, mientras que a un tercio de la longitud daba

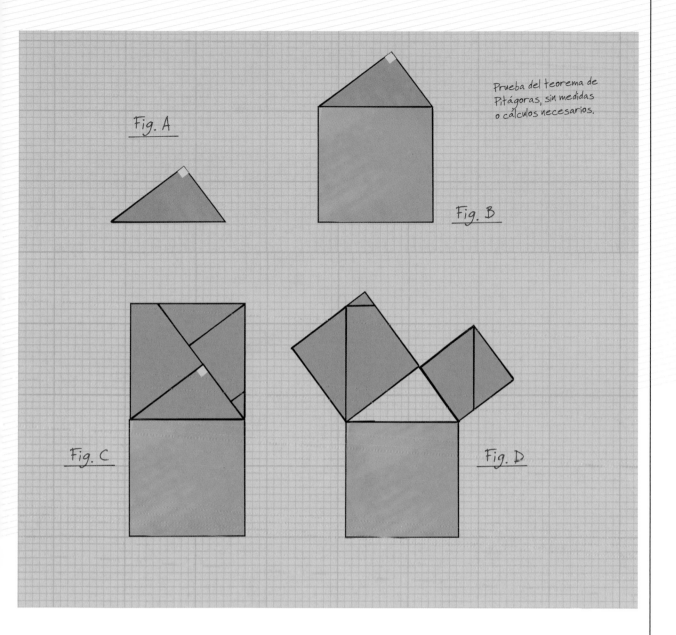

Fig. A

Fig. B

Prueba del teorema de Pitágoras, sin medidas o cálculos necesarios.

Fig. C

Fig. D

Podemos seguir los pasos de Pitágoras y probarlo por nosotros mismo. Con un lápiz, un papel y un par de tijeras, dibujamos un pequeño triángulo rectángulo en el centro de la página (Fig. A). Dibujamos un cuadrado en su lado largo (la hipotenusa) y lo coloreamos de un color, por ejemplo, verde (Fig. B). Ahora pasamos ese cuadrado a otra hoja de papel, para crear un segundo cuadrado con las mismas dimensiones exactas. Dividimos este segundo cuadrado con líneas rectas, como se muestra en la Fig. C.

Recortamos ambos cuadrados y después cortamos el cuadrado dividido en cinco piezas. Reordenamos las piezas como se muestra en la Fig. D, haciendo dos cuadrados. Colocamos estos dos cuadrados en los otros lados del triángulo original. Esto prueba que el cuadrado verde ocupa exactamente la misma cantidad de papel que los cuadrados que están colocados en los otros lados del triángulo.

CUALQUIER FORMA SIRVE

Los pitagóricos no se dieron cuenta de que su famoso teorema no se aplica solo para el cuadrado de la hipotenusa, sino a cualquier forma regular sobre la hipotenusa, tanto si es un pentágono, un dodecágono (polígono de 12 lados) o incluso un semicírculo. Por ejemplo, el área de un pentágono regular construido sobre la hipotenusa es igual a la suma de las áreas de los pentágonos regulares dibujados sobre los otros dos lados.

EXPONENTES O POTENCIAS

Junto a la suma y la multiplicación, la otra operación aritmética que se puede realizar sobre los números es elevándolos a un exponente, también conocido como una potencia o índice (índices en plural), lo que significa multiplicar el número por sí mismo la cantidad de veces especificada por el exponente o potencia. Es otro paso más en la evolución del fascinante mundo de las matemáticas.

Cuando un número se multiplica de esta manera, se dice que se eleva; por ejemplo, 2 multiplicado por sí mismo 4 veces ($2 \times 2 \times 2 \times 2$) es 2 elevado a la potencia de 4. El número que se multiplica por sí mismo, o se eleva, se conoce como la base, en el ejemplo, 2 es la base. En notación matemática, la base está escrita como un número grande y el exponente o potencia se escribe como un número pequeño en la parte superior derecha; por ejemplo, 2 elevado a la potencia de 4 se escribe como 2^4. Elevar un término al máximo exponente multiplica sus factores: $5^5 = 5 \times 5 \times 5 \times 5 \times 5$

$$|_____|$$
$$\text{factores}$$

Del mismo modo los exponentes tienen diferentes nombres, por lo que hay diferentes formas de decir lo que, por ejemplo, 4^3 significa. Podría ser «cuatro al cubo», «cuatro elevado a tres», o «cuatro a la tercera potencia». En general, la expresión significa «multiplicar una por sí mismo n veces».

Los exponentes más comunes son los cuadrados. Por ejemplo, $2^2 = 4$, $3^2 = 9$, $4^2 = 16$, $5^2 = 25$, $6^2 = 36$, etc. Los números con una raíz cuadrada que es un número entero se llaman cuadrados perfectos, por ejemplo, 4, 9, 16, 25, 36, etc.

EXPONENTES POCO COMUNES

Es posible tener exponentes negativos, como 2^{-1}. Un exponente negativo muestra cuántas veces se divide 1 por la base y por lo tanto es equivalente a una fracción inversa. En otras palabras $2^{-1} = \frac{1}{2}$, $6^{-1} = \frac{1}{6}$, y así sucesivamente. Para exponentes negativos distintos de -1, puede ayudar a elevar el término; por ejemplo $5^{-3} = 1 \div 5 \div 5 \div 5$. Esto es lo mismo que $1 \div (5 \times 5 \times 5) = \frac{1}{5^3} = \frac{1}{125} = 0'008$. Convertir un exponente negativo en la forma inversa de exponente positivo hace que sea más fácil de calcular.

Es importante no mezclar los exponentes negativos y los exponentes de números negativos. Por ejemplo, $-2^2 = -2 \times -2 = 4$, mientras que $2^{-2} = \frac{1}{2^2} = \frac{1}{4}$. Un número negativo con un exponente par siempre da un resultado positivo, mientras que un número negativo con un exponente impar da un resultado negativo; por ejemplo, $-5^2 = -5 \times -5 = 25$, mientras que $-5^3 = -5 \times -5 \times -5 = -125$. Un exponente negativo de un número negativo es la fracción inversa del exponente positivo del número negativo; por ejemplo, $-3^{-3} = 1/-3^3 = 1 / -27$.

Hay dos casos especiales de exponentes: 1 y 0. Un exponente de 1 significa que solo tiene una «copia» de la base, que es lo mismo que multiplicar por 1. En otras palabras, $n^1 = n$; por ejemplo, $6^1 = 6$. Cualquier base elevada al exponente 0 = 1 (o, expresado matemáticamente, $n^0 = 1$); por ejemplo, $6^0 = 1$ y también $8^0 = 1$.

Una forma sencilla de recordar qué exponente da qué producto es comenzar siempre con un 1 y luego multiplicar o dividir por la base tantas veces como indique el exponente. Por ejemplo, las diferentes potencias de 4 dan estos resultados:

Número y exponente	Multiplicación/ División	Resultado
4^2	$1 \times 4 \times 4$	16
4^1	1×4	4
4^0	1	1
4^{-1}	$1 \div 4$	0'25
4^{-2}	$1 \div 4 \div 4$	0'0625

LEYES DE LAS POTENCIAS

Las leyes de las potencias son normas que rigen lo que pasa cuando multiplicamos o dividimos términos con exponentes. Al sumar o restar términos, es importante calcular los términos con sus exponentes antes de sumarlos o restarlos, a menos que las bases sean las mismas. Por ejemplo, $a^4 + 5a^4 = 6a^4$, pero $a^2 + a^3 \neq a^5$ (el símbolo $\neq$ significa «no es igual» o «no es igual a»). Al multiplicar o dividir, simplemente se pueden sumar o restar los exponentes. Por ejemplo, $16^5 \times 16^9 = 16^{5+9} = 16^{14}$, mientras que $16^9 \div 16^3 = 16^{9-3} = 16^6$.

Todas las leyes de las potencias son:

Ley	Ejemplo
$a^m \times a^n = a^{m+n}$	$a^2 \times a^3 = a^{2+3} = a^5$
$a^m \div a^n = a^{m-n}$	$a^6 \div a^2 = a^{6-2} = a^4$
$(a^m)^n = a^{mn}$	$(a^2)^3 = a^{2\times3} = a^6$
$(a \times b)^n = a^n \times b^n$	$(a \times b)^3 = a^3 \times b^3$
$(a \div b)^n = a^n \div b^n$	$(a \div b)^2 = a^2 \div b^2$

USA NÚMEROS ELEVADOS

Los exponentes se utilizan porque ahorran espacio; es mucho más fácil escribir a^7 (una a con superíndice 7) en lugar de *aaaaaaa*. Fue el uso que hizo el filósofo francés Descartes de los exponentes como superíndices en su obra *La Géométrie* en 1637 lo que popularizó esta notación (y cabe resaltar que utiliza muy poco a^2, y escribe *aa* en cambio, probablemente porque no se ahorraba espacio al usar el exponente en este caso). Pero Descartes no fue el primero. El matemático medieval francés Nicole Oresme escribió acerca de las potencias en el siglo xiv, pero no lo indicó con números elevados. En 1484, el matemático francés Nicolas Chuquet utilizó números elevados, pero en un contexto ligeramente diferente. Y en 1636, James Hume se adelantó a la notación cartesiana, pero usando números romanos como exponentes, como en A^{iii}. Los superíndices planteaban un problema para las antiguas imprentas, ya que había que desplazarlos de la línea principal; la necesidad de ponerlos entre líneas explica el tamaño reducido del superíndice.

Portada del discurso de Descartes sobre el método con «La geometría» como un anexo.

LOS NÚMEROS PRIMOS

Los números primos son los fundamentos del resto de números. Han fascinado a los matemáticos desde tiempos inmemoriales, e incluso hoy se sigue buscando el número primo más grande. En enero de 2013, el mayor número primo conocido era el $2^{57885161} - 1$, que tiene 17.425.170 cifras.

INDIVISIBLE

Un número primo es aquel que no se puede dividir entre ningún otro número excepto él mismo y 1. Los primos son literalmente los átomos del mundo de los números («átomo» viene de la palabra griega *atomos*, que significa indivisible). Un número que se puede dividir entre otro se conoce como un número compuesto. Los números en los que se divide un número más grande se conocen como sus factores. Los factores de un número n son lo que necesitas multiplicar juntos para producir n. Todos los números compuestos en definitiva pueden reducirse a factores primos, lo que quiere decir que cualquier número compuesto se puede conseguir multiplicando números primos.

EL TEOREMA FUNDAMENTAL DE LA ARITMÉTICA

De hecho, hay un enunciado sobre los números primos, conocido como el teorema fundamental de la aritmética, que va más allá de esto. El teorema establece que cualquier número entero mayor que 1 es un número primo o se puede escribir como un producto único de números primos. Por ejemplo, los factores primos de 12 son $3 \times 2 \times 2$. Esta combinación de un 3 y dos 2 es aplicable solo a 12, y ninguna otra combinación de números primos resulta 12. Lo podemos probar con cualquier número, este será o bien un primo, o bien tendrá una combinación única de factores primos.

Esto significa que no solo cualquier número compuesto se puede descomponer en factores primos, sino que la combinación de factores primos es única para cada número compuesto. De este modo los números suenan más como productos químicos. Cada elemento está compuesto de átomos únicos e indivisibles, y cada molécula diferente es una combinación única de elementos. En el mundo de los números, podemos decir que los números primos son como los elementos, y que los números compuestos son como las moléculas.

¿CUÁNTOS PRIMOS HAY?

Es bastante fácil detectar los números primos hasta 10 o incluso hasta 20, pero cuanto más se asciende, se vuelve más complicado y los primos son menos comunes, pasan de ser un 25% de los números hasta el 100, a solo el 7'9% de números hasta 1.000.000. ¿Si contáramos suficientemente alto se acabarán los números primos? Esta era una cuestión que se planteó el matemático griego Euclides (*ver* p. 74), y se le ocurrió una ingeniosa manera de probar si es imposible quedarse sin números primos.

Euclides comenzó imaginando que había un primo mayor, lo que significa que habría solo n números primos en total, donde n es un número finito (que podría ser un millón o un billón de billones, eso no importa). Si los números primos están numerados en orden ascendente, de modo que 2 = P1, 3 = P2, 5 = P3, etc., con el tiempo se alcanza este número primo más grande: Pn. Luego

Los números primos son esenciales para la seguridad de Internet.

LA MEJOR PALABRA

El mundo de los números primos ha generado su propio vocabulario de tecnicismos. Por ejemplo, primos gemelos son pares de números primos que difieren en 2, en otras palabras, son pares de números impares sucesivos que también son primos. Los ejemplos incluyen 3 y 5, 5 y 7, 11 y 13. Otro ejemplo del tecnicismo de los primos es co-primos, también conocidos como los números primos entre sí. Los co-primos no son primos, pero son pares de números compuestos que no tienen factores en común excepto el 1. Por ejemplo, 15 y 28 son co-primos porque los factores de 15 (1, 3, 5, 15) y la factores de 28 (1, 2, 4, 7, 14, 28) tienen solamente 1 en común.

Euclides imaginó un número q, que es el producto de todos los números primos, más 1: $q = (P1 \times P2\ P3 \times ... \times Pn) + 1$. ¿Qué pasaría si se intenta dividir este número por cualquiera de los n números primos que lo componen? Siempre habrá un resto de 1. De este modo q no será divisible por cualquier combinación de números primos menor que n, lo que significa que debe ser un primo o divisible por un número primo mayor que n. Esto, a su vez, significa que el primer Pn no puede ser el primo más grande, siempre habrá por lo menos uno mayor. Esto se conoce como la prueba de Euclides por reducción al absurdo, ya que demostró que hay un número infinito de números primos al contradecir la suposición de que hay un número finito de números primos.

EL MEJOR MOMENTO

Un aspecto interesante de los números primos en la naturaleza es el ciclo de vida de una determinada especie de cigarra norteamericana, *Magicicada septendecim*. Las cigarras tienen un ciclo de vida por el que todas las cigarras de un área yacen dormidas durante años al mismo tiempo y luego emergen todas a la vez para participar en un breve momento de frenesí de apareamiento y reproducción (conocido como la cría) antes de retirarse a hibernar.

Las crías de *Magicicada septendecim* solo aparecen cada 13 o 17 años (dependiendo de la región). No hay crías cada 12, 14, 15, 16 o 18 años, excepto en estos intervalos de números primos. Esto tiene sentido evolutivo porque minimiza el riesgo de que el ciclo vital de la cigarra coincida con el de un depredador.

Por ejemplo, una cigarra que apareciese cada 12 años coincidiría con los depredadores que tenían ciclos de vida de 2, 3, 4 o 6 años, y esta cría surgiría tras descubrir una gran cantidad de depredadores nacidos al mismo tiempo. Una cigarra que aparece solo cada 13 años coincidirá únicamente con un depredador que tiene un ciclo de vida de 13 años o un múltiplo de este. Esto no es un plan diseñado o una planificación familiar con visión de futuro de las cigarras; es una consecuencia inevitable de la selección natural.

Algunas especies de cigarra han evolucionado para criar en intervalos de números primos.

LA CRIBA DE ERATÓSTENES

El matemático griego de la antigua Grecia Eratóstenes (*ver* p. 84), ideó una manera de encontrar números primos conocida como la criba, porque gráficamente criba los números compuestos, dejando únicamente los números primos. Para que este método funcione, no es necesario ni siquiera saber lo que es un número primo. Podemos comprobarlo empezando una tabla de números del 1 hasta el que queramos (100 es lo normal).

El objetivo es tachar los números que no son primos y dejar «abiertos» solo los primos. Tachamos 1, puesto que ya no se considera primo. A partir del 2, recorremos la tabla y tachamos uno cada dos números (es decir, todos los números pares posteriores a 2). Ahora pasamos al siguiente número sin marcar, que será 3. Recorremos la tabla de nuevo y tachamos uno cada tres números (6, 9, 12, etc.). Pasamos al siguiente número sin marcar, el 5, y recorremos la tabla tachando cada cinco números (el 10, 15, 25, etc.).

Continuamos así para cada número abierto sin marcar al que lleguemos; por ejemplo, cuando lleguemos a 11, recorremos la tabla y tachamos cada once números (aunque para encontrar los primos entre los primeros 100 números, solo tenemos que llegar a 7). Cuando hayamos hecho esto por toda la tabla, los números que queden abiertos serán los primos.

Marcamos (o sombreamos) 1 y todos los múltiplos de 2; entonces sombreamos todos los múltiplos de cada número que no tienen sombreado.

1	2	3	4	5	6	7	8	9	10
11	12	13	14	15	16	17	18	19	20
21	22	23	24	25	26	27	28	29	30
31	32	33	34	35	36	37	38	39	40
41	42	43	44	45	46	47	48	49	50
51	52	53	54	55	56	57	58	59	60
61	62	63	64	65	66	67	68	69	70
71	72	73	74	75	76	77	78	79	80
81	82	83	84	85	86	87	88	89	90
91	92	93	94	95	96	97	98	99	100

1	2	3	4	5	6	7	8	9	10
11	12	13	14	15	16	17	18	19	20
21	22	23	24	25	26	27	28	29	30
31	32	33	34	35	36	37	38	39	40
41	42	43	44	45	46	47	48	49	50
51	52	53	54	55	56	57	58	59	60
61	62	63	64	65	66	67	68	69	70
71	72	73	74	75	76	77	78	79	80
81	82	83	84	85	86	87	88	89	90
91	92	93	94	95	96	97	98	99	100

Nuestra tabla final debe ser similar a esta: los únicos números sin marcar son los números primos.

LA CONJETURA DE GOLDBACH

Christian Goldbach (1690-1764) fue un matemático aficionado de Prusia, que vivía en Rusia, coetáneo del gran matemático suizo Leonhard Euler (ver p.167). Escribiendo a Euler en 1742, Goldbach declaró que (en la terminología moderna) todo número par mayor que 4 se podía escribir como la suma de dos números primos impares (que son todos los números primos mayores de 2). Ahora conocida como la conjetura de Goldbach, esto se expresaba a veces como «todo número par mayor que 2 es la suma de dos números primos».

Euler se mostró indiferente hacia la conjetura de Goldbach, dejando claro que él lo consideraba como algo más bien trivial: «Considero cierto el teorema de que todo número par es la suma de dos números primos, a pesar de que no soy capaz de demostrarlo». Otra opinión más reciente es aún menos favorable; el matemático británico G. H. Hardy escribió: «Es relativamente fácil hacer conjeturas inteligentes; de hecho hay teoremas, como el teorema de Goldbach, que nunca se han probado y que cualquier tonto podría haber imaginado».

No obstante, la conjetura de Goldbach ha resultado ser más complicada de confirmar de lo que Euler sospechaba. Los matemáticos han logrado hasta el momento demostrar que es válido para todo número par hasta 400 mil millones y también que cada entero par es la suma de como mucho seis primos, en lugar de dos.

Entre 2000 y 2002, como parte de la campaña de promoción para la novela El tío Petros y la conjetura de Goldbach, de Apostolos Doxiadis, la editorial Faber & Faber ofreció un premio de un millón de dólares a cualquier persona que demostrase la conjetura. Quedó sin reclamar.

Carta de Goldbach a Euler en la que hace su famosa conjetura.

EL TEOREMA DE PITÁGORAS

Probablemente el más famoso de todos los teoremas matemáticos, el teorema de Pitágoras en realidad no lo descubrió Pitágoras. Ya era conocido por los babilonios al menos 1.000 años antes (*ver* p. 39), y los antiguos egipcios estaban familiarizados con su forma más simple (*ver* recuadro «Ternas pitagóricas y las pirámides»). Pero él supo desarrollarlo y realizar su comprobación, por lo que lleva su nombre desde entonces.

A Pitágoras, sin embargo, se le atribuye el desarrollo de la primera prueba geométrica del teorema (una prueba es una forma de mostrar que una conclusión se deriva de unas premisas determinadas, *ver* Euclides, p. 74), que fue difundida por el grupo formado por sus seguidores, los *matematikoi*.

El teorema de Pitágoras establece que en un triángulo rectángulo, donde la hipotenusa es el lado largo opuesto al ángulo recto, el cuadrado de la hipotenusa es igual a la suma de los cuadrados de los dos catetos. Si los lados del triángulo se nombran a, b y c (siendo c la hipotenusa), este teorema se puede expresar algebraicamente como $a^2 + b^2 = c^2$. Este teorema puede tener una sorprendente diversidad de usos, el más habitual es utilizarlo para hallar la longitud de c teniendo las longitudes de a y b.

PRUEBA DE PITÁGORAS

La clásica prueba de Pitágoras parecida a la mostrada en la Fig. B, es una de las más simples y fáciles de entender.

El diagrama de la izquierda en la Fig. B muestra un gran cuadrado blanco que es claramente el cuadrado de la hipotenusa del triángulo de la parte superior izquierda. Ahora imaginamos que los triángulos naranjas se deslizan hacia el lado contrario hasta encontrarse, revelando dos cuadrados más pequeños, que son los cuadrados de la base (abajo a la izquierda) y el lado corto (arriba a la derecha), respectivamente. El área en blanco total sigue siendo igual ya que los triángulos continúan dentro del cuadrado grande, lo que demuestra que los dos cuadrados más pequeños ocupan exactamente la misma cantidad de espacio que el cuadrado original de la hipotenusa.

La prueba que supuestamente Pitágoras descubrió es solo una entre cientos de posibles pruebas geométricas del teorema, y hay una cantidad infinita de pruebas algebraicas. Averiguarlas ha sido el entretenimiento de los matemáticos a lo largo de los años, como James A. Garfield, el vigésimo presidente de Estados Unidos, que descubrió una prueba en 1876.

TERNAS PITAGÓRICAS Y LAS PIRÁMIDES

Los antiguos egipcios utilizaban una aplicación muy sencilla y práctica del teorema para ayudarse en la construcción de las pirámides (y otros muchos edificios). Cogían una cuerda con 12 nudos distanciados equitativamente, y la utilizaban para establecer ángulos rectos haciendo triángulos con un lado de tres unidades de longitud, otro de cuatro unidades y otro de cinco unidades (*ver* Fig. C). Estos tres números, 3, 4 y 5, son el ejemplo más simple de una terna pitagórica, una serie de tres números enteros (números naturales) que constituyen los lados de un triángulo que cumple el teorema de Pitágoras. La terna 3, 4, 5 puede haber constituido el límite del conocimiento egipcio de ternas pitagóricas, pero los babilonios sabían definitivamente mucho más: una tabla completa de números está grabada en una tablilla de arcilla conocida como Plimpton 322 (*ver* p. 39). Pitágoras se basó en los conocimientos previos para ir más allá en la investigación dentro del campo de las matemáticas.

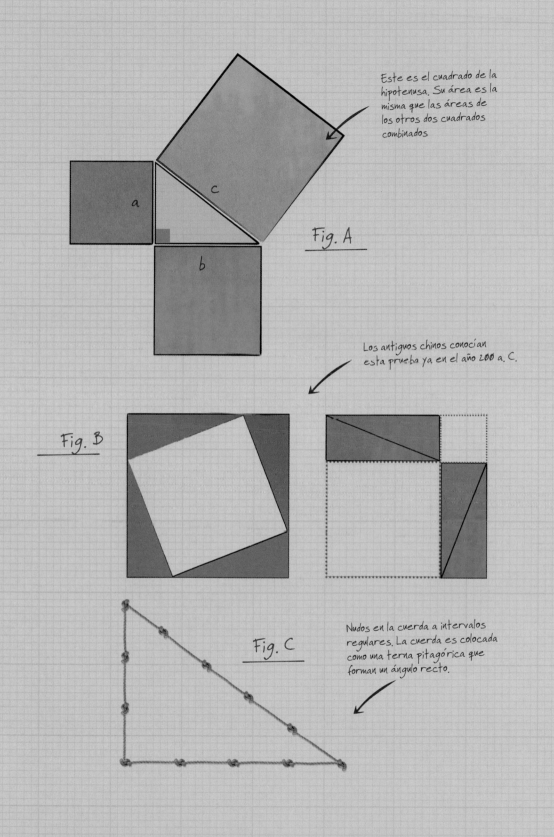

Este es el cuadrado de la hipotenusa. Su área es la misma que las áreas de los otros dos cuadrados combinados

a

c

b

Fig. A

Los antiguos chinos conocían esta prueba ya en el año 200 a. C.

Fig. B

Fig. C

Nudos en la cuerda a intervalos regulares. La cuerda es colocada como una terna pitagórica que forman un ángulo recto.

MATEMÁTICAS GRIEGAS

Tales y Pitágoras y sus respectivas escuelas transformaron las matemáticas de una tecnología aplicada utilizada por contables y topógrafos en una ciencia pura, en la que persiguieron los conceptos abstractos según su criterio.

Para los antiguos griegos, las matemáticas («lo que se aprende») eran verdaderamente una forma de filosofía («amor por la sabiduría»), porque habían aprendido a amar la investigación matemática por sí misma. Esto fue especialmente evidente en el desarrollo de lo que ahora se conoce como los tres problemas clásicos.

LOS TRES PROBLEMAS CLÁSICOS

Estos tres problemas son la cuadratura del círculo, la duplicación del cubo y la trisección del ángulo, rompecabezas geométricos que los griegos trataron de resolver usando nada más que teoremas, lógica y la más simple de la tecnología, principalmente una regla y un compás.

La cuadratura del círculo implica dibujar un cuadrado con el mismo área que un círculo dado. Es el problema de más larga procedencia, ya que un ejercicio del papiro de Rhind/Ahmes (*ver* recuadro «Rastro de papel», p. 21) da una supuesta solución, instruyendo al estudiante a hacer un cuadrado con lados de ocho novenas partes del diámetro del círculo. Esto da una aproximación cercana al área del círculo, y es a partir de este ejercicio que se deriva del valor egipcio de pi, correspondiente a un valor de 3'1605 en lugar de su valor real de 3'14159.... El matemático griego Anaxágoras trabajó en la cuadratura del círculo, mientras estuvo en la cárcel, y el problema posteriormente se hizo popular, o al menos lo suficiente como para figurar en una obra de teatro. En la obra de Aristófanes *Los pájaros*, escrita en torno a 414 a. C., un astrónomo intelectual llamado Metón se jacta de la cuadratura del círculo, y después de esto nace la expresión «buscar la cuadratura del círculo» que se refiere a alguien que trata de hacer lo imposible.

La duplicación del cubo se refiere a la construcción de un cubo de exactamente el doble del volumen de otro. Según la leyenda, el problema surgió durante la terrible plaga de Atenas en torno a 430 a. C., cuando un oráculo de Delfos proclamó a los ciudadanos de Delos que con el fin de calmar a Apolo (que se creía que había enviado la plaga) que debían construir un altar dos veces el volumen del existente. Esto fue interpretado por Platón en el

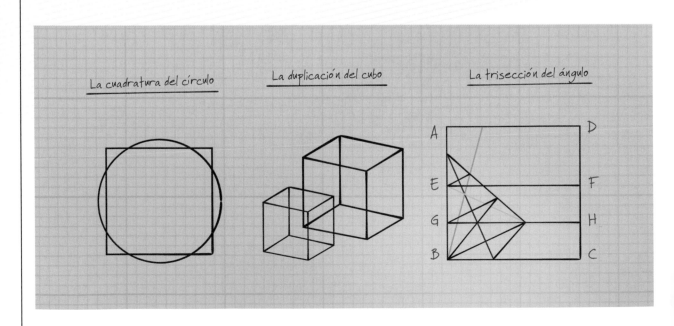

La cuadratura del círculo   La duplicación del cubo   La trisección del ángulo

sentido de que los habitantes de Delos deberían dedicar más tiempo a la contemplación de la geometría. Según otra versión, el problema surgió cuando el rey Minos de Cnosos ordenó que una tumba real se duplicara en tamaño, pero los constructores cometieron el error clásico de simplemente duplicar los lados (que en realidad hacía que el volumen aumentase ocho veces).

La trisección del ángulo implica la construcción de un ángulo que sea, precisamente, una tercera parte de un ángulo dado. Para algunos ángulos esto es relativamente sencillo. Para un ángulo recto, por ejemplo, el problema se puede resolver con un compás y una regla, simplemente dibujando dos círculos y un triángulo dentro de ellos (*ver* a la derecha). Tratar de resolver el problema para todos los ángulos, por otro lado, ocupó a los matemáticos durante milenios, como lo hicieron los otros dos problemas clásicos. Finalmente, en el siglo XIX se descubrió que los tres problemas clásicos no tienen solución, es imposible realizar la cuadratura del círculo, la duplicación del cubo o la trisección el ángulo.

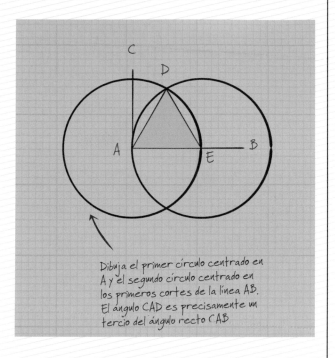

Dibuja el primer círculo centrado en A y el segundo círculo centrado en los primeros cortes de la línea AB. El ángulo CAD es precisamente un tercio del ángulo recto CAB

AQUILES Y LA TORTUGA

Casi al mismo tiempo que los griegos comenzaron a luchar con el problema de la duplicación del cubo, el filósofo Zenón de Elea (490-425 a. C.) introdujo la noción de del infinito con sus famosas paradojas. La más conocida de ellas es, probablemente, Aquiles y la tortuga. En este caso, el veloz Aquiles está compitiendo con una tortuga, pero deportivamente le ha dado

NÚMEROS GRIEGOS

Los antiguos griegos usaban al principio un sistema de numeración conocido como ático o herodiano, que se remonta al menos al siglo VII a. C. Era un sistema decimal (base 10), y fue similar al sistema de números romanos, con símbolos para 1, 5, 10, 50, 100 y 1.000. Los símbolos eran repetidos tantas veces como fuera necesario para sumar hasta el número deseado, lo que hizo que operaciones como la multiplicación y la división fuesen laboriosas y difíciles. Los números áticos fueron reemplazados por los jónicos (o iónicos), números de todo el siglo I. El nuevo sistema utilizaba las letras del alfabeto griego; en otras palabras, se trataba de un sistema de cifrado. El sistema jónico hizo posible representar grandes números con pocos símbolos, pero también hizo todas las formas de la aritmética difíciles. Es probable que la gran mayoría de los cálculos se realizaran realmente con un ábaco como tablero de cuentas (*ver* p. 33), con los números jónicos utilizados simplemente para registrar los resultados. Los números jónicos fueron utilizados en Europa hasta la Edad Media, antes de ser sustituidos por números romanos y finalmente, números árabes (*ver* p. 90).

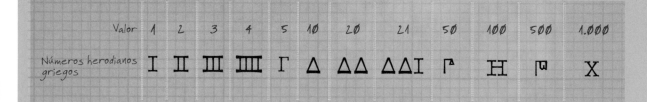

Valor	1	2	3	4	5	10	20	21	50	100	500	1.000
Números herodianos griegos	I	II	III	IIII	Γ	Δ	ΔΔ	ΔΔI	Γ	Η	Γ	Χ

una ventaja inicial. ¿Cuándo alcanzará a la tortuga? La respuesta desconcertante de Zenón es nunca. Digamos que la tortuga comienza en el punto A; en el momento que Aquiles llega a este punto, la tortuga ya ha pasado, alcanzando el punto B. Pero para cuando Aquiles llega a B, la tortuga se ha movido de nuevo, y así sucesivamente. Aristóteles lo resumió así: «... el más lento [la tortuga] cuando corre nunca será adelantada por el rápido [Aquiles] porque primero debe llegar al punto del que parte el primero, por lo que el más lento necesariamente siempre va a estar una cierta distancia por delante».

Otra de las paradojas de Zenón, conocida como la dicotomía, se puede describir utilizando el ejemplo de tratar de abrir una puerta. Para abrir una puerta, primero se debe abrir por lo menos hasta la mitad; pero para poder abrirla hasta la mitad, primero se debe abrir al menos una cuarta parte ; y para abrir una cuarta parte de la puerta, se debe abrir al menos una octava parte, y así sucesivamente. Zenón afirmó que esta paradoja demuestra que se puede ni siquiera empezar a abrir la puerta. Otra manera de plantear la paradoja es imaginar intentar llegar a un destino sucesivamente reduciendo a la mitad la distancia entre el punto inicial y final. Aunque te acercarías cada vez más, en realidad nunca reducirías a cero la distancia entre tú y el destino. El espacio es infinitamente divisible, e incluso un número infinito de fracciones no suman un conjunto.

PLATÓN Y LOS SÓLIDOS

El más famoso e influyente de los filósofos griegos, Platón, es también una figura de gran importancia en la historia de las matemáticas, no fundamentalmente por sus descubrimientos o logros matemáticos, sino debido a su papel en la educación. Inspirado por Pitágoras, Platón creía que la geometría mantenía verdades sagradas que describían la naturaleza básica de la realidad. Cuando fundó una escuela llamada la Academia en Atenas en

el año 387 a. C., el cartel sobre la entrada supuestamente decía: «Que nadie ignorante de la geometría entre aquí». Las Matemáticas formaban el centro del plan de estudios ocupando los primeros diez años del curso de 15 años. Los alumnos estudiaban geometría plana y sólida, la astronomía y los armónicos. Platón fue conocido como el «fabricante de los matemáticos» y entre los graduados de la Academia se incluyen muchos de los grandes matemáticos del mundo clásico, entre ellos Eudoxo y Euclides.

En los círculos matemáticos, Platón también es recordado por su trabajo sobre los sólidos. Identificó los cinco poliedros convexos (formas sólidas regulares hechas de partes que son todas regulares e iguales, todos los triángulos, todos los cuadrados, y así sucesivamente). Conocidos como los cuerpos platónicos, estas formas se convirtieron en el centro de la cosmología de Platón y que relacionó a cada uno con lo que él creía que eran los cinco elementos, los fundamentos del Universo.

EL PRIMERO DE LA CLASE

Eudoxo de Cnido (408-355 a. C.) fue uno de los matemáticos más importantes que asistió a la Academia de Platón, aunque él y Platón tenía poco respeto por

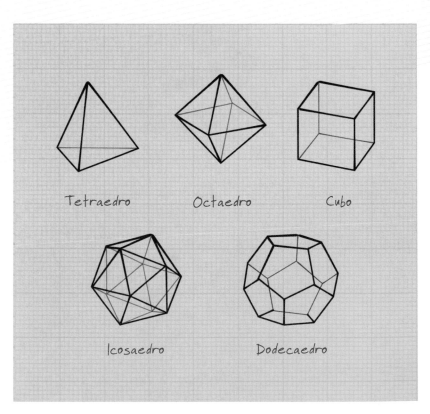

Tetraedro   Octaedro   Cubo

Icosaedro   Dodecaedro

los demás. Eudoxo también se había formado con Arquitas, el heredero intelectual de Pitágoras. Una de las contribuciones más significativas de Eudoxo es una teoría de las proporciones que pueden dar cuenta de los números irracionales, la clase de números que preocupaban a los pitagóricos. Según el científico y biógrafo británico G. L. Huxley, «es difícil exagerar la importancia de la teoría (...) La teoría de los números tenía permitido avanzar de nuevo, después de la parálisis impuesta sobre ella por el descubrimiento pitagórico de los irracionales, en beneficio inestimable de todas las matemáticas posteriores».

Eudoxo también hizo un estudio innovador sobre la integración, un tipo de cálculo (*ver* p. 158) que se utiliza para encontrar el área bajo una curva, desarrollando el método de agotamiento. Aquí se obtiene un resultado para el área bajo una curva, usando aproximaciones sucesivas cada vez más cercanas a la curva. El método de agotamiento se empleó para aproximar el valor de pi por Arquímedes y los matemáticos posteriores durante más de 2.000 años (*ver* pp. 49-50). Eudoxo utilizó la primera forma de cálculo para demostrar que el volumen de la pirámide y el cono son un tercio de los volúmenes de sus respectivos cilindros y prismas.

PRUEBA Y TEOREMAS

Por encima y más allá de los teoremas y los descubrimientos específicos, el legado matemático de los griegos fue elevar la materia a un nivel superior a través de la adopción de pruebas rigurosas, en las que se utilizaba la lógica deductiva para, de un teorema o ley matemática, construir otro. La lógica deductiva hace que sea posible demostrar que algo debe ser cierto, al igual que $2 + 2 = 4$, o $a^2 + b^2 = c^2$ para un triángulo rectángulo. Es el uso de este método, combinado con claras demostraciones paso a paso, la base del poder y del atractivo imperecedero de los trabajos del próximo gran matemático griego, Euclides (*ver* p. 74).

COSMOLOGÍA DE KEPLER DE LOS SÓLIDOS PLATÓNICOS

El astrónomo alemán Johannes Kepler (1571-1630) es famoso por encontrar el razonamiento matemático detrás de las órbitas elípticas de los planetas y por proporcionar la prueba matemática del sistema solar heliocéntrico de Copérnico. Durante un tiempo, sin embargo, Kepler trató de demostrar algo bastante diferente, creyendo que un sistema de esferas anidadas y sólidos platónicos (donde una esfera o sólido se contiene dentro de una más grande, y esta a su vez está contenida en una más grande, y así sucesivamente) regía el movimiento planetario, y que Pitágoras y Platón tenían razón cuando dijeron que las proporciones divinas dieron forma al cosmos. Sin embargo, en 1600 Kepler se mudó a Praga para trabajar con el gran astrónomo danés Tycho Brahe. Cuando accedió a los datos de observación de Brahe, Kepler se dio cuenta de que su llamada «hipótesis poliédrica» no concordaba con los datos y tuvo que desarrollar una nueva descripción matemática de las órbitas planetarias. Esto culminó con la publicación de su obra más importante, *Armonía del mundo*, en 1619, en el último capítulo de la cual propuso lo que hoy se conoce como la tercera ley del movimiento planetario.

Johannes Kepler con los instrumentos de sus operaciones de matemáticas y astronomía.

SÓLIDOS

Las líneas, polígonos y círculos son figuras planas, existen en dos dimensiones. Sin embargo, el mundo real es tridimensional, y las formas en él tienen tres dimensiones: longitud, altura y anchura. Tales formas se denominan figuras espaciales o sólidos (aunque esto es un poco engañoso, porque, por ejemplo, una caja podría estar vacía).

Los principales tipos de sólidos son poliedros y cuerpos redondos, tales como esferas, cilindros y conos. Un poliedro (del griego «muchas caras») tiene caras planas; si las caras cuentan con alguna curva, el sólido no es un poliedro. Los sólidos se pueden crear mediante la adopción de una forma bidimensional y moverla a través de una tercera dimensión. Por ejemplo, un rectángulo que se mueve horizontalmente a través del espacio crea un prisma rectangular o cúbico.

POLIEDROS

Los poliedros donde todas las caras son iguales se llaman poliedros regulares; los sólidos platónicos son poliedros regulares convexos (ver p. 70). Los poliedros incluyen prismas, que son sólidos de aristas rectas con la misma sección transversal a lo largo de su longitud. Los prismas también tienen lados que son paralelos a los lados opuestos (conocidos como paralelogramos). Un tipo especial de prisma es uno en el que todos los lados son rectangulares; esto se conoce como un prisma rectangular, o cúbico. Un tipo especial de prisma rectangular es un prisma cúbico, en el que al menos dos de las caras son cuadrados; un cubo (también conocido como un hexaedro) es un tipo especial de prisma cúbico. El volumen de un prisma es el área de un extremo multiplicado por la longitud del prisma.

ESFERAS Y CILINDROS

Una esfera es la forma que resulta si un círculo se hace girar alrededor de su diámetro, por lo que todos los puntos de la superficie de una esfera están a la misma distancia del centro. La esfera es la forma con la relación máxima posible del volumen y la superficie total; en otras palabras, es la forma con el área de superficie más pequeña posible para un volumen dado. Esta es la razón por la que las formas esféricas o casi esféricas son abundantes en la naturaleza, por ejemplo, cuando se forma una burbuja o una gota de lluvia. Las estrellas y los planetas se formaron por gravedad también se colapsaron en esferas. Cuando una fuerza actúa por igual en todas las direcciones, como en la expansión de un gas caliente, produce una forma esférica. A menudo, sin embargo, otras fuerzas actúan para distorsionar una esfera, por ejemplo, las gotas de agua de tamaño medio en la Tierra son esferas aplanadas debido a las fuerzas que actúan sobre ellas según caen por el aire; en el espacio, sin embargo, son perfectamente esféricas.

Un cilindro es similar a un prisma, pero con un lado curvo. Los cilindros pueden tener base redonda o extremos elípticos. Para recordar la fórmula de un cilindro circular, hay un truco que se toma en broma en el mundo de las matemáticas. La fórmula para un cilindro circular es el área del círculo multiplicado por la altura del cilindro: $\pi r^2 \times h$. Una pizza con una base gruesa es un cilindro circular. Si te imaginas que su radio se llama z y su altura a, entonces la fórmula para su volumen es $pi \times z \times z \times a$.

LA FÓRMULA DE EULER

El gran matemático suizo Leonhard Euler (ver p. 167) descubrió que para la mayoría de los poliedros normales, el número de caras más el número de vértices (esquinas) menos el número de aristas siempre es igual a 2. Una forma de escribir esto es $F + V - E = 2$. Por ejemplo, un cubo tiene 6 caras, 8 vértices (esquinas) y 12 bordes, por lo que la fórmula de Euler da $6 + 8 - 12 = 2$. (La fórmula de Euler para poliedros no se debe confundir con otra fórmula que desarrolló, que también se conoce como la fórmula de Euler pero que aborda los números complejos).

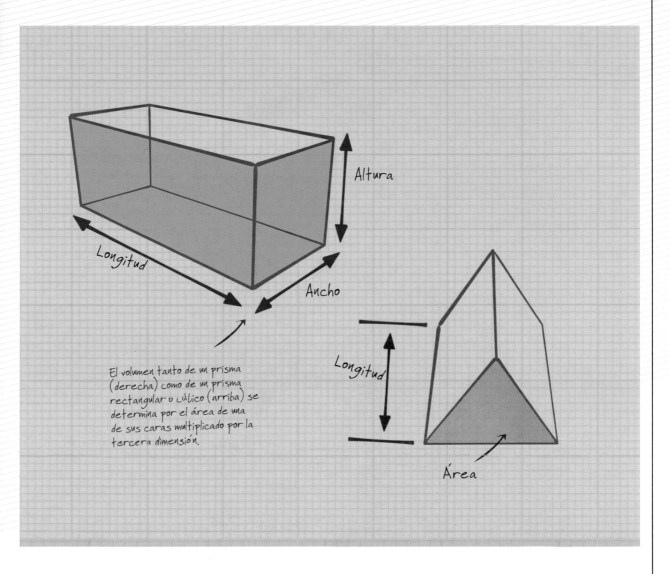

Altura

Longitud

Ancho

El volumen tanto de un prisma (derecha) como de un prisma rectangular o cúbico (arriba) se determina por el área de una de sus caras multiplicado por la tercera dimensión.

Longitud

Área

Una selección de dados imparciales con un número de lados variables.

DADOS IMPARCIALES

Los sólidos platónicos tienen la forma perfecta para los llamados dados imparciales. Un dado imparcial es uno con las mismas posibilidades de caer sobre cualquiera de sus caras. El ejemplo más común es un cubo, pero cualquier poliedro regular convexo servirá, y algunos juegos utilizan dados con 4, 8, 12 o 20 lados.

EUCLIDES Y LOS ELEMENTOS

Alrededor del 300 a. C., se compiló un libro de texto de geometría en Alejandría: los *Elementos de la Geometría*. Atribuido a Euclides, se convirtió en el libro más traducido, publicado y estudiado en el mundo occidental, solo superado por la Biblia. De hecho, hasta el siglo xx, fue el libro más reimpreso después de la Biblia, se publicaron más de 1.000 ediciones de los *Elementos* tras la primera impresión en 1482.

En la obra de los *Elementos*, Euclides combina todos los grandes descubrimientos y técnicas de las matemáticas griegas hasta la fecha, incorporando la obra de Pitágoras, Platón, Eudoxo y otros. Aunque la obra no contiene avances o descubrimientos propios, la perfección austera de sus demostraciones rigurosas y pruebas sólidas la convirtió en el modelo para los textos científicos a partir de entonces. Obras como la famosa *Principia* de Isaac Newton (publicada por primera vez en 1687) son descendientes directas de los *Elementos*, y la forma y presentación del material que contiene el libro de Euclides fueron consideradas inmejorables, por lo que todavía se usaba como un libro de texto de enseñanza en las escuelas en el siglo xx.

¿QUIÉN FUE EUCLIDES?

Poco se sabe con certeza sobre Euclides, aunque se cree que nació alrededor del 325 a. C., vivió en Alejandría bajo el gobierno de Ptolomeo I, y probablemente también murió en Alejandría en el 265 a. C. Existe una discusión, también, sobre si él era el autor real o único de los *Elementos*. Es posible, por ejemplo, que él fuese el líder de un equipo de investigadores que recopilaron el libro de texto, o incluso que un equipo de investigadores anónimos trabajaran bajo un pseudónimo ficticio. Por otro lado, las anécdotas sobre Euclides tienen un sello de autenticidad que humaniza esta figura misteriosa. Los *Elementos* es un famoso, austero y difícil libro para los no especialistas; incluso a Ptolomeo le costó. Según Proclo, un erudito griego de la Antigüedad tardía, «dicen que Ptolomeo una vez le preguntó si había un camino más corto para estudiar geometría que los *Elementos*, a lo que respondió que no había camino real a la geometría». Sin embargo, parece que, como profesor, Euclides no dejó de tener un humor sardónico distendido aparentemente común a los maestros de todas las épocas. De acuerdo con una historia contada por otro estudioso, Estobeo, «alguien que empezó a aprender geometría con Euclides, cuando había aprendido el primer teorema, le preguntó a este: "¿Qué voy a conseguir aprendiendo estas cosas?" Euclides llamó a su esclavo y le dijo: "Dale tres peniques ya que tiene que tener ganancia de lo que aprende"».

LOS ELEMENTOS

Elementos de la Geometría consta de 13 libros que contienen 465 proposiciones y que cubren la geometría plana, la geometría sólida y la teoría de los números. Según Thomas Heath, el erudito británico que tradujo al inglés estándar a Euclides en 1908, «este libro maravilloso, con todas sus imperfecciones, que son de hecho lo suficientemente leves cuando se tiene en cuenta la fecha en que apareció, es y será, sin duda, el mayor libro de texto matemático de todos los tiempos...».

Euclides comienza estableciendo supuestos básicos, definiciones y leyes matemáticas conocidas como axiomas. Estos son los elementos básicos con los que se procede a demostrar, paso a paso, una serie de proposiciones de complejidad creciente, desde la construcción de triángulos simples hasta la construcción de los sólidos platónicos.

La sección introductoria de los *Elementos* es mejor conocida por sus cinco postulados, las declaraciones de propiedades geométricas. Los tres primeros son postulados de la construcción, supuestos básicos necesarios para proporcionar una base fundamental para la geometría. Por ejemplo, el primer postulado afirma que es posible trazar una línea recta entre dos puntos. El postulado cuatro afirma que todos los ángulos rectos

Una imagen de Euclides de un fresco del siglo XV.

Ptolomeo II, segundo de los Ptolomeos, discutiendo planes para la Gran Biblioteca de Alejandría con los arquitectos.

ALEJANDRÍA Y LOS PTOLOMEOS

En la época de Euclides, Alejandría hacía poco que se había establecido por Alejandro Magno (hacia 330 a. C.), después de que el gran conquistador hubiera tomado posesión de Egipto. El reinado de Alejandro se lleva a cabo generalmente para marcar la transición de la época clásica griega a la época helénica. «Helénica» es un término que cubre una franja más amplia de aspectos comunes étnicos y culturales. La cultura helénica incorpora todo, desde las colonias griegas en Marsella al puesto más alejado de las conquistas alejandrinas en Asia Central y Afganistán. Se centró en la cosmopolita ciudad de Alejandría, sede de la Gran Biblioteca (*ver* p. 23) y la potencia intelectual del mundo occidental.

Alejandro se quedó en Alejandría únicamente el tiempo suficiente para marcar sus límites, fue a las campañas en el este y volvió en un ataúd. Su cargo pasó a uno de sus generales principales, Ptolomeo I, para que se hiciese cargo de Egipto y supervisase el desarrollo de Alejandría, para que fuera la ciudad más grande del mundo. Ptolomeo I Soter dio lugar a una dinastía que llevó su nombre y que gobernó Egipto durante 300 años hasta Cleopatra, la última de los Ptolomeos, y que cayó sobre los romanos en el año 30 a. C.

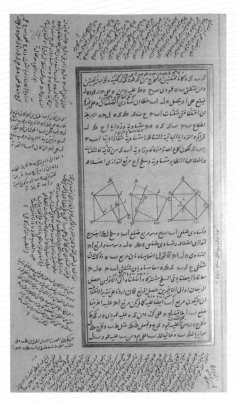

Páginas de una traducción
islámica medieval, y comentario
sobre Euclides.

son iguales. Esto es más profundo de lo que parece, ya
que implica que la ubicación exacta de una construcción
geométrica no es relevante; las mismas reglas se aplican
en todas partes en el espacio, independientemente
de su ubicación. En términos técnicos, el espacio es
homogéneo.

El quinto postulado es el más famoso. Conocido
como el postulado de las paralelas, establece que solo una
única línea se puede dibujar a través de un punto paralelo
a una línea determinada. Esta es otra manera de decir
que las líneas paralelas nunca se encontrarán, e implica
una cierta definición de la naturaleza del espacio, lo que
nos da la geometría euclidiana. De hecho, hay geometrías
no euclidianas donde el postulado de las paralelas no
es cierto. El ejemplo clásico son las líneas de longitud,
aunque son paralelas al ecuador, estas se encuentran en
los polos.

Después de haber establecido sus términos básicos,
Euclides procede en los libros 1-6 a hacer frente a la
geometría plana. Los libros 1 y 2 establecen propiedades
básicas de los triángulos, las líneas paralelas y los
rectángulos; los libros 3 y 4 trataban círculos; y los libros
5 y 6, de los descubrimientos de Eudoxo relativos a la
proporción y los números irracionales. Los libros del 7
al 10 cubrían la teoría de los números. Los libros 11-13

OTRAS OBRAS DE EUCLIDES

Además de la obra de los *Elementos de la Geometría*,
una serie de otros libros también se atribuyen a
Euclides, incluyendo cuatro obras que sobreviven:
Data (acerca de la geometría), *Sobre las divisiones* (que
trata de proporciones), *óptica* (sobre la perspectiva) y
Phaenomena (sobre la astronomía matemática).

Las obras perdidas que se le atribuyen son *Elementos
de la música* y el *Libro de falacias*, que el filósofo
griego Proclo calificó de «enumeración en orden de
los diferentes tipos [de falacias], que ejercita nuestra
inteligencia en cada caso por los teoremas de todo tipo,
establece la verdad al lado de lo falso, y combina la
refutación del error con ejemplos prácticos».

abordaban la geometría tridimensional, utilizando el método de agotamiento de Eudoxo y culminan en una prueba de que hay exactamente cinco sólidos platónicos (*ver* pp. 70-71).

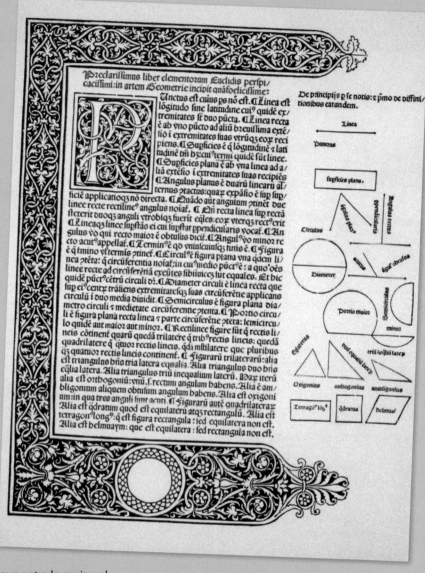

Página de la primera versión impresa de los «Elementos», de Euclides.

SUPERVIVENCIA DEL MÁS APTO

Los *Elementos* no es solo el texto matemático más conocido que ha llegado hasta nosotros de los tiempos antiguos, sino que también es uno de los únicos. La baja tasa de supervivencia de los textos antiguos se debe en gran parte a la corta vida del papel de papiro en el que se escribieron los textos antiguos helenos. A menos que se conservasen en condiciones muy secas, era poco probable que los papiros durasen más de unas pocas décadas, y debido a que eran frágiles, tendían a desgastarse con el uso, por lo que el documento más popular, más pronto se desgastaría.

La supervivencia dependía de la copia, que era cara y laboriosa, y es probable que el éxito de los *Elementos* sea por la pérdida de los textos mayores. El libro de Euclides se consideró tan superior que reemplazó obras anteriores; la única razón para copiar y preservarlos habría estado fuera del interés histórico y por eso, dado el coste del papiro, su conservación era poco probable.

La copia más antigua de los *Elementos* data de 888 d. C., lo que significa que transcurrió más tiempo entre la composición original de la obra y la producción de este ejemplar que entre la copia y el día de hoy. Hay fragmentos mucho más antiguos relacionados con este libro, entre ellos seis fragmentos de cerámica conocida como «ostraca» de la isla de Elefantina, en el Nilo, que datan de alrededor del 225 a. C., y un trozo de papiro que data de alrededor del 100 d. C. y se recuperaron de un montón de antigua basura en Egipto, los cuales muestran diagramas de las proposiciones de Euclides.

El conocimiento occidental de los *Elementos* se deriva de fuentes árabes; los escritores medievales árabes probablemente tenían acceso a por lo menos una copia completa de Euclides en griego (*ver* p. 108). Es imposible decir cuántos eslabones debe haber habido en total en la cadena de transmisión desde la composición de la obra hasta su primer ejemplar impreso en 1482.

ARQUÍMEDES

Arquímedes de Siracusa (287-212 a. C.) es considerado como el «matemático más grande de la época helenística, y de la antigüedad en su conjunto», en palabras del historiador de las matemáticas Dirk Struik. También es aquel de quien sabemos más, en parte porque él vivió y murió cuando Roma se perfilaba como potencia mundial. Su vida y su obra son fascinantes a partes iguales: matemático, inventor, creador de armas...

Desde la época romana se le ha conocido como un inventor loco semilegendario, famoso por crear armas extravagantes, saltar desnudo de la bañera y correr por la calle gritando «¡Eureka!», entre otras muchas anécdotas simpáticas. Se le atribuyen las invenciones y descubrimientos desde el tornillo de Arquímedes (un antiguo tipo de bomba de agua) a los rayos mortales del «espejo ustorio» y las garras gigantes que destruían naves. Independientemente de si son cuentos o son verdad, muestran cómo Arquímedes combina brillantez en matemáticas puras con el ingenio y la inventiva en el ámbito conocido como «mecánica», la aplicación práctica de las matemáticas.

Pintura de cómo se cree que era en el siglo XVIII la antigua Siracusa.

«¡EUREKA!»

Probablemente el relato más famoso sobre Arquímedes se refiere al descubrimiento del principio de flotabilidad. Según una historia contada por el escritor romano Vitruvio, Arquímedes era amigo de Hieron, el rey de Siracusa. Hieron sospechaba que un orfebre estaba intentando estafarle con una corona (una corona de laurel), que se suponía que iba a ser de oro, pero Hieron sospechaba que había sido falsificada con plata. Arquímedes sabía que si la corona efectivamente había sido hecha de un material adulterado con la misma masa que el oro que se le dio al orfebre, sería menos densa que una de oro puro y por lo tanto tendría un mayor volumen, pero no había manera de calcular el volumen de una forma tan compleja. Supuestamente la respuesta vino a él mientras se metía en la bañera. Al darse cuenta de que a medida que se deslizaba en la bañera el agua se derramaba, Arquímedes se dio cuenta de que el volumen de agua desplazada del baño era el mismo que el volumen de su cuerpo ocupaba; este es el principio de flotabilidad. Esta era la forma de medir el volumen preciso de la corona. En este momento, Arquímedes saltó de la bañera con un grito de «¡Eureka!» (en griego «ya lo tengo») y haciendo cabriolas desnudo por la calle.

Según la versión legendaria, Arquímedes

Xilografía medieval de Arquímedes dándose el baño revelador.

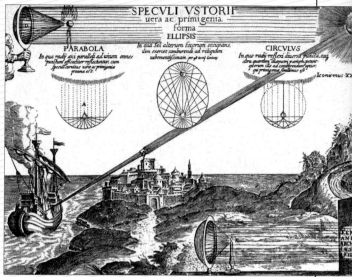

Posible tecnología de Arquímedes para el «espejo ustorio», según el erudito jesuita del siglo XVII Athanasius Kircher.

luego colocó en un recipiente una pepita de oro que pesaba lo mismo que la corona, llenó el recipiente hasta el borde con agua e intercambió la pepita por el oro de la corona. Cuando el agua se derramó, la corona resultó estar adulterada y el orfebre fue castigado en consecuencia. Los analistas desde Galileo han señalado que la diferencia real en el volumen de agua desplazada sería demasiado pequeño para darse cuenta. Sin embargo, las obras que quedan de Arquímedes muestran que exploró la ciencia de la flotabilidad en profundidad, por lo que seguramente podría haber llegado a una solución más plausible, que implica la suspensión de la corona y de la pepita a partir de un equilibrio de modo que estén a nivel, y luego sumergir todo en el agua; la corona desplazaría más agua debido a su mayor volumen, y sería más ligera, por lo tanto, flotaría más alto que la pepita.

GARRAS DE BARCOS Y RAYOS DE CALOR

Aunque Arquímedes viajó a Egipto y otros lugares, fue en gran medida un hijo de Siracusa. Cuando esta fue sitiada por los romanos en el año 212 a. C., dedicó su brillantez a la elaboración de armas diabólicas de guerra para la defensa de su ciudad. Según el escritor romano Plutarco, esto incluye máquinas antibuques parecidas a grúas con un sistema de polea y palancas: «[algunos barcos] se

alzaron en el aire por una mano o gancho de hierro como el gancho de una grúa y, cuando los hubo hundido por la proa, los ponía sobre el extremo de la popa, y los hundían hasta el fondo del mar; o bien los barcos, se hundían por ir escorados, y se lanzaban contra las rocas escarpadas que sobresalían, consiguiendo destruir a los soldados que estaban a bordo de ellos».

Según la leyenda, Arquímedes también utilizó su conocimiento de la óptica para la creación de espejos parabólicos que podrían enfocar los rayos solares en puntos muy distantes, prendiendo fuego a los barcos que se acercaban como si fuese un rayo láser. Sin embargo, incluso con la tecnología de los espejos modernos, esta hazaña parece improbable.

PALANCAS Y POLEAS

Más evidencias del genio de la mecánica vienen de su trabajo en el principio de las palancas. Una palanca es una herramienta que concentra con eficacia una pequeña cantidad de trabajo (en el sentido técnico del movimiento producido por la acción de una fuerza) generada a larga distancia, mientras que una gran cantidad de trabajo se realizaría en una distancia corta. Arquímedes dijo la famosa frase, «dame un punto de apoyo y una palanca lo suficientemente larga, y moveré la Tierra». Otra historia relatada por Plutarco es en la que impresionó al rey Hieron al arrastrar por sí solo la galera más pesada de la flota a través del puerto, utilizando solo un conjunto de poleas.

EL TORNILLO DE ARQUÍMEDES

Según la leyenda, Arquímedes vivió en Egipto cuando era joven. Si bien es probable que él estudiase realmente en Alejandría, hay menos certeza en la afirmación de que él inventó la bomba de agua conocida como el tornillo de Arquímedes. Se trata de un gran tornillo de madera que está dentro de un tubo; la parte inferior del tubo se colocaba en el agua y, según el tornillo giraba, el agua se elevaba hasta la parte superior. De hecho, este dispositivo es probablemente muy antiguo, mucho anterior a Arquímedes; se cree que estos dispositivos eran la bomba de agua para los jardines colgantes de Babilonia.

LAS MATEMÁTICAS DE ARQUÍMEDES

El peso de las leyendas e historias que rodean a Arquímedes tienden a oscurecer sus logros matemáticos. Hizo grandes avances en las matemáticas de esferas y cilindros, y calculó la mejor aproximación del número pi que se ha conseguido, a través de su dominio de lo que se conoce hoy como cálculo integral, que permite calcular las áreas (y, por extensión, los volúmenes) de parábolas.

Arquímedes no tuvo acceso al cálculo completo elaborado por Newton y Leibniz (*ver* p. 156). En cambio, adoptó una estrategia que fue considerada por los matemáticos anteriores, pero que rechazaron

MUERTE Y ENTIERRO

Plutarco relata la historia de la muerte de Arquímedes a manos de un soldado romano, después de que Siracusa cayera bajo sus sitiadores: «Arquímedes estaba, como quiso el destino, empeñado en resolver un problema mediante un diagrama, y teniendo su mente y sus ojos fijos sobre el tema de su conjetura, no notó la incursión de los romanos, ni que la ciudad fue tomada. En su viaje de estudio y contemplación, un soldado llegó de forma inesperada hasta él y le mandó seguirle ... a lo que él se negó a hacer antes de que hubiese elaborado una demostración al problema. El soldado, enfurecido, sacó su espada y le atravesó».

El gran matemático había dejado instrucciones para el diseño de su tumba, que quería representase lo que él consideraba su mayor logro: el descubrimiento de que para un cilindro circunscrito en una esfera, las relaciones entre sus volúmenes es 3:2. Cuando el erudito y político romano Cicerón fue enviado a Sicilia en el 75 a. C. (137 años después de la muerte de Arquímedes), buscó el lugar de descanso del gran hombre. «Los habitantes de Siracusa no sabían nada al respecto, y de hecho negaban la existencia de tal cosa. Pero ahí estaba, completamente rodeada y oculta por arbustos de zarzas y espinas», escribió, explicando que él recordaba la historia de su diseño excepcional y fue capaz de encontrar «una columna apenas visible por encima de la maleza: que estaba coronada por una esfera y un cilindro».

La muerte de Arquímedes (arriba) y su tumba hoy en día (abajo).

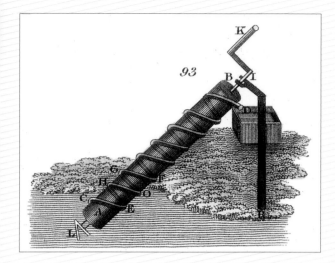

93

Aunque se conoce como tornillo de Arquímedes, este dispositivo elevador de agua estaba en uso siglos antes.

Grabado del siglo XVI de Arquímedes representando el diseño de las defensas para Siracusa.

por razones filosóficas. Se aproximó el área de una parábola imaginándola como una serie de rectángulos infinitamente delgados y luego demostró que este resultado aproximado era, de hecho, el resultado real, al compararlo con el área de una figura con lados rectos, lo que podría ser calculado sin duda. Al demostrar que su aproximación no era ni más ni menos que el área de la figura conocida, Arquímedes fue capaz de demostrar que debe ser igual al área conocida. Esta es una prueba rigurosa que permite a su vez una aproximación a una cantidad exacta, permitiendo a Arquímedes calcular las áreas y volúmenes de figuras y sólidos con lados curvos.

Arquímedes también escribió un tratado sobre palancas y otro sobre la reflexión de los espejos, inventó la ciencia de la hidrostática en un libro sobre «cuerpos flotantes», y escribió sobre astronomía. Anticipó el modelo heliocéntrico del cosmos, describió un método para calcular el diámetro aparente del Sol y construyó dos *sphaerae* (un globo terráqueo y un globo estelar), que se llevaron a Roma. Su capacidad de combinar las matemáticas puras, especialmente el cálculo integral, con la filosofía natural (lo que hoy llamaríamos la física) fue crucial para la revolución científica que llegaría a unos 1.800 años más tarde.

Pero fue su estilo tanto como sus resultados lo que impresionó a los matemáticos posteriores. Sus tratados eran cortos pero intrigantes, ya que empezaban demostrando una serie de resultados aparentemente inconexos y solo se revelaba al final la forma en que se podían juntar para revelar una prueba sorprendente pero innegable. Según el *Diccionario Oxford Classical*, «esta combinación de sorpresa máxima y certeza máxima le distingue como la mente matemática más grande de la Antigüedad».

EL CONTADOR DE ARENA

En lo que ahora se considera como posiblemente la primera obra de investigación, El *contador de arena*, Arquímedes hizo gala de su virtuosismo computacional mediante la elaboración de un sistema de números para expresar el mayor número jamás concebido. En un intento audaz de averiguar cuántos granos de arena harían falta para llenar el universo, se le ocurrió un número que llamó «una miríada» (10.000), y utilizó el concepto de una miríada de miríadas (10000 × 10000 = 100 000 000 o 10^8) como una base con la que expresar el gran resultado, llegó a una cifra final de $8 × 10^{63}$ (8 seguido de 10 cuatrillones de ceros).

ERATÓSTENES, EL BIBLIOTECARIO QUE MIDIÓ LA TIERRA

Eratóstenes de Cirene (276-194 a. C.) fue un contemporáneo de Arquímedes que se convirtió en bibliotecario del *Museion* de Alejandría (en realidad, el encargado de la gran Biblioteca) y hoy es famoso por sus logros en matemáticas y geografía. Su hazaña más conocida es su estimación de la circunferencia de la Tierra, que se consigue utilizando poco más que un palo y conocimiento de la geometría.

LA SOMBRA DEL MEDIODÍA

En su condición de geógrafo, Eratóstenes había trazado el mundo conocido y estaba particularmente bien informado sobre la geografía de Egipto. Estaba excepcionalmente bien situado para aprovechar la observación de que el área de la ciudad de Siena (hoy Asuán), al sur de Alejandría, está muy cerca del Trópico de Cáncer. Esta es la latitud en la que el Sol está directamente sobre la cabeza al mediodía del solsticio de verano, el día más largo del año. Esto significa que al mediodía de ese día, no hay sombra que se proyecte en Siena, ni dentro de un pozo ni de nada que esté en el suelo. Eratóstenes sabía que ese mismo día, en Alejandría, un poste colocado en el suelo (conocido como un gnomon) proyectaría una sombra, y él fue capaz de utilizar este hecho para calcular la circunferencia de la Tierra.

Empezó con la premisa 19 del libro 13 de los *Elementos* de Euclides: «Si una recta toca un círculo, y desde el punto de contacto se dibuja una línea recta formando ángulos rectos con la tangente, el centro del círculo estará contenido en la recta dibujada». Una tangente es una línea recta que toca, pero no cruza la parte exterior de un círculo, y se demuestra en la premisa de Euclides de que una línea trazada en ángulo recto con esta tangente (también llamada perpendicular) apunta hacia el centro del círculo. En este caso, el poste colocado en el suelo en Alejandría es perpendicular a una tangente a la curva de la Tierra, de modo que si dibujases una línea continua desde el extremo del poste hacia abajo, pasaría a través del centro de la Tierra. Una línea similar prolongada de un poste colocado en Siena pasaría también por el centro de la Tierra. Si llamamos

Alejandría como A, el centro de la Tierra como B y Siena como C, podemos ver que las dos líneas cortan una sección ABC de todo el círculo de la Tierra (Fig. 1). Si podemos encontrar el ángulo de este segmento llamado $x°$ en el diagrama, y también sabemos (midiendo) la distancia a lo largo del exterior de la curva de Alejandría a Siena (A a C), entonces podemos resolver qué distancia corresponde a cada grado de la circunferencia de la Tierra. Y multiplicando esto por 360°, podemos calcular toda la circunferencia de la Tierra.

Para encontrar el ángulo $x°$, Eratóstenes usó otra premisa de *Los Elementos* (la premisa 29 del libro 1): «Una línea recta que cruza líneas rectas paralelas hace que los ángulos complementarios sean iguales entre sí». Los rayos de luz solar que caen sobre la Tierra son esencialmente líneas paralelas, por lo que el ángulo formado por la luz solar y el gnomon de Alejandría (el ángulo de su sombra, también conocido como el ángulo cenital), llamado y en la Fig. 2, se dice que es complementario al ángulo de x. Según la premisa 29 del libro 1, los ángulos complementarios son iguales, por lo que todo lo que Eratóstenes tenía que hacer era medir el ángulo entre su gnomon y la sombra que proyectaba, y él sabría el ángulo de la sección de la circunferencia de la Tierra entre Alejandría y Siena.

Hoy en día, se puede utilizar la trigonometría simple (*ver* p. 103) para resolver este ángulo mediante la medición de la longitud del poste y de la sombra, pero Eratóstenes probablemente utilizó un instrumento llamado *skaphe* (un reloj de sol hemisférico) para medirlo directamente.

El ángulo medido por Eratóstenes era 7°, o aproximadamente $^1/_{50}$ de la circunferencia de la Tierra.

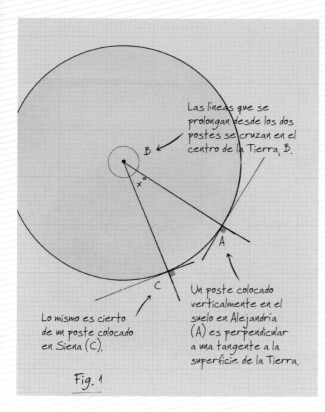

Las líneas que se prolongan desde los dos postes se cruzan en el centro de la Tierra, B.

Un poste colocado verticalmente en el suelo en Alejandría (A) es perpendicular a una tangente a la superficie de la Tierra.

Lo mismo es cierto de un poste colocado en Siena (C).

Fig. 1

Eratóstenes sabía que la distancia desde Alejandría a Siena era de 5.000 estadios, la unidad de distancia utilizada en el mundo antiguo, así que fue fácil de calcular que la circunferencia de la Tierra debe ser de 50 × 5.000 = 250.000 estadios. Para saber cómo de cerca de la medición moderna está esto, es necesario saber cómo era de largo uno de los estadios de Eratóstenes, pero este es un punto de mucha contención porque había varias versiones en uso en el momento. No obstante, en general se cree que el valor de Eratóstenes para la circunferencia de la Tierra estaba entre 39.690 kilómetros (24.662 millas) y 46.620 kilómetros (28.968 millas). Mediciones modernas dan la circunferencia de la Tierra alrededor de los polos como 40.008 kilómetros (24.860 millas) y alrededor del ecuador como 40.075 kilómetros (24.901 millas). Eratóstenes no estaba tan lejos.

Estas dos ilustraciones reflejan el trabajo de Eratóstenes.

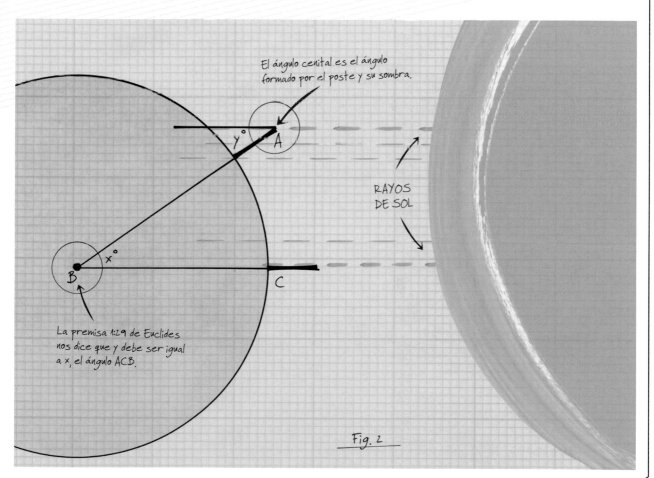

El ángulo cenital es el ángulo formado por el poste y su sombra.

RAYOS DE SOL

La premisa 1:29 de Euclides nos dice que y debe ser igual a x, el ángulo ACB.

Fig. 2

ا ب ج د ه ط ر اح كح فنصل را ح خطا واجزا لكوز زاوية
ح ... سا ح قايمة وكذلك ه ط وح من ا ك موازيا
ل د فيقع داخل المثلث لان زاوية د ه ا كبر من قايمه فتكون
زاوية ه ا ا قل من زاوية ه ا ح القايمه ونقط علامه ه
علا ... وينقسم به مربع ه ه ا السطح ه ه ا ك ح ونصل
ح ح ا د فلان في مثلثي ح ح ... ا د ضلعي ح ح ...
وزاوية ح ح موازيه لضلعي ا ... ... د وزاوية ا ... د
يكون المثلثان متساويين ومثلث ح ح ... بسا ... نصف مربع
... لكونها علي قاعده
ح ح ... بين متوازي ح ح
رح وكذلك مثل ا د ح
بساوي بضف سطح ... ا
لكونها علي قاعده ... د
... متوازي ... د ا ك
... مربع رح بساوي
سطح ... ا ك ... لساوي بضفيهما ومثل ذلك ان مربع ط بساوي
سطح ط ح ... فاذا مربع ح ... بساوي مربعي ا ك ح ود ا ... وذالك ما اردناه

MATEMÁTICAS MEDIEVALES

Una traducción árabe medieval de los «Elementos» de Euclides muestra el teorema de Pitágoras, uno de los pilares básicos de la geometría clásica.

El colapso de la civilización clásica estancó el desarrollo de las matemáticas occidentales durante siglos, pero el progreso continuó en otras culturas. Una de las más fuertes estaba en la India, donde los matemáticos medievales lidiaron con conceptos como los números negativos, el cero y el infinito, que Occidente no dominaría durante siglos. Estos descubrimientos, junto con lo mejor del aprendizaje clásico, se combinaron en el trabajo de eruditos islámicos medievales, que llevaron las matemáticas a un nuevo nivel desarrollando la trigonometría y el álgebra, y usando modelos indios para producir el sistema de números que tenemos hoy. En el siglo XII, estos logros comenzaron a transmitirse de nuevo en la Europa medieval, donde la difusión gradual del sistema de numeración indo-árabe y otros avances transformaron la contabilidad y, con el tiempo, las matemáticas académicas.

MATEMÁTICAS MEDIEVALES INDIAS

Después de la conquista romana del Mediterráneo que llevó a la era helénica a su fin, la práctica de las matemáticas disminuyó en Occidente. Aunque Alejandría continuó produciendo matemáticos significativos en la época romana, como Diofanto (hacia 200-284 d. C.) y Pappus (hacia 290-350 d. C.), no fue hasta bien entrada la época medieval, en torno al siglo XIII, que se hicieron avances significativos en matemáticas en Europa. Sin embargo, en la India no prosperó una tradición matemática con raíces que se remontaban a la Edad del Bronce.

LA EDAD DE ORO

Sobre la sólida base de escrituras hindúes y budistas que proponen libremente reglas de la aritmética, números muy grandes, el concepto de infinito y la geometría compleja, las matemáticas indias del v al XII siglo d. C. disfrutaron de una edad de oro, en la que se anticiparon o lograron muchos de los avances más tarde realizados de forma independiente por los matemáticos occidentales, incluyendo el cálculo (ver p. 156).

El legado más conocido y generalizado de esta edad de oro de las matemáticas indias medievales es nuestro sistema numérico, hoy llamado el sistema de numeración indo-árabe, que tiene sus raíces en los antiguos textos indios. Durante este período, los eruditos de la India también hicieron avances en álgebra y trigonometría, así como en el tratamiento del infinito, los números negativos y el cero.

ARYABHATA

Un matemático y astrónomo al servicio del Imperio Gupta del norte de la India, Aryabhata (476-550 d. C.), nació probablemente en lo que hoy es Patna. Es conocido por su *Aryabhatiya*, un tratado astronómico escrito alrededor del año 500 (cuando tenía solo 24 años), que incluye un resumen de las matemáticas hindúes hasta ese momento. Cubre la aritmética y el álgebra de ecuaciones lineales muy complicadas (en las que ninguna variable se eleva a una potencia mayor que 1, como $ax + by + c = 0$) y ecuaciones de segundo grado (en las que al menos una de las variables se eleva al cuadrado, por ejemplo como $ax^2 +$ $by + c = 0$). Aryabhata también demostró una técnica para resolver ecuaciones llamadas el *kuttaka* o el método de «pulverización», que implica la división repetida.

El *Aryabhatiya* es más conocido, no obstante, por la aproximación de pi y la trigonometría. Hablando de lo que ahora llamamos pi, escribió: «Suma cuatro a cien, multiplica por ocho y luego suma sesenta y dos mil. El resultado es aproximadamente la circunferencia de un círculo de diámetro veinte mil. Por esta regla, se da la relación de la circunferencia y el diámetro». Siguiendo esta regla, se obtiene un valor de pi de $^{62832}/_{20000} =$ $3'1416$, que tiene una precisión de cuatro decimales y se mantuvo como la aproximación más exacta durante siglos. Y quizás lo más importante es que Aryabhata apreció que era válido únicamente para aproximar el valor de pi, en otras palabras, reconoció que era un número irracional, algo que no se demostró en Europa hasta 1761 por el matemático suizo Johann Heinrich Lambert (1728-1777).

En trigonometría, Aryabhata también fue al parecer el primero en describir los senos (los antiguos griegos y helenos habían utilizado cuerdas de círculos para describir el mismo concepto). Utilizó el término *jya* para sen (la abreviatura matemática moderna para seno), y calculó las tablas de la función seno y otras funciones trigonométricas (*ver* p. 102).

No es sorprendente que Aryabhata estuviese muy bien considerado por los matemáticos indios posteriores. Alrededor de un siglo después de su muerte, el erudito Bhaskara escribió: «Aryabhata es el maestro que, después de llegar a las costas más lejanas y de poner tuberías

LA ASTRONOMÍA DE ARYABHATA

El enfoque principal de la *Aryabhatiya* es la astronomía, y Aryabhata parece haber logrado algunos avances notables siglos antes de tiempo. Haciendo uso de su aproximación de pi, fue capaz de calcular la circunferencia de la Tierra como 39'736 kilómetros (24'835 millas), solo un 0'2% menor que la medición moderna (40 075 kilómetros, o 24'901 millas, en el ecuador).

Oponiéndose a la opinión predominante, Aryabhata argumentó que los cielos solo parecían girar y eso era todo, y que de hecho, la Tierra giraba sobre su eje. Fue una posición tan revolucionaria que los analistas posteriores consideraban que era un error. Calculó los radios de las órbitas de los otros planetas en función de sus períodos de rotación alrededor del Sol, e incluso parece haber entendido que sus órbitas eran elípticas, adelantándose a las leyes del astrónomo alemán Johannes Kepler del movimiento planetario más de un milenio.

Aryabhata también explicó correctamente el mecanismo de la Luna, que el brillo era la luz del Sol reflejada y explicó qué es un eclipse. Por último, estimó la duración de un año en menos de 15 minutos.

Brahmagupta contemplando misterios astronómicos.

en lo más profundo del mar de conocimiento de las matemáticas, la cinemática y la geometría esférica, entregó las tres ciencias al saber del mundo».

BRAHMAGUPTA

Quizás el matemático indio medieval más importante fue Brahmagupta (desde 598 hasta 670 d. C.), que vivió en lo que hoy es Rajastán, en el noroeste de la India, en aquel momento parte del reino Gurjara, y más tarde dirigió el observatorio astronómico en Ujain. En 628 terminó su obra principal, la *Brahmasphutasiddhanta* («La apertura del Universo»), que resultaría muy influyente cuando llegó a la capital abasí en Bagdad y fue traducida al árabe, garantizando así que los logros de Brahmagupta se introdujesen en el desarrollo de las matemáticas islámicas y más tarde europeas.

Brahmagupta establece métodos para encontrar cuadrados, cubos, raíces cuadradas y raíces cúbicas, y para trabajar con fracciones. Resolvió ecuaciones de segundo grado del tipo $ax^2 + c = y^2$, y apreció que podría haber múltiples pares de valores de las incógnitas. Los matemáticos admiran particularmente su solución de la ecuación $61x^2 + 1 = y^2$, cuya solución más pequeña es $x = 226.153.980$, $y = 1766319049$.

No obstante, Brahmagupta es más destacado por su trabajo sobre el cero (*ver* p. 92), los números negativos y el cálculo utilizando el sistema de valor que hoy conocemos. Describió un método para multiplicar números grandes que él llamó la *gomutrika*, traducido como «el camino de orina de la vaca». Por ejemplo, para multiplicar 321 × 456, anota la cuenta de esta manera:

$$3 \times \qquad 456$$
$$2 \times \qquad 456$$
$$1 \times \qquad 456$$

Ahora enumera los productos de las multiplicaciones individuales por debajo de la línea, escalonados para que los valores ocupen lugar correcto, y súmalos para obtener la respuesta:

```
3       456
2       456
1       456
-------------------
     1368--
      912-
       456
-------------------
     146376
```

Esto puede parecer ahora una forma tediosa de hacer una multiplicación bastante básica, pero ilustra que los matemáticos de la época estaban llegando a apreciar la potencia del sistema de valor posicional.

Ruinas del Palacio de Pataliputra, la actual Patna. La ciudad fue fundada como una pequeña fortaleza alrededor del 490 d. C. en la confluencia de los ríos Ganges, Gandhaka y Son. Hacia el siglo III d. C. era la ciudad más grande del mundo, y siguió siendo la capital del Imperio Gupta entre el siglo III y el V.

NÚMEROS NEGATIVOS

Como en gran parte de la aritmética temprana, el enfoque de Brahmagupta con las matemáticas fue desde el punto de vista de la aplicación, al tratar la cuestión práctica del préstamo de dinero y la deuda, y el cálculo de intereses de los préstamos. Por ejemplo, un problema que planteó fue: «Se prestan quinientos drammas a un ritmo desconocido de interés. El interés del dinero de cuatro meses se presta a otro con la misma tasa de interés y ascendió en diez meses a 78 drammas. Calcula la tasa de interés». Brahmagupta abrió un nuevo camino al reconocer que el resultado de esa suma es un número válido que se puede utilizar en el cálculo, y apreció que las ecuaciones de segundo grado pueden tener soluciones positivas y negativas; por ejemplo, en la ecuación cuadrática $x^2 = 4$, x puede ser 2 o -2. Al calificar un número negativo una «deuda» y un número positivo de una «fortuna», expuso las reglas para operaciones matemáticas con los negativos:

- Una deuda menos cero es una deuda ($-x - 0 = -x$).
- Una fortuna menos cero es una fortuna ($x - 0 = x$).
- Una deuda restada de cero es una fortuna ($0 - (-x) = 0 + x = x$).

Ujain hoy en día, en el estado de Madhya Pradesh.

- Una fortuna restada de cero es una deuda ($0 - x = -x$).
- El producto de dos deudas es una fortuna ($-x \times -y = z$).
- El producto de una deuda y una fortuna es una deuda ($-x \times y = -z$).
- El producto de una fortuna y una deuda es también una deuda ($x \times -y = z$).

LA ESCUELA DE KERALA

En el siglo XIV, una escuela de astrónomos y matemáticos floreció en la región india de Kerala, dirigida por el académico Madhava de Sangamagrama. La escuela de Kerala hizo grandes avances en el tratamiento de los infinitesimales, fracciones tan pequeñas que se acercan a cero. Por ejemplo, Madhava se dio cuenta que pi podría describirse mediante una serie infinita de sumar y restar fracciones alternativamente: pi = 4 - $^4/_3$ + $^4/_5$ - $^4/_7$ + $^4/_9$ ... $^4/$ infinito. Esto no fue descubierto en Europa hasta

unos dos siglos más tarde, cuando el matemático y filósofo alemán Gottfried Leibniz ideó el mismo método. De hecho, la escuela de Kerala también desarrolló las primeras formas de cálculo mucho antes que Isaac Newton y Leibniz (*ver* p. 156), y hay mucha discusión sobre la muy probable existencia de vínculos directos entre las matemáticas indias y los posteriores matemáticos europeos. Algunos afirman que los logros de personas de la talla de Pierre de Fermat, Leibniz y otros contemporáneos cercanos se dieron debido a la familiaridad con el trabajo de los matemáticos indios, transmitido tal vez a través de los jesuitas con sede en Cochin (Kochi actualmente), en el sur de la India. Según estos, algunos de los grandes logros de Occidente en matemáticas fueron en realidad un plagio de la India.

EL SISTEMA NUMÉRICO INDOARÁBIGO

El sistema de cálculo y escritura de números que utilizamos hoy en día es tan conocido que puede ser difícil de analizar. Combina un sistema de cálculo decimal y símbolos numéricos que se originaron en la antigua India con un sistema posicional (ver p. 19). Esta combinación le da al sistema sencillez, lo que hace los cálculos fáciles y permite expresar números grandes y pequeños con facilidad.

ORIGEN DE LOS NÚMEROS

Los números que utilizamos ahora (1, 2, 3, 4, 5, 6, 7, 8 y 9) derivan de lo que se conoce como números Brahmi, de la cultura india del siglo I d. C. . Sin embargo, estos mismos tenían antepasados previos. Los primeros ejemplos conocidos de los signos para 1, 4 y 6 se encuentran en las inscripciones de Ashoka, de las escrituras de Ashoka el Grande, de la dinastía Maurya, que gobernó gran parte del subcontinente indio 304-232 a. C. Los números 2, 7 y 9 aparecen primero en las inscripciones Nana Ghat del siglo II a. C., mientras que 3 y 5 se encuentran en las cuevas Nasik, que datan del siglo I al II d. C. Las formas de estos números Brahmi están lo suficientemente cerca de nuestras versiones modernas para ser reconocibles. Las formas de estos números Brahmi son bastante parecidas a nuestras versiones modernas. El número 1 es un simple trazo, una forma que se encuentra en muchas culturas a lo largo de la Historia (los chinos, por ejemplo, utilizaban una versión horizontal para indicar uno), mientras que los números 2 y 3 son simplemente formas cursivas de conjuntos de dos y tres trazos horizontales, respectivamente.

Sin embargo, los números Brahmi se utilizaron como parte de un sistema de cifrado (*ver* p. 19), con símbolos separados para 10, 20, 100, y así sucesivamente. Combinarlo con un sistema posicional era un aspecto revolucionario, y las fuentes difieren en cuanto a la primera aparición de esta combinación. Según el historiador de las matemáticas de origen holandés

The Arabic Ciphers.					
European.		Gobar.	Indian.		
14th cent.	12th c.	(Arab.).	10th c.	5th c.	1st c.
1	1	1	9	~	—
2	2	2	2	~~	=
3	3	3	3	~~~	≡
4	8	4	8	y	¥
5	9	4	4	ਖ	ਮ
6	6	∂	S	G	6
7	7	7	7	7	7
8	8	9	(	(	53
9	9	9	୧	୧	?
⋄	0	0	୨		

Comparación de los números europeos modernos y sus raíces medievales en escritura árabe e india.

Dirk Struik, el primer ejemplo aparece en una lámina de la India del año 595, que tiene escrita la fecha 346 en un sistema posicional decimal. Otros afirman que Aryabhata fue el primero en desarrollar el sistema, pero también se afirma que un texto cosmológico jainista llamado *Lokavibhaga*, compuesto en el 458, cuenta con números decimales. Hacia 662, el sistema de posición era tan conocido que llamó la atención de Severus Sebokht, un obispo cristiano del norte de Siria, que escribió: «Voy a omitir toda discusión de la ciencia de los indios... de sus descubrimientos sutiles en astronomía, descubrimientos que son más ingeniosos que los de los griegos y los babilonios, y de sus valiosos métodos de cálculo que superan cualquier descripción. Solo quiero decir que este cálculo se hace por medio de nueve signos. Si los que creen, porque hablan griego, que han llegado a los límites de la ciencia, podrían leer los textos indios, y estarían convencidos, aunque un poco tarde, que hay otros que saben algo de valor». Sebokht habla de solo nueve signos, lo que sugiere que él no estaba al tanto del cero.

EN OCCIDENTE

Mientras Sebokht pudo haber conocido los números hindúes, el texto deja claro que tal conocimiento no fue generalizado. Su aceptación en Occidente llegó a través del Islam. Según el historiador árabe de la ciencia del siglo XII, Ibn al-Qifti, en su *Cronología de los Académicos*, un erudito de la India llevó una copia de la *Brahmasphutasiddhanta* a la biblioteca del califa abasí Almansur en el 766, poco después de que nombrase Bagdad la capital del imperio islámico y de que estableciese su *Khizanat Kutub al-Hikma* («Almacén de los Libros de la Sabiduría»). Esta obra de Brahmagupta incluye instrucciones para el uso del sistema decimal de posición (*ver* p. 19). Sin embargo, la traducción al árabe del libro no pareció causar un gran impacto, y no fue hasta la obra del filósofo al-Kindi y el matemático al-Juarismi (*ver* p. 104) durante el reinado del califa abasí al Ma'mun VII en el siglo IX que los eruditos árabes comenzaron a ganar prosélitos al nuevo sistema.

Incluso entonces la adopción de los números en todo el resto del mundo islámico era lenta. Se utilizaban diferentes versiones en el este y el oeste, y fue la versión árabe occidental o *Gobar* la que llegó a Europa con el tiempo, cuando las obras de al-Kindi y al-Juarismi se tradujeron al latín en el siglo XII. En esta época, el uso

de los números romanos estaba arraigado en la sociedad europea, y los números indo-arábigos provocaban recelo debido a las Cruzadas y su asociación con los sarracenos. El gran matemático italiano Leonardo de Pisa, más conocido como Fibonacci (*ver* p. 116), mostró su entusiasmo sobre el sistema en su obra de *1202 Liber Abad* («Libro de Cálculo»), en la que escribió: «Con estas nueve cifras, y con la cifra 0... se puede escribir cualquier número». Pero a pesar de su apoyo a los números indoarábigos, los números romanos no serían expulsados hasta varios siglos después. Como el historiador belga George Sarton señaló: «Un solo ejemplo bastará para indicar la lentitud de la integración de los números hindúes en el uso occidental. Todavía en el siglo XVIII, la *Cour des Comptes* [Tribunal de Cuentas] de Francia usaba números romanos».

CONTAR ÁNGULOS

Un enfoque interesante que se da en los números indoarábigos son los indicadores naturales de los números del 1 al 9. Tiene que ver con el número de ángulos en forma de línea recta de los números. Si contamos los ángulos en los siguientes números, veremos que se corresponden con el valor de cada número. El mismo principio se aplica al símbolo del cero, que no tiene ángulos.

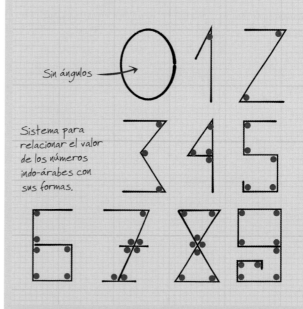

Sin ángulos →

Sistema para relacionar el valor de los números indo-árabes con sus formas.

BREVE HISTORIA DEL CERO

Hoy en día, el cero parece tan común como cualquier otro número, pero, increíblemente, incluso el concepto era extraño hasta hace relativamente poco tiempo, y la existencia del término «cero» y su símbolo moderno se remontan a menos de 400 años.

HUECOS VACÍOS

Hay dos aspectos importantes del cero: el de un número que significa la nada o un vacío, y el marcador de posición en un sistema numérico posicional. El primero tardó mucho tiempo en desarrollarse, quizás porque planteaba un desafío conceptual demasiado grande cuando las matemáticas se basaban en lo concreto; en ejemplos del mundo real, no tenía sentido hablar de una manada de cero vacas o un campo con área cero. El último aspecto parece fundamental para nuestro sistema de posición decimal, sin él no hay manera de distinguir, por ejemplo, entre los números 21, 201 o 210. Sin embargo, los babilonios lo lograron durante milenios sin un indicador de cero, basándose en el contexto para indicar la diferencia entre los números. Esto era mucho más fácil debido a su sistema sexagesimal (*ver* pp. 36-37), en el que no hay necesidad de un cero para los números hasta 60 y se da solo 59 veces en números menores de 3.600.

El primer sistema regular que representó un hueco vacío en un sistema de posición no se encuentra hasta alrededor del 300 a. C., en los textos babilónicos seléucidas, en los que se utilizó un par de marcas de lápiz en forma de cuña diagonales. Casos anteriores que datan de alrededor del 700 a. C. incluyen otros tipos de marcas. Sin embargo, en ninguno de estos casos se utiliza el marcador de posición vacío al final de un número, de modo que no había distinción entre 21 y 210, por ejemplo. Una vez más, se utilizaba el contexto para indicar la diferencia.

Los antiguos griegos no tenían la necesidad de un marcador de posición como ese porque sus matemáticas se basaban principalmente en la geometría, con cantidades representadas por líneas y porciones de líneas. La excepción se presentó en la astronomía, donde el símbolo O aparece por primera vez en relación a cero y se usó como un marcador de posición. Ptolomeo, el influyente astrónomo alejandrino, utilizó un marcador de

Ubicuidad moderna del cero que oculta sus orígenes recientes.

La lectura de un surtidor de combustible indica cero, que actúa como un marcador de posición en el sistema decimal.

ORIGEN DE LA PALABRA «CERO»

La palabra «cero» viene de la palabra árabe *sifr*, «nada», que es a su vez una traducción de la palabra india *sunya*, «el vacío». En las versiones latinas de textos árabes, *sifr* se convirtió en *zephirum*, que derivó en cero. *Sifr* es también la raíz de la palabra *cipher*, que se refiere a un símbolo o, más concretamente, a un símbolo secreto utilizado para la codificación.

EL CERO MAYA

Los mayas desarrollaron su propio sistema numérico independientemente de los centros de civilización euroasiáticos. Hacia el 665 d. C., tenían un sistema de posición de base 20 que necesitaba solo tres símbolos: un punto para las unidades, una barra para cinco y un símbolo de una concha para el cero.

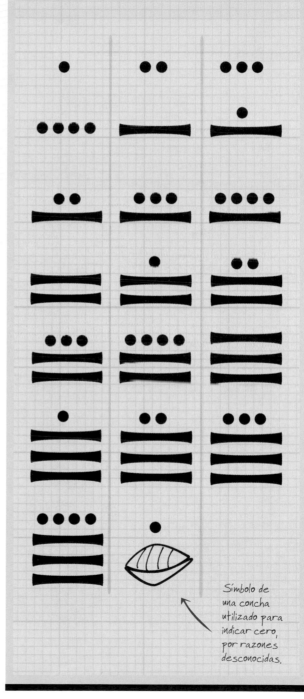

Símbolo de una concha utilizado para indicar cero, por razones desconocidas.

posición cero en el siglo II d. C., en su tratado *Almagesto*. Incluso lo usó al final de los números, pero su versión no se arraigó.

EL VACÍO

El uso de cero como un número se desarrolló en la India y se ha relacionado con los conceptos del vacío en la cosmología hindú. Los ejemplos más antiguos pueden haber utilizado un punto, derivado del símbolo *bindi*, para indicar un marcador de posición vacío, pero es en la obra de Brahmagupta del siglo VII (*ver* p. 87) donde el cero, aparece por primera vez como un número. Estableció las reglas aritméticas básicas para su uso: es decir, $1 + 0 = 1$; $1 - 0 = 1$; y $1 \times 0 = 0$. Pero incluso Brahmagupta se esforzó en manejar el concepto de dividir por cero. El matemático indio del siglo XII Bhaksara argumentó que uno dividido por cero debe ser infinito, pero los matemáticos modernos no están de acuerdo y todo dividido por cero se considera ahora como «indefinido», en el sentido de que no hay una respuesta significativa. La notación de un círculo para el cero también parece haber venido de la India, el ejemplo más antiguo conocido (que data de 876) es una pequeña «o» utilizada como un marcador de posición en números inscritos en una tablilla de piedra en Gwalior.

Los matemáticos islámicos adoptaron el número cero de la India, pero no pudieron hacer uso de él en el álgebra, lo que sugiere que todavía no se le había concedido el mismo estatus numérico que a los otros números. Del mismo modo, Fibonacci (*ver* p. 116) hace referencia al cero como un símbolo en lugar de un número en su *Liber Abaci*. No fue sino hasta el siglo XVII que el cero fue reconocido como una solución válida para problemas algebraicos por el matemático francés Albert Girard (1595-1632).

INTRODUCCIÓN DEL ÁLGEBRA

El álgebra es la representación de problemas matemáticos mediante la sustitución de letras en vez de cantidades para producir ecuaciones. Una ecuación es como una balanza: ambas partes deben equilibrarse. Esta característica se puede utilizar para resolver problemas matemáticos y encontrar cantidades desconocidas. Sabemos lo que hay en un lado de una balanza equilibrada, entonces, por definición, ya sabemos lo que hay en el otro lado.

ECUACIONES

Una ecuación es un enunciado que iguala dos expresiones. Por ejemplo, en la ecuación $2 + 3 = 3 + 2$, $2 + 3$ es una expresión y $3 + 2$ es otra. Esta ecuación puede representarse algebraicamente mediante la sustitución de letras para los números, así: $x + y = y + x$.

Las diferentes partes de una ecuación tienen nombres específicos. Por ejemplo en la ecuación $2x + 5 = 9$:

- x es la variable, que es por lo general un número desconocido, y el propósito de resolver la ecuación es por lo general averiguar este desconocido.
- 2 es el coeficiente: es un número que multiplica una variable.
- 5 y 9 son constantes, estos son números conocidos.
- + es el operador, especifica la operación a realizar; en este caso, la suma.
- = muestra que los dos lados de la balanza de la ecuación, nos dice que si la ecuación es una balanza, con 9 pesos en la mano derecha, el número total de pesos en la mano izquierda también sería 9.
- $2x$, 5 y 9 son conocidos individualmente como términos.
- $(2x + 5)$ es una expresión compuesta de términos.

ÁLGEBRA Y GEOMETRÍA

La forma moderna de álgebra que conocemos, con letras para las variables, se conoce como álgebra simbólica. Se trata de un desarrollo relativamente reciente, que apareció hace solo unos 400 años. Los matemáticos de las civilizaciones antiguas practicaron álgebra, pero no lo reconocieron en el sentido moderno; para ellos, era simplemente una rama de la geometría con problemas geométricos que incluían cantidades desconocidas.

Por ejemplo, si supieses que el área total de un campo rectangular es de 12 unidades y un lado tiene 4 unidades de largo, sería fácil averiguar la longitud de los otros lados, porque sabrías que la longitud del lado desconocido multiplicado por 4 debería ser 12 o que n.º desconocido x 4 = 12. Las áreas y los volúmenes incluyen cuadrados y cubos, así que los problemas de áreas y volúmenes podrían incluir incógnitas cuadradas o cúbicas y; este tipo de problemas y las ecuaciones que los representan son conocidos como cuadráticas y cúbicas respectivamente.

Un ejemplo típico de un texto babilónico antiguo podría tener este aspecto, en términos geométricos:

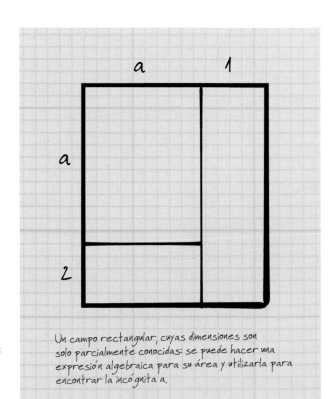

Un campo rectangular, cuyas dimensiones son solo parcialmente conocidas: se puede hacer una expresión algebraica para su área y utilizarla para encontrar la incógnita a.

François Vieta, conocido como el «padre de la notación algebraica moderna», introdujo el uso de letras para las variables.

DE LA RETÓRICA A LOS SÍMBOLOS

Los textos que sobrevivieron del antiguo Egipto y Mesopotamia no utilizan ni los símbolos ni la geometría para representar su álgebra. En cambio, su álgebra era retórica y fue descrita por completo en palabras. El álgebra retórica siguió siendo la forma dominante en la mayor parte de las matemáticas griegas y helénicas, y en Europa occidental fue dominante hasta al menos el siglo xv. Una de las mejores fuentes de ejemplos de álgebra retórica es la *Antología Palatina* (también conocida como la *Antología Griega*), de alrededor de 500 d. C. Incluye 46 problemas, tales como:

- Democares ha vivido una cuarta parte de su vida como un niño, un quinto como joven, un tercio como un hombre, y ha pasado 13 años en su ancianidad. ¿Cuántos años tiene?

- Las tres Gracias llevaban cestas de manzanas, y en cada una había el mismo número. Las nueve musas se las encontraron y pidieron a cada una manzanas y dieron el mismo número a cada musa, y las nueve y las tres se quedaron con el mismo número de manzanas. Dime cuántas dieron y cómo todas tenían el mismo número.

Este tipo de problemas son fáciles de resolver cuando se pasan al álgebra simbólica, pero son mucho más difíciles cuando se tienen que resolver retóricamente.

La etapa intermedia entre el álgebra retórica y la simbólica se conoce como álgebra sincopada. La síncopa es el uso de abreviaturas al escribir problemas retóricos y se asocia principalmente con el antiguo matemático griego Diofanto de Alejandría (200-284 d. C), a veces conocido como el «padre del álgebra» (este título también se le da al matemático medieval árabe al-Khwarizmi,

Imagina que esto es un campo. ¿Cuál es el área de todo el campo? Esto se puede representar como el producto de dos expresiones $(a + 1)$ x $(a + 2)$. La multiplicación de estas expresiones da $(a + 1) \times (a + 2) = a^2 + 3a + 2$. Esta es una ecuación cuadrática derivada de una representación geométrica de un problema relacionado con el área de un campo.

Los textos babilónicos antiguos también tratan las ecuaciones cúbicas en el contexto de la excavación de sótanos, mientras que los antiguos textos védicos de la India hablan de tales ecuaciones en el contexto de la construcción de altares, los cuales implican el cálculo de volúmenes. Pasar de la consideración de los problemas prácticos del mundo real a principios abstractos expresados en forma simbólica era un camino largo.

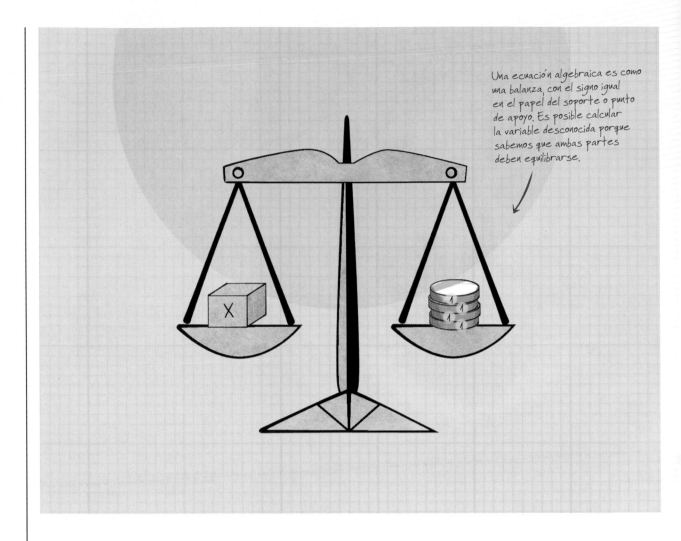

Una ecuación algebraica es como una balanza, con el signo igual en el papel del soporte o punto de apoyo. Es posible calcular la variable desconocida porque sabemos que ambas partes deben equilibrarse.

ver p. 104). En su aritmética, Diofanto usó una sola letra como símbolo para la variable desconocida, y utilizó la notación Δ^Y, las dos primeras letras de la palabra griega para la potencia, para indicar lo desconocido elevado a la potencia 2 (es decir, x^2). También utilizó los operadores matemáticos, expresiones y coeficientes negativos, que serían todas las características de álgebra simbólica más tarde.

Sin embargo, el álgebra de Diofanto tiene muchas limitaciones. Trataba problemas específicos y no generalizaba a lo abstracto. No tenía noción de la igualdad y, por tanto, no hizo uso de ecuaciones. Solo abordaba un único desconocido a la vez. Rechazó soluciones para incógnitas que eran menores que cero, y se detuvo en la primera solución posible incluso cuando había un número infinito de soluciones (como, por ejemplo, en una ecuación del tipo $x + y = 4$).

Los matemáticos antiguos indios como Aryabhata y Brahmagupta también utilizaron el álgebra sincopada,

y con el tiempo se introdujeron en las matemáticas europeas a finales del periodo medieval. En el siglo XVI, los matemáticos europeos comenzaron a introducir las notaciones simbólicas que utilizamos hoy en día, a partir de la implantación del signo = por el inglés Robert Recorde en 1557 que fue usado para igualar π a pi en 1706 (*ver* p. 50).

REUNIÓN Y OPOSICIÓN

La palabra «álgebra» proviene del título de un libro escrito por el matemático medieval árabe al-Juarismi (*ver* p. 104): *Al-Kitab al-mukhtasar fi hisab al-jabr w'al-muqabala*, que fue escrito alrededor de 825 d. C.; la palabra árabe *al-Jabr* se convirtió en «álgebra». El título del libro se traduce generalmente como «Compendio de cálculo por reintegración y comparación», aunque la última frase también puede traducirse como «La reunión y la oposición».

La importancia de la obra de al-Juarismi es que da paso a paso las instrucciones sobre la forma de resolver problemas algebraicos a través de los dos pasos mencionados en el título: la reunión (o reintegración) y oposición (o equilibrio), hoy conocida como la transposición y cancelación.

Transposición es donde se reordena una ecuación de manera que los términos semejantes se reúnen en un lado de la ecuación, incluyendo, por ejemplo, todas las incógnitas similares en un lado. Por ejemplo, en la ecuación $bx + y = ax^2 + bx - 3y$, los términos pueden transponerse para dar $y + 3y = ax^2 + bx - bx$. La cancelación es donde los términos se resuelven en sus formas más simples, donde sea posible. En el ejemplo anterior de transposición, esto da $4y = ax^2$, que es claramente mucho más simple que la ecuación original.

Por lo tanto el término «álgebra» moderna en realidad se refiere a solo la mitad del proceso descrito por al-Juarismi. Podría fácilmente haber sido llamado «almuqabala», y quizás más propiamente debería llamarse «algebraalmuqabala».

UNA CESTA DE MANZANAS

Probablemente estemos utilizando el álgebra en la vida cotidiana sin darnos cuenta. Por ejemplo, imaginemos una cesta de 30 manzanas en el supermercado a un precio de 4'50 €, y queremos saber el precio por manzana. ¿Podemos calcularlo? La respuesta es 15 céntimos por manzana, y si lo hemos hecho bien, acabamos de obtener el equivalente a la solución de la ecuación algebraica $30x = 450$.

Si el precio de una manzana es una variable desconocida, el álgebra se puede utilizar para resolver lo que cuesta.

¿CUÁNTOS AÑOS TENÍA DIOFANTO?

Se sabe muy poco de la vida de Diofanto. Las fechas que se dan de su vida están basadas en pruebas circunstanciales, a su vez basadas en traducciones. La *Antología Palatina*, compilada en aproximadamente 500 d. C, incluye un rompecabezas retórico sobre la vida de Diofanto que puede ser completamente ficticio:

«... su infancia duró $\frac{1}{6}$ de su vida; se casó después de $\frac{1}{7}$ más; su barba creció después de $\frac{1}{12}$ más, y su hijo nació cinco años después; el hijo vivió la mitad de la edad de su padre, y el padre murió cuatro años después que el hijo».

¿Podemos resolver la edad que Diofanto tenía cuando murió? El problema nos dice que Diofanto se casó a la edad de 26 y tuvo un hijo que murió a la edad de 42, cuatro años antes que Diofanto, que murió con 84 años.

Portada de una traducción del siglo XVII de Diofanto.

DIOPHANTI
ALEXANDRINI
ARITHMETICORVM
LIBRI SEX,
ET DE NVMERIS MVLTANGVLIS
LIBER VNVS.

Nunc primùm Græcè & Latinè editi, atque absolutißimis Commentariis illustrati.

AVCTORE CLAVDIO GASPARE BACHETO
MEZIRIACO SEBVSIANO, V.C.

LVTETIAE PARISIORVM,
Sumptibus HIERONYMI DROVART, via Iacobæa, sub Scuto Solari.
M. DC. XXI.
CVM PRIVILEGIO REGIS.

LA CASA DE LA SABIDURÍA: MATEMÁTICAS Y EL ISLAM MEDIEVAL

En el siglo VII una nueva fuerza se extendió por todo el Oriente Medio y Próximo como una tormenta: el Islam. En el espacio de exactamente 100 años, la expansión islámica que se había iniciado en Arabia en 632 alcanzó su límite en el sur de Francia en la batalla de Poitiers en el año 732.

El imperio islámico, conocido como el Califato, se extendía desde las fronteras de la India y China a África del Norte y España. Aunque nació del conflicto y el fanatismo religioso, el Califato se convertiría en el sistema de gobierno más culto y erudito de su tiempo, sus eruditos hicieron muchos avances en las matemáticas y jugaron un papel crucial en el intercambio de conocimientos entre Oriente y Occidente y en la supervivencia del saber antiguo que de otra manera se habría perdido a medida que Europa se sumergía en la Edad Media.

CIUDAD DE ERUDITOS

En 750, una nueva dinastía de califas conquistó el imperio islámico, inaugurando el Califato Abasí. El segundo califa abasí, al-Mansur, trasladó la capital de Damasco a una nueva ciudad imperial construida a propósito a orillas del Tigris: Bagdad. Al igual que Alejandría, la ciudad imperial construida desde cero por Alejandro Magno, Bagdad creció con una rapidez sorprendente para convertirse en la ciudad más grande en el mundo y, también como Alejandría, se convirtió en un centro de estudios en torno a una gran biblioteca.

Los predecesores de los abasíes, los omeyas, habían mantenido una *khizanat* o almacén, en Damasco, una especie de biblioteca en la que se recogían conjuntamente las traducciones de algunas de las obras persas más importantes, por ejemplo, la astrología. En el marco del quinto califa abasí, Harun al-Rashid (legendario por su papel en *Las mil y una noches*), el *khizanat* imperial creció tanto que el historiador medieval islámico de la ciencia Ibn al-Qifti lo nombró el «Almacén de los libros de la sabiduría». La actividad de traducción recogió, por ejemplo, el *Almagesto* de Ptolomeo que fue traducido para una rica familia de cortesanos. Este fue el primer afloramiento de lo que se conocería como el «movimiento de traducción».

Fue bajo los auspicios del hijo de al Rashid, al-Ma'mun, que gobernó desde 813 hasta 833, que el *khizanat* se convirtió en la Casa Legendaria de la Sabiduría y Bagdad se convirtió en el centro de una

ANÁLISIS DE FRECUENCIA

Un espía le trae un mensaje que ha interceptado al enemigo, pero parece ser un galimatías. ¿Cómo se puede descifrar el código? Si el mensaje es lo suficientemente largo, las propiedades del lenguaje en sí deberían darle pistas vitales. En cualquier idioma, algunas letras son más susceptibles de ser utilizados que otras. Por ejemplo, en inglés las letras que aparecen más frecuentemente son «e» y «t»; en un texto inglés, el 12'7% de las letras son la letra «e», mientras que «t» se produce con una frecuencia de 9'1%. Así que si contamos las letras en el texto cifrado, podemos averiguar qué letra es el código para «e», cuál para «t», y así sucesivamente. Esto se conoce como análisis de frecuencia. Necesitamos solo algunas de estas pistas para descifrar códigos simples, por ejemplo, si el mensaje fue escrito usando el alfabeto desplazado por una letra, por lo que «a» se convierte en «b», «e» se convierte en «f», etc., deberemos identificar una sola letra por análisis de frecuencia para descifrar el código.

Bagdad, también conocida como la «ciudad redonda», poco tiempo después de haber sido fundada en el año 762 d. C.

revolución filosófica. Se dice que al-Ma'mun tuvo un sueño sobre Aristóteles antes de llegar a Bagdad, y creó salones intelectuales, fomentó la traducción de una gran variedad de textos procedentes desde Constantinopla hasta la India y reclutó estudiosos de todo el mundo conocido, incluyendo nombres famosos, tales como al-Juarismi (*ver* p. 104), los hermanos Banu Musa (*ver* p. 104) y al-Kindi. Compitiendo para mantenerse al día con la moda de al-Ma'mun de la erudición, los clientes adinerados competían para construir sus propias bibliotecas, observatorios y también establecieron donde se empleaban los astrónomos. La afluencia de grandes eruditos y la disponibilidad sin precedentes de los textos significaban que la Casa de la Sabiduría pronto se graduaría de la traducción a las ciencias originales.

AL-KINDI

Abu Yusuf Yaqub Ibn Ishaq al-Sabbah al-Kindi (801-873) fue un erudito árabe que llegó a Bagdad para estudiar y fue reclutado por Al-Ma'mun para la Casa de la Sabiduría, después de servir como un tutor para la familia imperial antes de caer en la desgracia, probablemente debido a la rivalidad con otros estudiosos. A veces llamado Alkindus en Occidente, es conocido principalmente como

un filósofo, pero también escribió comentarios importantes y perspicaces sobre las traducciones de textos matemáticos griegos. De hecho, fue considerado por un historiador de la ciencia islámica como «el más sabio de su época, único entre sus contemporáneos en el conocimiento de la totalidad de los científicos antiguos, abrazando la lógica, la filosofía, la geometría, las matemáticas, la música y la astrología».

Junto a importantes obras sobre la óptica y la astronomía, al-Kindi destaca especialmente por su tratado *El libro sobre el uso de los números de la India*, uno de los textos clave en la difusión del conocimiento de los números hindúes a Europa. También hizo, o al menos registró, avances en el campo del criptoanálisis, la ciencia de los códigos y descifrado, una importante aplicación del conocimiento matemático. Al-Kindi desarrolló el método de análisis de frecuencia de descifrar códigos (*ver* recuadro «Análisis de frecuencia»), aparentemente para ayudar a traducir libros en lenguas extranjeras. También hizo un trabajo original en matemáticas, tal como un tratado de líneas paralelas. En general, estaba preocupado de absorber el trabajo de los antiguos eruditos y construir sobre él, escribiendo, «Es bueno… recordar que debido a que los antiguos han dicho todo en el pasado, es más fácil y rápido adoptarlo para aquellos que los siguen, y ahondar más en aquellas áreas donde no lo han dicho todo…».

El quinto califa Harun al-Rashid recibe a la embajada del emperador Carlomagno en Bagdad.

del mundo se convirtió en una preocupación importante para los estudiosos musulmanes y el tema se convirtió probablemente en la aplicación más importante de las matemáticas en el Islam.

Quizás el ejemplo más gráfico en este campo fue el desarrollo del astrolabio, un dispositivo para medir la inclinación (ángulo de pendiente), en concreto de los objetos celestes por encima del horizonte (*ver* recuadro «El astrolabio»). Esta información podía convertirse, usando los diales e inscripciones en el astrolabio, en lecturas de latitud y longitud, las cuales, a su vez, determinan la Qibla y la hora del día (las oraciones islámicas a La Meca estaban especificadas para ciertas horas del día). Los astrolabios eran tanto dispositivos de cómputo elaborados, como la forma física del logro teórico y la destreza tecnológica de sus creadores.

UNA DIRECCIÓN

Las matemáticas islámicas hicieron grandes avances en los campos de la trigonometría, la geometría esférica y la cartografía, todos ellos unidos entre sí por uno de los principales motores detrás de los logros científicos islámicos: el problema de la *qibla*. Esta palabra significa «dirección» y se refiere a la necesidad de determinar la dirección de La Meca. Dondequiera que estén en el mundo, los musulmanes están obligados a rezar en dirección a La Meca, y cada vez que una nueva mezquita se construía o se consagraba necesitaba un *mihrab* para indicar la dirección exacta de La Meca. Encontrar esta dirección desde cualquier parte

AL-BIRUNI

Varios de los eruditos islámicos medievales de más alto perfil combinaron así las matemáticas con la topografía y la creación de mapas. Un buen ejemplo fue Abu Muhammad ibn Ahmad Arrayhan al-Biruni (973-1048), un uzbeko que cartografió grandes zonas de la India y Asia Central, fue pionero en nuevos métodos en la geometría esférica y exploró las primeras versiones de cálculo varios siglos antes de que Newton (*ver* p. 156).

Sin embargo, el logro más conocido de al-Biruni fue medir la circunferencia de la Tierra con una precisión sorprendente, utilizando un método nuevo y más avanzado que la simple trigonometría de Eratóstenes (ver p. 82). En su *Determinación de las coordenadas de las ciudades*, al-Biruni primero examina el método de Eratóstenes y su reproducción por los astrónomos de al-Ma'mun luego presenta a su propio enfoque. «Aquí hay otro método para la determinación de la circunferencia de la Tierra», escribe. «No requiere caminar en los desiertos», añade. Sin embargo, requiere escalar montañas; específicamente, una montaña cerca de un fuerte en Nanda, en la actual Pakistán, que al-Biruni estaba visitando en el séquito del sultán Ghaznavid Mahmud en algún momento entre 1020 y 1025.

Al-Biruni utilizó un tablero cuadrado para determinar primero la altura de la montaña, y luego, desde la cima de la montaña, el ángulo de la inclinación del horizonte. Usó el axioma de triángulos semejantes, que establece que los triángulos con los mismos ángulos internos tienen lados con la misma proporción entre sí. Esto, junto con la trigonometría elemental, le permitió hallar el radio de la Tierra, que luego multiplicó por pi dos veces para dar la circunferencia, obteniendo una cifra de un 1% del valor actual. La clave del éxito de al-Biruni no fue tanto la teoría, que era relativamente simple, sino su habilidad para medir ángulos muy pequeños, usó un astrolabio para medir el pequeño ángulo de poco más de medio grado entre el horizonte y la línea horizontal desde la parte superior de la montaña.

Ilustración de un manuscrito que muestra astrónomos utilizando un astrolabio.

EL ASTROLABIO

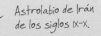

Astrolabio de Irán de los siglos IX-X.

Los astrolabios se basan en la proyección estereográfica de los cielos: una proyección de la esfera celeste sobre una superficie plana. Así como el globo terráqueo se proyecta sobre un mapa plano marcado con una cuadrícula de longitud y latitud, por lo que la bóveda del cielo, con las constelaciones y planetas, puede proyectarse en un disco marcado con una cuadrícula de líneas esféricas. Aunque este disco podía ser de papel o madera, solo los de metal sobrevivieron y los astrolabios más tempranos existentes tienen discos de latón con los mapas estelares inscritos en ellos. La proyección estereográfica y la teoría de la fecha del astrolabio se remontan a tiempos antiguos, pero los primeros dispositivos reales no pudieron haber sido creados antes del 600 d. C, aunque es posible que Ptolomeo tuviese una versión ya en el siglo II. A mediados del siglo VIII, el astrolabio se había introducido en el mundo islámico, donde alcanzó un punto máximo de desarrollo estilístico y tecnológico. Los astrolabios se convirtieron en valiosos y codiciados objetos: objetos de belleza, además de piezas de tecnología.

INTRODUCCIÓN A LA TRIGONOMETRÍA

La trigonometría, que literalmente significa «medir triángulos», es la matemática de los ángulos y los lados de los triángulos. Está basada en dos axiomas fundamentales de los triángulos. El primero es que un triángulo está determinado por un lado y dos ángulos. En otras palabras, dado un lado del triángulo y dos de sus ángulos, se pueden determinar los otros dos lados y el otro ángulo.

El segundo es que los triángulos con los mismos ángulos internos son semejantes, lo que quiere decir que los lados tienen la misma proporción entre ellos (*ver* recuadro «Triángulos semejantes»). Usando estas dos reglas, se hace fácil resolver un triángulo, hallar los lados o ángulos desconocidos, todo lo que necesitamos saber para empezar es tres de los lados o ángulos. Este tipo de tareas son particularmente fáciles con triángulos rectángulos, donde, por definición, uno de los ángulos se conoce (y aplicamos el teorema de Pitágoras); por lo tanto, la mayor parte de la trigonometría elemental que se cubre aquí se refiere a triángulos rectángulos.

FUNCIONES TRIGONOMÉTRICAS

Las proporciones entre los lados de un triángulo rectángulo tienen nombres asignados. La proporción entre la hipotenusa y su opuesto es el seno (abreviado «sen»), entre la hipotenusa y su adyacente es el coseno (abreviado «cos») y entre el opuesto y el adyacente es la tangente (abreviado «tg»). Estas son las funciones trigonométricas. Cuando hablamos del seno, lo hacemos en relación al ángulo que determina la identidad de los lados; en otras palabras, seno es la proporción hipotenusa-opuesto, pero solo es así desde el punto de vista del ángulo θ, por lo que la forma correcta de hablar del seno (o de otra función), es decir, «el seno de θ». De forma abreviada, las funciones trigonométricas se pueden expresar como:

$\text{Sen}(\theta) = O{:}H$

$\text{Cos}(\theta) = A{:}H$

$\text{Tg}(\theta) = O{:}A$

La regla mnemotécnica que se usa habitualmente para recordar esto es SOH-CAH-TOA.

TRIÁNGULOS SEMEJANTES

El triángulo A es bastante más grande que B, pero sus ángulos internos son iguales, por lo que se dice que son semejantes. Intentamos hallar la proporción entre la hipotenusa (el lado más largo) y la base del triángulo A y del triángulo B; ¿qué hemos obtenido? Para el triángulo A la proporción es 10:8 = 1'25; para el triángulo B la proporción es 5:4 = 1'25, son iguales. De hecho, la relación entre la hipotenusa y la base será 1'25 en cualquier triángulo con los mismos ángulos internos que el triángulo A, sin importar cuán grande o pequeño sea.

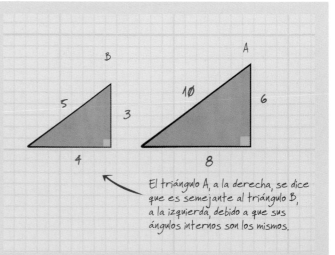

El triángulo A, a la derecha, se dice que es semejante al triángulo B, a la izquierda, debido a que sus ángulos internos son los mismos.

En un triángulo rectángulo, sabemos que uno de los ángulos es de 90°. Por convención, el otro ángulo, desconocido, por lo general se etiqueta con la letra griega *theta*, θ. (Recuerda que si se puede averiguar qué *theta* es, a continuación, puesto que ya sabemos uno de los otros ángulos, el ángulo restante será [180 - 90 - θ] °.) Los lados del triángulo son nombrados de acuerdo a su posición en relación con el ángulo *theta*: el lado opuesto de este ángulo se llama el opuesto, y el lado adyacente al mismo, que no es la hipotenusa, se llama el adyacente.

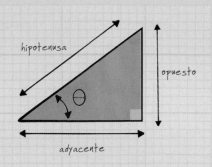

En la India, alrededor de los siglos IV y V d. C., se observó que estas proporciones son las mismas para todos los triángulos rectángulos de cualquier ángulo desconocido dado (theta, θ), y sus valores se calcularon para todos los valores de θ de 1 a 89 (es decir, para el triángulo rectángulo con los ángulos 1°, 89° y 90°, hasta el triángulo con ángulos de 89°, 1° y 90°) y se compiló en una tabla. Una tabla de este tipo permite calcular en orden retrospectivo a partir de la relación en cuestión para encontrar el tamaño del ángulo θ. Por ejemplo, si tenemos un triángulo con un ángulo θ desconocido, donde el lado opuesto (O) es de 4'5 unidades de largo y la hipotenusa (H) es de 9 unidades, sabemos que O:H = 4'5: 9 = 0'5. Dado que O:H es el seno (θ), ahora sabemos que el seno (θ) es 0'5, y si buscamos 0'5 en una tabla de senos, encontraremos que corresponde a un ángulo de 30°; en otras palabras, θ = 30°.

TRIGONOMETRÍA

La trigonometría no es solo de interés teórico, sino que también tiene usos prácticos. Supongamos que necesitamos cortar un árbol del jardín: debemos saber cuán lejos de la casa está y cómo es de alto el árbol para asegurar que no alcanzará nuestra casa cuando caiga. Todo lo que precisamos hacer es estar al final del jardín y medir el ángulo entre la parte superior del árbol y nuestro ojo (utilizando, por ejemplo, una regla corta y un transportador) y luego medir la distancia entre el lugar donde mediste el ángulo y la base del árbol. Dado que el tronco del árbol es perpendicular al suelo, ahora conocemos tres de los ángulos y uno de los lados del triángulo formado por nosotros, la base del árbol y la parte superior del árbol. En relación con el ángulo que medimos, la distancia a la base del árbol es el lado adyacente, A, mientras que el lado que queremos averiguar es el opuesto, O. Digamos que el ángulo que medimos era de 60° y la distancia que medimos fue de 5 metros (16'4 pies). Sabemos que tg (θ) = O: A, que en este caso significa que tg (60) = O: 5 (o, en unidades inglesas, O: 16'4). Reordenando esto tenemos que O = tg (60°) x 5 (o tg (60°) × 16'4). Una tabla de tangentes o calculadora nos dice que tgn (60°) = 1'732, por lo que O = 1'732 × 5 = 8'66 (o O = 1'732 × 16'4 = 28'41), la altura del árbol es 8'66 metros (28'41 pies). Así que si nuestra casa está más cerca que esta distancia del árbol, es mejor asegurarnos de que este cae hacia otro lado cuando lo talemos.

Durante la edad de oro de las matemáticas indias (desde el siglo V al XII d. C), la especialización de los matemáticos indios con la trigonometría, aliados con la destreza astronómica, hizo posible calcular las distancias relativas de la Tierra y el Sol y la Luna. Al darse cuenta de que cuando la Luna estaba medio llena, la Tierra, la Luna y el Sol formaban un triángulo rectángulo, y pudieron medir el ángulo entre el Sol y la Luna vista desde la Tierra como 7'1°. Calcularon que el Sol estaba 400 veces más lejos de la Tierra que la Luna, que coincide en un 97% con el valor aceptado actualmente.

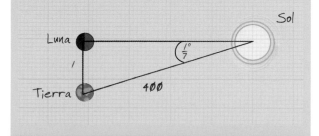

AL-KHWARIZMI (AL-JUARISMI)

Abu Ja'far Muhammad ibn Musa al-Khwarizmi (780-850), o al-Juarismi, es generalmente considerado como el matemático más importante del Islam medieval y, a menudo se le llama el «padre del álgebra», aunque el antiguo matemático griego Diofanto (ver pp. 95-96) también a veces recibe este título. Según Mohammad Kahn, autor de *La contribución musulmana a las matemáticas*, «en la categoría más destacada de los matemáticos de todos los tiempos se encuentra al-Khwarizmi».

LOS HERMANOS BANU MUSA

Trabajando junto al-Juarismi en la Casa de la Sabiduría estuvieron los hermanos Banu Musa, Muhammad, Ahmed y Hassan. El Califa alMa'mun había supervisado personalmente su educación en su ciudad natal de Merv (cerca de la actual ciudad de Mary en Asia Central) y les acompañó a Bagdad, donde los instaló en la Casa de la Sabiduría.

En ella practicaban la ciencia y la política, conspiraciones contra otros estudiosos como el desafortunado al-Kindi (ver p. 99). Como resultado de sus maquinaciones, este fue atacado y su biblioteca fue confiscada y entregada a los hermanos para su propio estudio.

Sus logros científicos incluyen el tratado de Muhammad *El movimiento astral y la fuerza de atracción*, que sugiere que los cuerpos celestes como la Luna y los planetas se rigen por las mismas leyes físicas que los cuerpos terrenales, anticipando la teoría de la gravitación de Newton más de ocho siglos. Está claro que era unos adelantados a su tiempo, capaces de realizar teorías realmente sorprendentes para esa época.

Los hermanos Banu Musa se encargaron de los proyectos de riego y construcción de canales, y fue en el campo de la ingeniería en el que se produjo su obra más famosa, el *Kitab al-hiyal* (*Libro de los dispositivos ingeniosos*). Un compendio de dispositivos mecánicos extraños y maravillosos que incluía un autómata como el «instrumento que funciona por sí mismo» y un flautista robótico, que puede haber sido la primera máquina programable. Esta obra está ilustrada con interesantes dibujos de los mecanismos que habían creado.

«Compuso las obras más antiguas de la aritmética y el álgebra. Eran la principal fuente de conocimientos matemáticos en los siglos venideros en el Este y el Oeste. [Su] obra sobre la aritmética introdujo por primera vez los números hindúes a Europa... [y su] obra sobre el álgebra... dio el nombre a esta importante rama de las matemáticas en el mundo europeo...».

Poco se sabe de la vida u origen de al-Khwarizmi (al-Juarismi). Su nombre se traduce como «de Corasmia», lo que sugiere que él vino de Corasmia, una provincia de Uzbekistán en Asia Central; de hecho, lo que hoy es la ciudad de Jiva lo reclama como hijo célebre. También se ha sugerido que venía de un origen zoroastriano, pero esto puede ser una fantasía basada en traducciones confusas. El consenso actual, sin embargo, es que al-Juarismi probablemente nació en Bagdad. Fue reclutado a la Casa de la Sabiduría (ver pp. 98-99), trabajó como astrónomo, geógrafo y matemático, aplicando sus habilidades a los problemas de ingeniería hidráulica a las disputas de sucesión. Aunque no era un traductor en sí mismo, se ha beneficiado de los frutos del movimiento de traducción (ver p. 98) y parece haber sido bien versado en las obras indias, del griego antiguo y del hebreo.

EL «PADRE DEL ÁLGEBRA»

Al-Juarismi es conocido por su obra fundamental *Alkitab al-Mujtasar fi hisab al-jabr wa'l-muqabala* («Compendio de cálculo por reintegración y comparación»), desde el título del que se deriva la palabra «álgebra» (ver p. 96). La escribió porque quería enseñar «lo que es más fácil y más útil en la aritmética, como los casos de herencias que los hombres constantemente requieren, legados, partición, pleitos, y el comercio, y en todas sus relaciones con los otros, o en la medición de las tierras, la excavación de

Sello soviético que honra a al-Juarismi (su tierra natal, Uzbekistán, que una vez formó parte de la URSS).

¿EL «PADRASTRO DEL ÁLGEBRA»?

Existe un debate sobre las fuentes y la originalidad de al-Juarismi en la recopilación del *Hisab al-jabr wa'lmuqabala*. Algunos historiadores de la ciencia piensan que es uno de los grandes hitos en la historia de las matemáticas y que al-Juarismi es uno de los más grandes matemáticos de todos los tiempos. Otros sostienen que gran parte de ella es simplemente la replicación de trabajos anteriores, de acuerdo con una teoría, al-Juarismi básicamente copió un libro hebreo llamado *Mishnat ha Middot* («Tratado de medidas») del siglo II, aunque otros sostienen que el *Mishnat* fue escrito en realidad después del *Hisab al-jabr wa'l-muqabala*.

$x^2 + 3x + 4 = 0$ cuenta con un cuadrado (x^2), tres raíces ($3x$) y un número (4). Luego pasa a categorizar las seis formas estándar de ecuaciones lineales y cuadráticas:

- Los cuadrados son igual a las raíces ($ax^2 = bx$).
- Los cuadrados son igual al número ($ax^2 = c$).
- Las raíces son igual al número ($bx = c$).
- Los cuadrados y las raíces son iguales al número ($ax^2 + bx = c$).
- Los cuadrados y el número son iguales a las raíces ($ax^2 + c = bx$).
- Las raíces y los números son iguales a los cuadrados ($bx + c = ax^2$).

Su método es reducir cualquier problema a una de estas seis formas y luego resolverlo por los pasos que expone en su libro. En la segunda parte del libro, al-Juarismi trabajó a través de una serie de ejemplos para mostrar cómo aplicar sus medidas en situaciones cotidianas; por ejemplo: «Supongamos que un hombre, en su enfermedad, emancipa dos esclavos, el precio de uno de ellos es trescientos dirhams y el de los otros quinientos dirhams; el de trescientos dirhams muere, dejando una hija; entonces el maestro muere, dejando también una hija; y el esclavo deja la propiedad a la cantidad de cuatrocientos dirhams. ¿Con cuánto se debe quedar cada uno?».

Aunque una especie de álgebra había sido practicada por los antiguos babilonios, egipcios y griegos (*ver* p. 38), la versión de al-Juarismi fue en gran medida una nueva rama de las matemáticas. En ellas, la geometría

canales, cálculos geométricos, y otros objetos de diversos tipos y clases».

El enfoque de al-Juarismi al álgebra es estrictamente retórico (es decir, es totalmente en prosa, sin el uso de la notación simbólica), pero se considera revolucionario debido a su énfasis en principios abstractos de álgebra, en lugar de simplemente trabajar a través de problemas específicos. Al-Juarismi usa la palabra *shay* («la cosa») para referirse a la incógnita (lo que se denomina «*x*» en el álgebra simbólica moderna), y fue el primero en apreciar que esta desconocida podía ser manipulada como un objeto en sí mismo.

El *Al-Jabr* es un libro de texto en el que al-Juarismi muestra cómo resolver sistemáticamente ecuaciones lineales y cuadráticas. Describe los tres términos generales de una ecuación de segundo grado: cuadrados (x^2 en notación simbólica), raíces (*x* en notación simbólica) y números (en terminología moderna, constantes, representado por la letra *c*). Así que en la terminología de al-Khwarizmi, una ecuación como

Ilustración de un manuscrito de
una escena de una biblioteca.

de los griegos aún reinaba, por lo que además de dar el método y la respuesta en prosa, al-Juarismi también tuvo cuidado de respaldar sus respuestas con la prueba geométrica. En primer lugar, expuso el problema en forma retórica: «Un cuadrado y 10 raíces son iguales a 39 unidades. La pregunta, por tanto, en este tipo de ecuación es aproximadamente la siguiente: ¿cuál es el cuadrado que combinado con diez de sus raíces dará una suma total de 39? La manera de resolver este problema es tomar la mitad de las raíces que se acaban de mencionar. Ahora las raíces en el problema que tenemos ante nosotros son 10. Por lo tanto coge 5, que multiplicado por sí mismo da 25, una cantidad que se agrega a 39 dando 64. Habiendo tomado entonces la raíz cuadrada de esto, que es 8, reste de ella la mitad de la raíces, 5, dejando 3. El número 3, por tanto, representa una de las raíces del cuadrado que a su vez, por supuesto, es 9. Nueve por tanto, da el cuadrado».

En la notación simbólica, la ecuación es $x^2 + 10x = 39$, y la solución que al-Juarismi encuentra es $x = 9$. A continuación, da prueba geométrica por medio de completar el cuadrado (*ver* página siguiente). En primer lugar, se dibuja un cuadrado con lados de longitud x (una representación geométrica de x^2, Fig. 1). Luego añade 10x a ella mediante la adición de cuatro rectángulos, uno a cada lado, de longitud x y ancho $^{10}/_4$. El área de cada rectángulo es así $10x/_4$, lo que significa que los cuatro juntos en total $10x$. Sabemos por la ecuación que la superficie total de esta nueva figura es 39. Luego completa el cuadrado mediante la adición de un pequeño cuadrado a cada esquina. Sabemos que la anchura de los rectángulos era $^{10}/_4$ (que = $^5/_2$), por lo que los nuevos cuadrados tienen $^5/_2$ a cada lado, lo que significa que cada uno tiene una superficie de $^{25}/_4$; ya que hay cuatro de ellos, su superficie total es de 25. Así que ahora podemos saber

UN MAPA DEL MUNDO

Además de sus libros sobre las matemáticas y la astronomía, al-Juarismi escribió un trabajo importante de geografía, *Kitab Surat al-Ard* («Libro de la apariencia de la Tierra», o traducido simplemente como «Geografía»). En ella, produjo un mapa del mundo y dio la latitud y longitud de más de 2.400 sitios, entre ciudades, montañas, mares, islas, regiones geográficas y ríos.

que la superficie total de este nuevo y gran cuadrado es de 39 + 25 = 64, lo que significa que la longitud de cada lado del cuadrado mayor es 8. También sabemos que el lado es igual a la suma de $^5/_2 + x + ^5/_2$, por lo que ahora sabemos que $x + ^{10}/_2 = 8$ -> $x + 5 = 8$ -> $x = 8 - 5$ -> $x = 3$.

ALGORITMOS

Álgebra no es la única palabra moderna que se deriva de la obra de al-Juarismi. Su mismo nombre es la raíz de la palabra «algoritmo», que hoy significa un proceso computacional. La acuñación surgió como resultado de otro trabajo seminal de al-Juarismi, un tratado sobre los números indo-arábigos, la traducción latina del siglo XII de que fue llamado *Algoritmi de numero Indorum*. En él, se describe el sistema de valor posicional de los números hindúes y fue posiblemente el primero en utilizar cero como marcador de posición en este sistema. Al-Juarismi también describe el uso del sistema para operaciones aritméticas y la búsqueda de raíces cuadradas. Como el historiador de la ciencia británica G. J. Toomer escribe en el *Dictionary of Scientific Biography*, «el sistema posicional decimal había llegado muy recientemente de la India y... la obra de al-Juarismi fue la primera en exponerlo sistemáticamente. Por lo tanto, aunque elemental, era de importancia fundamental».

Gracias a la versión latina de su libro, la palabra «algoritmo» llegó a significar el uso de números indoarábigos para efectuar la aritmética, en comparación con el método tradicional usando un ábaco. En el siglo XIX, la palabra se había convertido en «algoritmo», y llegó a significar cualquier procedimiento definitivo para la resolución de problemas o la realización de tareas en matemáticas.

La verdadera etimología de «algoritmo» se perdió poco después de que se acuñase la palabra, lo que lleva a algunas explicaciones inventivas de su derivación en el periodo moderno temprano. Algunos lingüistas primero sugirieron que se trataba de la combinación de las palabras latinas *algiros* («dolorosas») y *arithmos* («número»). Otros creían que venía del Rey Algor de Castilla.

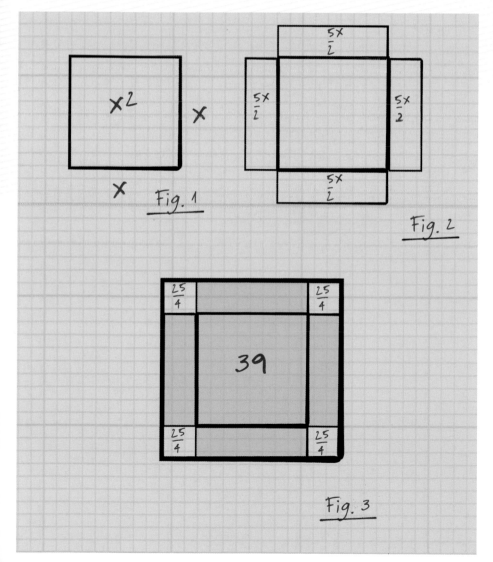

Fig. 1

Fig. 2

Fig. 3

Prueba geométrica de la solución de un problema algebraico tras completar el cuadrado.

MATEMÁTICAS EUROPEAS MEDIEVALES

La caída del Imperio Romano de Occidente en el siglo v d. C. sumió a Europa en un periodo de invasión, migración masiva, inseguridad generalizada, ruptura de la ley y el orden, disminución de la población y un evidente retraso económico masivo. En general, las becas y los avances científicos dependen de las élites seguras y un sector mercantil próspero, y estos aspectos son muy relevantes para las matemáticas.

En la actualidad se considera inexacto describir la época medieval como la Edad Oscura, pero la etiqueta tiene relevancia cuando se habla de la situación de las matemáticas. Con menos comerciantes y empresarios para impulsar el uso y la mejora de la aritmética para las finanzas, un menor número de individuos con el tiempo y la oportunidad para dedicarse a la erudición, y las demandas más urgentes que el apoyo de la erudición en el dinero y el tiempo de los gobernantes, Europa sufrió un periodo estéril en términos de alfabetización, disponibilidad de libros y niveles de educación. Solo la Iglesia continuó fomentando el aprendizaje, y sus prioridades eran teológicas en vez de matemáticas.

LA ESCUELA DE TRADUCTORES DE TOLEDO

Las matemáticas habían prosperado, no obstante, en el Islam medieval, y los textos de al-Juarismi, al-Kindi y otros, junto con las traducciones al árabe de las obras de eruditos como Euclides, Ptolomeo y otros, alcanzó el puesto avanzado más occidental del mundo islámico: al-Andalus (la España islámica). En al-Andalus, un reino islámico prosperaba desde principios del siglo VIII, pero fue perdiendo terreno por la expansión de los reinos cristianos del norte. El último estado musulmán en la Península Ibérica, el Emirato de Granada, persistió hasta 1492. A pesar del conflicto entre cristianos y musulmanes en al-Andalus, también hubo una gran cantidad de intercambio cultural, incluida la transmisión de la erudición. Los eruditos cristianos, judíos y musulmanes trabajaron juntos para traducir obras del árabe al latín, y el epicentro de este nuevo movimiento de traducción

La Alhambra, en Granada, donde estuvo el último reino musulmán de España hasta 1492.

Alfonso X el Sabio de Castilla,
que patrocinó las «Tablas alfonsíes».

Toledo fue especialmente influyente en la transmisión de los números indoarábigos a Europa. Fue aquí donde el libro de al-Juarismi fue traducido al latín como *Algoritmi de numero indorum*. Los números sí eran conocidos en Europa como *toletane figure*, números toledanos, mientras que la palabra «cero» resulta de la abreviación castellana de *zephirum*, la versión latina de *sifr* (en árabe significa «nada»).

LAS «TABLAS ALFONSÍES»

Tal vez lo más popular de la Escuela de Toledo bajo los auspicios de Alfonso X el Sabio eran las tablas de coordenadas de cuerpos celestes, conocidas como las *Tablas alfonsíes*. Las tablas astronómicas habían sido populares desde la redacción del *Almagesto* de Ptolomeo en el siglo II y sirvió de base teórica para los astrónomos y astrólogos para calcular los lugares precisos en la esfera celeste del Sol, la Luna, los planetas y las constelaciones de un día cualquiera , para los horóscopos, por ejemplo. El *Almagesto* en sí no hizo esto fácil, por lo que las tablas fueron compiladas para que fuese más fácil para los usuarios adaptar principios astronómicos para fines

fue Toledo. En 1085, Toledo fue conquistado por el rey cristiano Alfonso VI de León y Castilla, pero se mantuvo la tradición existente de cooperación entre religiones, junto con las extensas bibliotecas, y la Escuela de Traductores de Toledo actuó como el principal conducto para la transmisión del conocimiento matemático para Europa.

Fue en Toledo donde los principales estudiosos europeos del siglo XII Adelardo de Bath y Gerardo de Cremona tradujeron a Euclides, a al-Juarismi, la versión antigua de su versión en árabe. La versión de Adelardo de Euclides, con anotaciones, en 1482 se convirtió en uno de los primeros libros de texto impresos de las matemáticas. En el siglo siguiente, Alfonso X el Sabio (que gobernó desde 1252 a 1284) estableció un equivalente en Toledo de la Casa de la Sabiduría de al Ma'mun, con la contratación de académicos para traducir la astronomía y la astrología árabe, y el patrocinio de la creación de las *Tablas alfonsíes*.

EL SISTEMA DEL COMPAÑERO

El proceso de traducción en la Escuela de Toledo ofrece un fascinante estudio de la cooperación académica. Los libros fueron traducidos por equipos de dos hombres, con un estudioso que leía el original, traduciéndolo en lengua vernácula en la cabeza y diciendo esta versión en voz alta, mientras que el segundo erudito luego anotaba su traducción latina del dictado vernáculo. Juan de Sevilla, uno de los principales traductores de la Escuela de Toledo y, probablemente, un judío convertido, explica cómo él y un compañero habían traducido el *De Anima* de Ibn Sina (comúnmente conocido como Avicena): «El libro [...] fue traducido del árabe, yo hablando la lengua vernácula palabra por palabra, y el archidiácono Dominic convertía cada una en latín». Gerardo de Cremona, por ejemplo, trabajó con un mozárabe (un habitante cristiano de la España islámica) llamado Galippus, que probablemente jugó un papel importante en la traducción y, por tanto, en la transmisión de las matemáticas de al-Juarismi a Europa.

Las «Tablas alfonsíes».

prácticos. Dado que las coordenadas que participan cambiarían con el tiempo y la ubicación del usuario, las tablas incluyen pasos para la personalización de los cálculos. La compilación de las tablas fue una operación matemática, además de astronómica, y varios matemáticos importantes también compilaron las tablas. Aunque parece ir en contra de la imagen de las matemáticas como una disciplina rigurosa pura, uno de los principales motores de avance matemático fue la necesidad de que los astrólogos hicieran horóscopos precisos.

En árabe, un conjunto de tablas era conocido como un *z-ij*, y mientras Toledo todavía estaba bajo control musulmán a finales del siglo XI, el *z-ij* de al-Juarismi y otros principales matemáticos (como Albatenio), junto con traducciones de Ptolomeo, se combinaron para producir uno de los conjuntos con mayor autoridad de las tablas que se habían compilado, conocido como las *Tablas toledanas*. Estas fueron traducidas al latín en el siglo XII, pero más tarde fueron reemplazadas por un nuevo conjunto de tablas compiladas en Toledo. Alfonso X el Sabio encargó a sus estudiosos, en particular los astrónomos hebreos Jehuda Cohen e Isaac ben Sid de Toledo, comenzar a trabajar en un nuevo conjunto de tablas alrededor de 1263, y las *Tablas alfonsíes* resultantes se convirtieron en el juego más popular de las tablas de la cristiandad, en uso constante hasta 1551.

Sin embargo, como todas las tablas anteriores, la precisión y, por tanto, la utilidad de las alfonsíes estaban limitadas por su adhesión a una cosmografía inexacta, un modelo geocéntrico del Universo en el que la Tierra estaba en el centro y los cuerpos celestes giraban alrededor de ella en esferas. Aunque las *Tablas alfonsíes* venían con instrucciones acerca de cómo calcular las coordenadas específicas según la hora del usuario y el lugar, y a pesar de ser revisadas varias veces para hacerlas más simples y corregir los errores, los defectos subyacentes en la teoría astronómica significó que para cuando Copérnico llegó a aplicarlas a una conjunción esperada de Marte y Saturno en 1504, que encontraron hasta diez días fuera del rumbo real. No fue sino hasta 1551 que el primer conjunto de tablas basadas en la hipótesis heliocéntrica de Copérnico se recopilaron, y no fue hasta 1627 que las *Tablas rudolfinas* fueron creadas por el astrónomo danés Tycho Brahe y el astrónomo y

Grabado de un astrolabio que representa la cosmología ptolemaica.

La musa de la aritmética se muestra más a favor de «abaci» que de «algorismi».

matemático alemán Johannes Kepler. Estas incorporaban, en contra de la voluntad expresa de Brahe, tanto el principio heliocéntrico como el modelo de las órbitas elípticas de Kepler y eran por lo tanto muchísimo más precisas.

ANTIGUA MAGIA NEGRA

En la Europa del siglo XIII, la frase *Toletana scientia* («ciencia toledana») era sinónimo de magia negra. Esto se debió a que gran parte del material que salía de la Escuela de Traductores incluía la astrología y la relacionaban con las matemáticas, una especie de tecnología intelectual suficientemente avanzada como para confundirse con la magia por gran parte de la población. Los escritores contemporáneos vinculan la nigromancia a la Escuela de Traductores. César de Heisterbach, el prior de un monasterio en Alemania, contó la historia de dos suevos estudiantes del *arte nigromantica* en Toledo, mientras que Don Juan Manuel (sobrino de Alfonso X el Sabio) describía al ficticio Decano de Santiago que, con ganas de aprender el arte de la nigromancia y escuchar al Yllan de Toledo que sabía más de lo que cualquier otra persona, fueron a Toledo para aprender las artes oscuras. La sospecha de la naturaleza mágica de las matemáticas bien pudo haber frenado la difusión de nuevas ideas y técnicas en la Europa medieval.

MÁS ALLÁ DE FIBONACCI

El matemático más grande de la Edad Media fue Leonardo de Pisa, más conocido como Fibonacci (*ver* p. 116). Hijo de un comerciante, había sido educado en tierras musulmanas y viajado mucho por todo el Mediterráneo, absorbiendo las últimas ideas en las matemáticas desde el Este. Escribió sobre la aritmética, la teoría de números (el área de las matemáticas que se ocupa de las relaciones entre los números) y la serie de números que ahora se conoce como la secuencia de Fibonacci. Gracias a la defensa de Fibonacci del sistema de numeración indoarábigo de al-Juarismi, la práctica de las matemáticas en Europa desarrolló una división entre *algorismi*, algorítmicos que calculaban en lápiz y papel con números indoarábigos, y *abaci*, aquellos que se apegaron con los tradicionales métodos de uso de números romanos y el cálculo con ábacos, tablas o telas cuadriculadas.

Después de Fibonacci, el siguiente gran matemático medieval fue el francés Nicole Oresme (1323-1382), que fue el primero en trabajar con exponentes fraccionarios (por ejemplo, $4^{\frac{1}{2}}$, que es la raíz cuadrada de 4) y también autor sobre las series infinitas. Sin embargo, tal vez su logro matemático más llamativo fue una versión de la geometría analítica que precedió a Descartes varios siglos. Oresme fue uno de los primeros en utilizar el análisis gráfico, demostró mediante el uso de un gráfico de la afirmación (conocido como el teorema de Merton) de que un objeto que acelera uniformemente cubre la misma distancia que otro objeto que viaja a una velocidad uniforme que sea la velocidad media del primer objeto. El suyo fue quizás el primer gráfico que mostró el tiempo, la velocidad y la distancia.

En el siglo siguiente, el matemático más importante fue el alemán Johann Muller (1436-1476), conocido comúnmente como Regiomontano (de la versión latinizada de su ciudad natal, Konigsberg). Comenzó su vida como un niño prodigio, fue a la universidad a la edad de once años. Más tarde, se convirtió en un astrónomo, ganando conocimiento de primera mano con las deficiencias de las *Tablas alfonsíes* en 1457 cuando hizo observaciones de Marte y un eclipse lunar que mostraron que el primero estaba a 2° de su posición predicha mientras que el último se produjo una hora más tarde de lo previsto.

Dos de las obras más significativas de Regiomontano fueron su *Epítome del Almagesto*, acerca de la astronomía ptolemaica, y *De Triangulis Omnimodis* («Sobre los triángulos»). La primera fue una obra de vanguardia en la ciencia y los datos de la astronomía. La trigonometría, utilizando las reglas de la geometría esférica, es una herramienta esencial para la astronomía y, mientras escribía el *Epítome*, Regiomontano se dio cuenta de la necesidad de una explicación sistemática de la trigonometría, así que escribió *De Triangulis*. En la introducción, dispuso sus motivos y termina con palabras de consuelo siendo aplicables a los estudiantes de las matemáticas de hoy en día: «Tú, que deseas estudiar grandes y maravillosas cosas, que te preguntas sobre el movimiento de las estrellas, debes leer estos teoremas sobre triángulos... Porque nadie puede pasar por alto la ciencia de los triángulos y alcanzar un conocimiento satisfactorio de las estrellas... Un nuevo

Cristóbal Colón estudió el mundo, utilizó las «Efemérides» para predecir un eclipse lunar, cuando naufragó en Jamaica.

La Biblia de Gutenberg, el primer libro impreso en Europa con tipos móviles.

estudiante no debe tener miedo ni desesperación... Y donde un teorema puede presentar algún problema, siempre se puede mirar hacia abajo a los ejemplos numéricos de ayuda...».

En cierto modo, Regiomontano fue una figura fundamental en la historia de las matemáticas, incluso de la ciencia en su conjunto. En torno a 1439, Gutenberg inventó los tipos móviles y Regiomontano comprendió la importancia de este desarrollo trascendental para la transmisión masiva de textos científicos precisos y cuidadosamente editados, con diagramas. En consecuencia, en 1471-1472 fundó su propia imprenta en Núremberg, en Alemania, que había «elegido como mi hogar permanente, no solo a causa de la disponibilidad de instrumentos... sino también a causa de la gran facilidad de todo tipo de comunicación con los sabios que viven en todas partes, ya que este lugar es considerado como el centro de Europa debido a los viajes de los comerciantes». Convirtiéndose en el primer editor científico, Regiomontano publicó en 1474 su propia *Efemérides*, un almanaque de datos astronómicos que proporcionaron precálculos de las posiciones de los planetas durante varios años, incluyendo, por primera vez, las posiciones planetarias al día (en lugar de sus posiciones cada 5-10 días), lo que es mucho más fácil con horóscopos. El libro se reimprimió muchas veces y tuvo gran influencia; los exploradores Cristóbal Colón y Américo Vespucio usaron las *Efemérides* para medir longitudes en el Nuevo Mundo.

PUBLICAR Y SER CONDENADO

Regiomontano murió en Roma en 1476, y hay una intrigante teoría de que fue asesinado como resultado de un resentimiento científico. Su *Epítome* había sido escrito en parte como un reproche a la obra del filósofo griego Jorge de Trebisonda, y había anunciado públicamente su intención de publicar un seguimiento que mostraba «con la mayor claridad» publicaciones de Jorge «que no tenían valor y... que no estaban libres de defectos». La disputa pública se consideró motivo suficiente para que dos hijos de Jorge de Trebisonda fuesen sospechosos del asesinato de Regiomontano y los rumores en ese sentido se extendieron ampliamente; sin embargo, es casi seguro que Regiomontano muriera de peste.

EL MÉTODO VENECIANO: LUCA PACIOLI Y LAS MATEMÁTICAS PARA LOS CONTABLES

Además de las demandas de los astrólogos, estaban las necesidades de los contables, quienes proporcionaron otro de los impulsos más poderosos para el desarrollo de las matemáticas. La aritmética mercantil y la financiera provocaron la adopción de números indoarábigos y proporcionaron un público para trabajos sobre las matemáticas generales.

Fragmentos del libro de cuentas de un banquero florentino de 1211 aportan pruebas tempranas de la contabilidad de partida doble, pero el método llegó a popularizarse ampliamente tras la publicación en 1494 de *Summa de arithmetica, geometria, proportioni et proportionalita* («Todo sobre aritmética, geometría, proporción y proporcionalidad») de Fra Pacioli. Este fue un libro de texto general sobre todos los aspectos de las matemáticas e incluyó un tratado *De Computis et Scripturis* («De estimaciones y escritos»), en el que Pacioli describe el método de contabilidad de doble partida que había encontrado entre los comerciantes de Venecia, y que era por tanto conocido como el método de Venecia, «con el fin de que los asuntos del más amable duque de Urbino puedan tener las instrucciones completas en la conducción de los negocios», y para «dar al operador información sin demora sobre sus activos y pasivos».

EL «PADRE DE LA CONTABILIDAD»

La *Summa* fue uno de los primeros libros impresos en la imprenta de Gutenberg y se convirtió en la obra matemática más leída en toda Italia, mientras que el *De Computis* se convirtió al instante en la obra clásica en su campo, con la que Pacioli ganó el título de «padre de la contabilidad». Describió muchos aspectos de la contabilidad aún hoy conocidos, incluyendo lo que él llamó el *summa summarium*, ahora llamado balance general. Aquí es donde se indican las cantidades de débito del libro de contabilidad del año anterior en el lado izquierdo de la hoja de balance y los créditos a la derecha. Si los totales son iguales, el libro mayor se considera equilibrado. En caso contrario, dijo Pacioli, «eso indicaría un error en el libro mayor, un error que tendrás que buscar diligentemente con el cuidado y la inteligencia que Dios te ha dado». De acuerdo con el estudioso de contabilidad estadounidense Henry Rand Hatfield (1866-1945), «rara vez se produce el caso de un primer libro sobre un tema domina tanto su literatura como fue el caso con el *De Computis et Scripturis* de Pacioli».

HOMBRES DEL RENACIMIENTO

En el momento en que escribió la *Summa* y *De Computis*, Pacioli era un fraile franciscano, pero había sido matemático mucho antes de entrar en la orden religiosa; de hecho, era una especie de hombre del Renacimiento. En la época en que escribió la *Summa*, se convirtió en amigo y compañero de Leonardo da Vinci después de haber sido invitado a enseñar matemáticas en la corte del duque Sforza en Milán. Leonardo fue uno de sus discípulos y creó las ilustraciones para el siguiente libro de Pacioli, *De Divina Proportione* («De la Divina Proporción», publicado en 1509), sobre la perspectiva y las proporciones. Pacioli, a su vez, enseñó a Leonardo a aplicar estos principios en obras de arte, como *La última cena*, así como a proporcionar más ayuda práctica: se dice que ha calculado la cantidad de bronce que se necesitaría para la monumental estatua que hizo Leonardo del duque Sforza. En 1509, Pacioli dio una conferencia, «Proporción y proporcionalidad», en la que destacó la relación de proporción con la religión, la medicina, el derecho, la arquitectura, la gramática, la impresión, la escultura, la música y todas las artes liberales. Pasó el resto de su vida enseñando y escribiendo en Florencia, Venecia, Roma y otras ciudades, incluyendo una visita a Bolonia, donde pudo haber inspirado la obra de Scipione del Ferro sobre ecuaciones cúbicas (*ver* p. 128), antes de volver a su ciudad natal, Sansepolcro, donde murió en 1517.

INTERÉS COMPUESTO

El interés compuesto implica que interés sea una fracción o porcentaje de la suma original (conocida como el capital) y que luego se combina o se suma al capital para que el próximo cálculo de los intereses sea una fracción del nuevo, total mayor. Así que en lugar de que el 10% del interés anual de 100 sea 10 cada año, el interés en el segundo año sería del 10% de 110, el interés en el tercer año sería del 10% de 121, y así sucesivamente. El interés compuesto ha sido de particular fascinación en las finanzas y para los prestamistas desde la Antigüedad. Por ejemplo, las antiguas tablillas babilónicas dan evidencia del cálculo del interés compuesto y el equivalente del pago de hipotecas. La tablilla AO6770 del periodo babilónico antiguo (2000-1700 a. C.), que está ahora en el Louvre de París, aborda el problema de encontrar el tiempo que llevará que una cantidad de dinero se doble a un tipo de interés del 20% anual.

El interés no solo tiene que calcularse anualmente. Cuanto más a menudo se calcula y se capitaliza, más rápido aumentará el total. Un registro de un contrato de préstamo en Londres desde 1183 detalla una tasa de interés de dos centavos de libra por semana, equivalente a una tasa de interés anual del 43%. Una tasa aún mayor se registró en 1235 por los comerciantes de Londres que prestaron dinero a un convento, exigiendo «cada dos meses una marca para cada diez marcas como una recompensa por las pérdidas», un tipo de interés anual del 60%.

Entonces, ¿cómo se puede averiguar lo que tendrás que pagar o deber si prestas o pides un préstamo? Algo de álgebra simple da lugar a una fórmula simple. Si el capital (la suma original) es P y la tasa de interés anual es r (por ejemplo, una tasa de interés del 10% significaría $r = 0'1$), y luego al final del año, el interés es $r \times P$ o rP, y la cantidad total que debe reembolsarse es el capital más los intereses, o $P + Pr$. Otra forma de escribir esto es $P(1 + r)$.

Si nada de este dinero se devuelve, el interés del próximo año será de $R \times P(1 + r)$, o $rP(1 + r)$, y al final de este segundo año el nuevo total de capital e intereses será $P(1 + r) + rP(1 + r) = P(1 + r)^2$. Después de tres años, el total de la deuda será $P(1 + r)^3$, después de cuatro años el total será $P(1 + r)^4$, y así sucesivamente. Así que la fórmula general para calcular el interés compuesto para n años es $P(1 + r)^n$.

← Contables medievales trabajando.

FIBONACCI

Fibonacci es el nombre popular del matemático italiano de la Edad Media Leonardo de Pisa (1170-1250). Aunque el nombre se acuñó en el siglo XIX, viene de la primera línea de su libro más famoso, el *Liber Abaci*: «Aquí comienza el *Liber Abaci*, compuesto por Leonardo Pisano [de Pisa], *filius Bonacci*, en el año 1202». En 1838, el historiador italiano Guillaume Libri contrajo *filius Bonacci* a Fibonacci, y se quedó con ese nombre.

La traducción literal de *filius Bonacci* es «hijo de Bonacci», pero el nombre del padre de Leonardo era Guglielmo (Guillermo), por lo que es más probable que lo dijese para que le leyesen como «un hijo de los Bonacci», es decir, un miembro de la familia Bonacci.

VIAJAR ABRE LA MENTE

Guglielmo era un comerciante principal de la ciudad-estado mercantil de Pisa, en ese momento una de las grandes potencias del Mediterráneo, que impulsaba el rápido incremento del comercio internacional que estaba transformando la Edad Media y llevó a diversas culturas a un estrecho contacto. Cuando Guglielmo fue mandado al puerto del norte de África de Bugia (ahora Bejaïa en Argelia) como representante de comercio y funcionario de aduanas, se llevó a su hijo Leonardo. Así comenzó la educación exótica de Fibonacci, quien tuvo contacto con los últimos avances en las matemáticas islámicas, como él mismo lo describe:

«Cuando mi padre, que había sido nombrado por su país como notario público en las costumbres en Bugia para actuar por los mercaderes pisanos que van allí, estaba a cargo, me llamó a él, mientras yo todavía era un niño, y teniendo la vista puesta en la utilidad y el futuro de conveniencia, deseaba que me quedara allí y recibiese instrucción en la escuela de contabilidad. Allí, cuando me habían introducido en el arte de los nueve símbolos indios mediante una enseñanza extraordinaria, el conocimiento del arte muy pronto me agradó por encima de todo y llegué a entenderlo, por lo que fui estudiando todo lo que se estudiaba sobre el arte en Egipto, Siria, Grecia, Sicilia y Provenza, en todas sus diversas formas.»

Dondequiera que viajase, Fibonacci vio a los mercaderes árabes calcular con el sistema de valor posicional decimal usando números indoarábigos y se dio cuenta de la superioridad de este sistema sobre la práctica europea predominante de calcular con el ábaco y el registro de los resultados con números romanos. Cuando regresó a Pisa, Fibonacci puso lo que había aprendido en el papel, escribiendo su primera gran obra, el *Líber Abaci* (o *Liber Abacci*, según algunas fuentes), el «Libro de Cálculo», que completó en 1202. Considerado ahora como la obra fundamental de la transmisión a Occidente

Estatua del matemático Fibonacci de Pisa.

Ilustración de la catedral de Pisa y la torre del campanario.

de los números indoarábigos y de cómo sumar, restar, multiplicar y dividir con ellos, el *Liber Abaci* probablemente no fue tan influyente como en su forma reducida, un sencillo resumen, el *Libro di menor guise* («Libro de forma más reducida»), que probablemente circuló ampliamente entre los comerciantes, aunque ninguna copia sobrevive hoy.

De hecho, Fibonacci no fue el primero en tratar de popularizar el sistema de numeración indoarábigo en Europa, pero la adopción del nuevo sistema no era ni rápida ni fácil, con una división entre los *abaci* (que usaban el ábaco y registraban los resultados en números romanos) y *algorismi* (que usaban los nuevos números y calculaban con ellos directamente), y el *Liber Abaci* no cambió las cosas de un día para otro. Hubo resistencia popular a la utilización de los nuevos, números desconocidos; a las personas que podían leer los números romanos no les importaba sentirse excluidos por este nuevo sistema elitista. Los libros de contabilidad de los comerciantes de toda la Edad Media presentaban números romanos, lo que indica que permanecieron acérrimamente *abaci*. También hubo resistencia oficial: en los estatutos florentinos del Arte del Cambio de 1299 se prohibió a los cambistas utilizar números arábigos. No fue sino hasta el siglo XIV que el *algorismi* finalmente comienza a imponerse.

LA SECUENCIA DE FIBONACCI

El *Liber Abaci* presentaba muchos ejemplos de problemas, incluyendo ejemplos prácticos de cálculos cotidianos para los comerciantes y los contables, además de los problemas más esotéricos. La tercera sección del libro incluye un problema que daría lugar al legado más conocido de Fibonacci: «Un hombre puso un par de conejos en un lugar rodeado por todos lados por una pared. ¿Cuántos pares de conejos pueden ser producidos a partir de ese par en un año si se supone que cada mes cada pareja engendra un nuevo par que a partir del segundo mes se vuelve productivo?».

La respuesta que Fibonacci da es la secuencia de números que ahora se conoce como la secuencia de Fibonacci, aunque en realidad se había registrado por los matemáticos indios cientos de años antes: 1, 1, 2, 3, 5, 8, 13, 21, 34, 55... Esta es la secuencia de números generados por la adición de cada número a la anterior, y luego se repite la operación. La secuencia de Fibonacci se encuentra en muchas áreas de las matemáticas, la ciencia y la naturaleza (ver p. 122).

Indicando el problema de los conejos en términos algebraicos, se obtiene la fórmula para la generación de números de Fibonacci. Si después de n meses hay x_n pares de conejos, a continuación, en el próximo mes habrá $(n + 1)$ entonces muchos más que el número de nuevos pares nacidos. Dado que los nuevos pares nacen a pares solamente por lo menos con mes de edad, habrá x_{n-1} pares nuevos por lo que $x_{n+1} = x_n + x_{n-1}$, que es la fórmula para la generación de los números de Fibonacci.

POR ORDEN DE LA CORTE

Es posible que el problema de los conejos fuese uno que le habían puesto a Fibonacci en una competición o desafío. Se enfrentó a este reto en 1225, cuando el emperador Federico II fue a Pisa y Fibonacci se introdujo en la corte. Johannes de Palermo, un miembro de la corte de Federico II, presentó una serie de problemas a Fibonacci. Las soluciones de algunos de ellos se incluyeron en su tercer libro, *Flos*, escrito en 1225. Uno

de ellos era la solución para una ecuación cúbica extraída del matemático islámico, astrónomo y alguna vez poeta, Omar Khayyam: $x^3 + 2x^2 + 10x = 20$.

Fibonacci utilizó el antiguo sistema sexagesimal babilónico (ver pp. 36-37) para calcular su respuesta, dando el resultado como: 1, 22, 7, 42, 33, 4, 40. Esto también se puede expresar como en el cuadro de abajo.

En la notación decimal (que Fibonacci tenía la intención de popularizar a pesar de la elección sin lógica de no utilizarlo en este ejemplo), esto es 1'3688081075, que es correcta en nueve cifras decimales. No se sabe cómo llegó Fibonacci a esa respuesta, y pasarían otros 300 años antes de que alguien más pudiese producir un resultado tan preciso.

EL LIBRO DE LOS NÚMEROS CUADRADOS

El mismo año en que escribió *Flos*, Fibonacci publicó el *Liber quadratorum* («Libro de Cuadrados»), un tratado sobre la teoría de los números que se considera generalmente por los historiadores de las matemáticas como su trabajo más importante. En el libro, Fibonacci describe cómo llegó al teorema de que los números cuadrados se pueden construir como la suma de los números impares: «Yo pensaba en el origen de todos los números cuadrados y descubrí que surgieron desde la escala periódica de los números impares. Para la unidad un cuadrado y de ahí se produjo el primer cuadrado, es decir, 1; añadiendo 3 a esto hace que el segundo cuadrado, sea 4, cuya raíz es 2; Si a esta suma se añade un tercer número impar, es decir, 5, el tercer cuadrado se producirá, es decir 9, cuya raíz es 3; y

$$1 + \frac{22}{60} + \frac{22}{60^2} + \frac{7}{60^3} + \frac{42}{60^4} + \frac{33}{60^5} + \frac{40}{60^6}$$

La solución de Fibonacci de una ecuación cúbica, escrita en notación fraccionaria moderna para el antiguo sistema numérico babilónico.

Un número de conejos de Fibonacci.

así la secuencia y la serie de los números cuadrados siempre se elevan a través de la adición periódica de números impares». Este pasaje describe efectivamente la fórmula para la construcción de números cuadrados: $n^2 + (2n + 1) = (n + 1)^2$.

Luego pasa a describir cómo construir ternas pitagóricas, una serie de tres números positivos (a, b, y c) donde $a^2 + b^2 = c^2$; la serie 3, 4 y 5 es un ejemplo. Fibonacci describe su método de esta manera: «Cuando quiero encontrar dos números cuadrados cuya adición produce un número cuadrado, aprovecho cualquier número cuadrado extraño como uno de los dos números cuadrados y me encuentro con el otro número cuadrado por la adición de todos los números impares hasta la unidad, pero sin incluir el número cuadrado impar. Por ejemplo, cojo 9 como uno de los dos cuadrados

mencionados; el cuadrado restante se obtendrá por la suma de todos los números impares por debajo de 9, es decir, 1, 3, 5, 7, cuya suma es 16, un número cuadrado, que cuando se añade a 9 da 25, otro número cuadrado».

Fibonacci desaparece de los registros históricos después de 1228, a excepción de un único documento: un decreto hecho en 1240 por la República de Pisa adjudicando un salario al «serio y aprendido Maestro Leonardo Bigollo» (*Bigollo* significa «viajero», que es, seguramente, una referencia a la vida temprana de Fibonacci). Parece probable que permaneciese en Pisa, asesorando a comerciantes y banqueros en asuntos de contabilidad y enseñando matemáticas; se cree que murió alrededor de 1250.

LA PROPORCIÓN ÁUREA

En los *Elementos*, Euclides trató una relación entre dos longitudes, instruyendo al lector a «dividir una línea en dos para que la relación de la totalidad con la parte más grande sea igual a la relación de la parte más grande con la más pequeña». Si hacemos la longitud de la línea 1, a continuación, Euclides pide que hallemos la longitud x, de modo que la proporción entre el 1 y x es la misma que la relación entre x y 1 - x.

La Unité d'Habitation de Le Corbusier se hizo empleando la proporción áurea.

En términos algebraicos, esto se puede expresar como $1/x = x/(1 - x)$. Esta ecuación se puede reordenar en una ecuación cuadrática: $x^2 - x - 1 = 0$, la solución positiva de $x = (\sqrt{5} + 1)/2 =$ aproximadamente 1'6180339... Esto es aproximado porque el número es irracional y por lo tanto continúa indefinidamente. Esta relación se conoce ahora como la proporción áurea, también conocida como la sección áurea, media de oro o proporción divina, y se escribe con la letra griega Phi (Φ). También conocido como *phi*, es $1/Φ = 0'618034...$ Dado que esto, de hecho, es la respuesta que Euclides estaba buscando, *phi* o $1/Φ$ a menudo se dice que es la proporción áurea. Como se

puede ver, los dos números tienen la relación inusual que *phi* = 1 + *phi*.

LA SECUENCIA DE FIBONACCI Y LA PROPORCIÓN ÁUREA

Una ocurrencia sorprendente es que, en la secuencia de Fibonacci (1, 1, 2, 3, 5, 8, 13, 21, 34, 55...), la relación entre cada número de Fibonacci y su sucesor tiende hacia la proporción áurea: $^1/_1 = 1$; $^2/_1 = 2$; $^3/_2 = 1'5$; $^5/_3 = 1'666$; $^{13}/_8 = 1'625$; $^{21}/_{13} = 1'615384...$; $^{34}/_{21} = 1'619047...$ Si estos números se representan en un gráfico, los valores tienden hacia un límite: la proporción áurea $\Phi = 1'618034...$

La proporción áurea con la secuencia de Fibonacci ha llevado a la asociación de la secuencia de Fibonacci con las muchas afirmaciones y mitos que rodean a la proporción áurea. La mayoría de estas asociaciones son falsas, pero es cierto que la espiral de Fibonacci (la espiral que sigue los límites de los cuadrados de los números de Fibonacci sucesivos) se convierte en un ángulo constante que está muy cerca de la proporción áurea. Como resultado, a menudo se llama la espiral áurea.

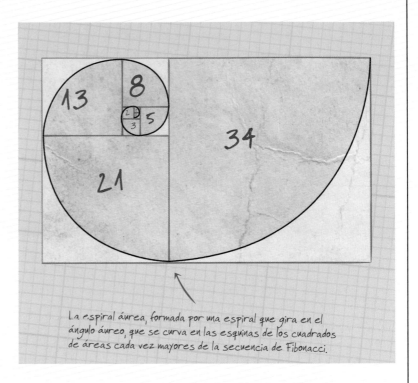

La espiral áurea, formada por una espiral que gira en el ángulo áureo, que se curva en las esquinas de los cuadrados de áreas cada vez mayores de la secuencia de Fibonacci.

MITOS DE ORO

En general, se afirmó que la proporción áurea es encontraba en todas partes desde las formas naturales a las obras de arte y arquitectura. Lo primero es en parte verdad (*ver* p. 122), pero esto último es sobre todo mito o especulación en el mejor de los casos. Por ejemplo, se afirma que la proporción áurea se encuentra en las dimensiones de las pirámides y en las proporciones del Partenón. También se dice que el rectángulo áureo (el rectángulo donde la proporción de los lados es *phi*) tiene la proporción dimensional más agradable y por lo tanto debe ser utilizado para las pantallas de cine y marcos. Se afirma además que Leonardo da Vinci, Seurat y otros artistas empleaban conscientemente la proporción áurea en el diseño y las proporciones de sus pinturas.

La afirmación sobre la proporción dimensional más agradable es falsa, y las afirmaciones sobre las proporciones de las pirámides y el Partenón son solo tonterías, que de todos modos se debilitaron por la incertidumbre sobre las dimensiones originales precisas de estos edificios. Del mismo modo, las afirmaciones sobre las pinturas de Leonardo da Vinci y otros son dudosas y probablemente poco más que especulaciones. Algunos de los aparentes casos de la proporción áurea podrían, de hecho, ser artefactos del proceso mismo de la búsqueda de los promedios de las mediciones; dichos promedios tenderán hacia la proporción áurea. Sorprendentemente, algunos productos de consumo modernos parecen ser perfectos rectángulos áureos, las tarjetas de crédito son probablemente el ejemplo más conocido.

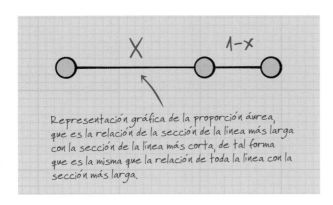

Representación gráfica de la proporción áurea, que es la relación de la sección de la línea más larga con la sección de la línea más corta, de tal forma que es la misma que la relación de toda la línea con la sección más larga.

Las proporciones de una tarjeta de crédito la convierten en un rectángulo áureo casi perfecto.

MATEMÁTICAS EN LA NATURALEZA

La secuencia de Fibonacci y la proporción áurea son especialmente interesantes porque expresan algún principio fundamental del mundo natural, que aparece en muchos aspectos diferentes de la naturaleza, desde el número de antepasados que una abeja tiene el ritmo de giro en espiral de las semillas de la cabeza de un girasol y el número de pétalos de una margarita.

ÁRBOLES GENEALÓGICOS

El ejemplo que inició el examen de los aspectos matemáticos de la naturaleza fue el reto de Fibonacci sobre las parejas de conejos (*ver* p. 117). Si bien las condiciones exactas del ejemplo de Fibonacci son un poco irreales, la relación que descubrió es válida. El entusiasta británico de los problemas Henry E. Dudeney realizó una versión más realista del problema de los conejos de Fibonacci mediante la sustitución de parejas de conejos por vacas (y el uso de años en lugar de meses): «Si una vaca tiene su primera cría a la edad de dos años y después de esto tiene otra cría cada año, ¿cuántas crías habrá después de 12 años, suponiendo que ninguno muera?». El número de vacas en cada año sigue la secuencia de Fibonacci: 1, 1, 2, 3, 5, 8, 13, 21, 34, 55... Después de 12 años, habrá un total de 144 vacas.

La secuencia de Fibonacci se da también en las abejas. Las disposiciones reproductivas inusuales de las abejas señalan que mientras las hembras tienen dos padres, las abejas macho (zánganos) tienen solo una madre. Esto significa que una abeja hembra tiene tres abuelos y una abeja macho tiene solo dos. Una hembra tiene cinco bisabuelos, mientras que una abeja macho tiene solo tres. Volviendo a través de las generaciones de antepasados de cada abeja se genera la secuencia de Fibonacci 2, 3, 5, 8, 13... para la abeja hembra, y 1, 2, 3, 5, 8... para el zángano.

PÉTALOS, SEMILLAS Y ESPIRALES

Para muchas especies de flor, el número de pétalos que tienen es una serie de Fibonacci. Por ejemplo, el lirio y el iris tienen tres pétalos; el botón de oro y la rosa silvestre tienen cinco; la espuela de caballero tiene ocho; la hierba de Santiago, 13; el aster y la achicoria, 21; el plátano y el piretro, 34; y las margaritas de San Miguel, 55 u 89.

Los números de Fibonacci se encuentran también en el número de espirales que se producen en muchas plantas, incluidas las cabezas de semillas de girasol, piñas tropicales y piñas de pino. Por ejemplo, si miramos a una piña de pino desde la base, vemos espirales en ambos sentidos, en concreto, ocho espirales en sentido horario y 13 en antihorario, números de Fibonacci adyacentes. Esto no es accidental; se trata de una consecuencia de la necesidad de juntar en el número máximo de celdas (o pétalos o semillas) sin aglomerarlo pero sin dejar huecos.

¿Cómo funciona esto? Un algoritmo simple que genera una espiral de células funcionaría así: celda nueva, luego giro y luego otra celda, luego giro, y así sucesivamente. Pero, ¿qué giro se necesita para producir la disposición más

Las flores a menudo tienen un número de Fibonacci de pétalos, como en este botón de oro de cinco pétalos.

Cabeza de semillas de girasol, mostrando un número de Fibonacci de espirales.

Ordenamiento de espirales de Fibonacci que junta la mayoría de las celdas en el espacio disponible.

llena de manera eficiente, donde la mayoría de las celdas se junten en el espacio con la menor cantidad de espacio entre ellos? Si se genera una nueva celda sin haber dado ningún giro o una vuelta completa (que efectivamente es lo mismo), se producirá una línea recta de celdas, es decir, una espiral con un solo brazo. Si una celda nueva se genera cada media vuelta (o múltiple de un medio), volverá otra vez a terminar con una línea recta de celdas, ya que habrá una espiral de dos brazos, cada uno yendo en la dirección opuesta. Si una celda nueva se genera cada cuarto de vuelta, producirá una disposición en forma de cruz con cuatro brazos. Cualquier fracción simple, como por ejemplo ⅓ o $^1/_7$, generará una espiral con el número correspondiente de brazos (3 o 7, respectivamente).

Resulta que el espacio que produce la disposición eficientemente más llena es una celda nueva cada 0'618... vueltas (o 0'382..., que es 1-0'618...): la proporción áurea o *phi*. Una fracción simple genera inevitablemente un patrón regular que, a su vez, da lugar a espacios, pero una fracción compleja, o mejor aún, un número irracional como *Phi*, genera un menor número de espacios. El equivalente en grados de un número de vueltas *phi* es 222'5° (para 0'618 vueltas) o 137'5° (para 0'382 vueltas), y este ángulo se denomina ángulo áureo. Y el ángulo áureo, a su vez, genera un número de Fibonacci de espirales; por ejemplo, una cabeza de semillas de girasol podría tener 34 espirales en sentido antihorario y 55 espirales en sentido horario, números de Fibonacci sucesivos.

EL MITO DEL NAUTILUS

La imagen más comúnmente reproducida para ilustrar la presencia de la secuencia de Fibonacci y el ángulo áureo en la naturaleza es la cáscara del nautilus. Este es un molusco marino que genera nuevas cámaras en su cáscara y produce una espiral con un ángulo constante, que se asemeja superficialmente a la espiral de Fibonacci o espiral áurea. En la práctica, sin embargo, el ángulo de la espiral del nautilus no es el ángulo áureo, por lo que la supuesta correspondencia es falsa.

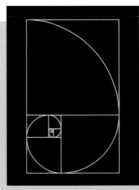

Contrariamente al mito popular, una sección transversal de una cáscara de nautilus no es una espiral áurea.

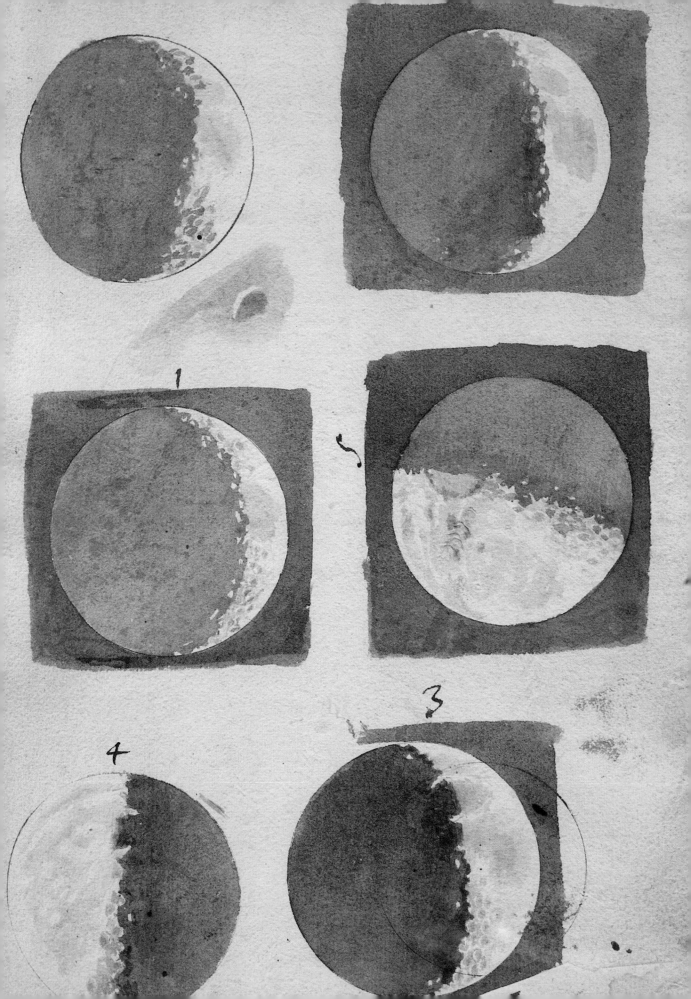

RENACIMIENTO Y REVOLUCIÓN

Los primeros bocetos detallados de la Luna, dibujados por Galileo en 1609 mientras miraba a través de su telescopio. Los matemáticos como Galileo instigaron la revolución científica, con las matemáticas como su herramienta principal.

En la Europa del Renacimiento, las matemáticas modernas comenzaron a tomar forma. Se avanzó más allá de los logros de los antiguos griegos y de los matemáticos islámicos e indios medievales, y se desarrolló una mejor notación y herramientas para el cálculo que hicieron las mayores hazañas matemáticas complejas. Los avances matemáticos iban de la mano de los científicos, y las matemáticas se convirtieron en el centro de la revolución científica, que conduce al desarrollo del cálculo, la geometría analítica y la teoría de la probabilidad.

EUROPA EN EL RENACIMIENTO

La etapa conocida como el Renacimiento comenzó en Italia alrededor del siglo XIV y se extendió por toda Europa. Se caracteriza por un renacimiento de la cultura clásica, e impactó en muchos ámbitos de la cultura que hoy se consideran por separado o incluso antitéticos. Pero en ese momento se consideró que estaban vinculados y eran interdependientes: las artes, la filosofía natural, la erudición clásica y la traducción, la mecánica y la ingeniería, la topografía, la cartografía y la exploración. Las matemáticas estaban estrechamente conectadas con todo esto, desde la pintura a la construcción de fortificaciones y la navegación durante los viajes de exploración.

Un ejemplo típico es el papel de las matemáticas en la aclaración de los principios de la perspectiva lineal. El artista, escritor e historiador italiano Giorgio Vasari, en *Las vidas de los pintores clásicos* (1550) señala específicamente el nivel de competencia geométrica de muchos de los pintores del Renacimiento, y artistas desde Brunelleschi y Donatello a Masaccio y Alberti que estudiaron perspectiva. Piero della Francesca escribió un libro sobre el tema, *De Prospectiva Pingendi* («Sobre la perspectiva para la pintura»), escrito en torno a 1480, y Rafael y Leonardo da Vinci habían sido también estudiantes de la perspectiva. Leonardo estudió con Pacioli, que incluyó una sección sobre la perspectiva en su *Summa* en 1494 y escribió un libro sobre la proporción y la sección áurea, con ilustraciones de Leonardo (*ver* p. 114).

La disputa de san Esteban, de Carpaccio, en 1514, muestra una fuerte apreciación de la perspectiva.

ORDENADORES HUMANOS

La ingeniería fue una parte tan importante del Renacimiento como el arte, y las exigencias de los ingenieros impulsaron el progreso en la trigonometría (*ver* p. 102). Los cálculos exhaustivos eran necesarios para generar tablas de valores trigonométricas de complejidad cada vez mayor. Por ejemplo, el conjunto de tablas *Opus Palatinum*, publicadas en 1596, contenía los valores de las seis funciones trigonométricas con hasta diez cifras decimales, y las tablas del matemático alemán Bartolomé Pitiscus publicadas en 1613 subieron a 15 cifras decimales.

Las proezas de cálculo que aparecen en la compilación de dichas tablas se extendieron a otras ramas de las matemáticas. François Viète (1540-1603),

un abogado francés de la corte de Enrique IV, calculó la solución a un problema público propuesto en 1593 por el matemático belga Adriaen van Roomen, para resolver una ecuación de cuadragésimo quinto grado (es decir, que contiene el término x^{45}). Viète fue también uno de los primeros en representar los números por letras en el álgebra, avanzando en el álgebra simbólica. También calculó pi con nueve decimales, y expresó como una serie infinita, aunque poco después, Ludolph van Ceulen, un maestro de esgrima en Delft, calculó pi con 35 decimales.

Los decimales mismos fueron popularizados por el contable flamenco y más tarde ingeniero del ejército Simon Stevin (1548-1620). En su libro *La*

CUADRADOS MÁGICOS

Una de las expresiones más destacadas de la veneración renacentista por las matemáticas es la aparición de un cuadrado mágico en el grabado *Melancolía I*, del artista alemán Alberto Durero, 1514. El cuadrado del grabado es uno de cuarto orden con varios ejes de simetría, a veces llamado cuadrado mágico. (El orden de un cuadrado mágico es la cantidad de números que hay a cada lado de este, por lo que un cuadrado de tercer orden tiene tres números en cada lado, un cuadrado de cuarto orden tiene cuatro números en cada lado, y así sucesivamente.) No solo suman todas las filas, columnas y diagonales 34, también lo hacen las demás combinaciones de cuatro números. ¿De dónde viene un artefacto matemático tan extraordinario, y que lo hace mágico? Los cuadrados mágicos probablemente se originaron en China (el primero que se registró data del siglo I d. C., aunque según la leyenda, el primer cuadrado mágico fue revelado al emperador Yu alrededor del 2200 a. C. Según la leyenda, Yu estaba caminando cerca del río Amarillo, cuando vio una tortuga divina con un cuadrado mágico inscrito en el patrón en su concha. Lo llamó el cuadrado Lo-Shu. El patrón se compone de nudos blancos y negros, lo que equivale a un cuadrado de tercer orden donde las filas, columnas y diagonales suman 15 y en el que todos los pares de números opuestos suman 10.

Desde la antigua China, los cuadrados mágicos se extendieron a la India, luego al mundo islámico y a Europa. Las propiedades matemáticas inusuales y las leyendas de origen sobrenatural hicieron que los cuadrados se asociasen con la magia y les otorgasen propiedades mágicas. Por ejemplo, unos textos de la India del siglo VI registran el uso de un cuadrado mágico de perfumes adivinatorios, mientras que un tratado médico indio del siglo X sugiere que un cuadrado mágico puede ayudar a aliviar el dolor del parto. En el Islam, fueron utilizados por los astrólogos para predecir los horóscopos, y para cuando llegaron a Europa eran considerados parte de los programas esotéricos de los magos aspirantes, junto con la cábala, la alquimia y los códigos numéricos.

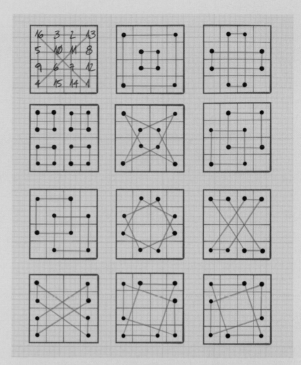

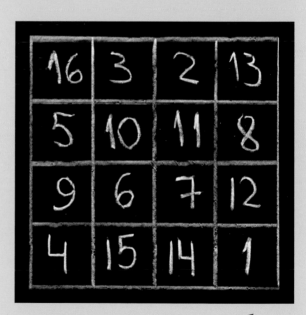

El cuadrado mágico de Durero, con sus múltiples combinaciones sumando 34.

Theind («La décima»), 1585, escribió la notación de las bases decimales en pequeños círculos, mientras que Viète intentó varias notaciones, como la elevación y subrayar la fracción decimal, separándola con una línea vertical y escribir el número entero en negrita.

Simon Stevin también es muy conocido por haber inventado y creado un yate terrestre, por anticiparse al descubrimiento de Galileo de que los objetos de diferentes pesos caen a una velocidad uniforme, y por el uso los símbolos +, - y √.

EL PROBLEMA CÚBICO

La *Summa* de Luca Pacioli de 1494 terminaba con un comentario sobre el problema de resolver ecuaciones cúbicas (ecuaciones con un término al cubo, teniendo una de estas tres formas: $x^3 + ax = b$; $x^3 + b = ax$, o bien $x^3 = ax + b$). Pacioli sugirió que se trataba una tarea tan imposible como la cuadratura del círculo (*ver* pp. 27 y 68). Una época apasionante con concursos matemáticos y rivales acérrimos.

LAS MATEMÁTICAS DE LOS TITANES

Las matemáticas del Renacimiento se distinguieron por su ambición de ir más allá de los logros de sus fuentes de inspiración clásicas e islámicas, y el epicentro de la actividad matemática fue la gran Universidad de Bolonia, en la mitad del siglo XV. Aquí, los matemáticos se dedicaban a participar en los concursos públicos que atrajeron a mucha gente y que podían dar la fortuna y la gloria a quienes participaban en ellos y lograban ganarlos.

El primer gran avance en la solución de las ecuaciones cúbicas fue hecho por Scipione del Ferro (1465-1526), quien se decía que había trabajado la manera de resolver uno y posiblemente los tres tipos de ecuación cúbica. Sin embargo, en el ambiente contencioso de las matemáticas del siglo XV tal conocimiento era un premio valioso, que debía ser custodiado celosamente para su posible uso en las competiciones, por eso Scipione mantuvo su método oculto y en absoluto secreto. De hecho, solo un puñado de personas tenían conocimiento sobre eso cuando murió en 1526, entre ellos su ayudante Antonio María Fior.

Sin embargo, Fior contó la solución de uno de los tres tipos de ecuaciones cúbicas: «los desconocidos y los cubos igualan a los números», o $ax + x^3 = b$ en notación moderna. Mientras tanto, la solución también la había descubierto de forma independiente el matemático, también de origen italiano, conocido como Tartaglia.

EL TARTAMUDO

Niccolo Fontana, conocido como Tartaglia (c. 1500-1557), era un pobre matemático italiano que había sido horriblemente herido por las tropas francesas durante una masacre en su ciudad natal de Brescia en 1512. Un corte de sable le había escindido la boca y el paladar, dejándolo con problemas de habla que provocaron el apodo de Tartaglia («tartamudo»). Debido a la superación de las heridas y su empobrecida vida, Tartaglia había aprendido matemáticas y se convirtió en un maestro, pero, a pesar de que era un matemático dotado, también era arrogante e hizo enemigos fácilmente.

Tartaglia escribió varios libros importantes, incluyendo la primera traducción italiana de Euclides a partir de un original griego, con el que corrigió errores importantes que habían limitado la utilidad de traducciones anteriores de las versiones en árabe. También escribió un libro sobre balística, que incluía las primeras tablas de tiro para la artillería y fue décadas por delante de su tiempo, anticipando la obra de Galileo Galilei sobre la caída de los cuerpos (*ver* pp. 142-143). Pero fue gracias al éxito en las competiciones como Tartaglia construyó su reputación, y en 1535 retó a Antonio María Fior a un concurso en la ciudad de Bolonia cuyo tema principal eran las famosas ecuaciones cúbicas.

El formato del concurso pedía a los concursantes poner 30 preguntas para el otro, y tenían permitidos 40-50 días para hallar las soluciones. Tartaglia estableció problemas que abarcaban una gran variedad de temas, pero Fior propuso únicamente problemas de la categoría de las ecuaciones cúbicas, «los desconocidos y los cubos que igualan a los números», convencido de que exclusivamente él conocía el secreto de la solución de las mismas.

Hasta ocho días antes de la competición, Fior tenía razón en pensar así. Pero gracias a la suerte y la inspiración, Tartaglia hizo un gran avance y encontró la solución a los tres tipos de ecuación cúbica. Cuando tuvo lugar el esperado concurso, resolvió los problemas

de Fior en solo dos horas y fue aclamado como ganador.

Retrato de fray Luca Pacioli enseñando a un estudiante con la ayuda de una pizarra y otras herramientas, incluyendo un dodecaedro.

LA SOLUCIÓN SECRETA

La nueva fama de Tartaglia atrajo la atención de Gerolamo Cardano (también conocido como Cardano). Cardano (1501-1576) fue uno de los grandes eruditos de la época, médico y matemático de renombre, con una predilección por los juegos de azar y la capacidad de hacer enemigos que coincidían con los de Tartaglia, como él mismo reconoció: «Esto lo reconozco como único y destacado entre mis defectos , el hábito, en el que persisto, de preferir decir, de todas las cosas posibles, lo que sé que es desagradable a los oídos de mis oyentes. Soy consciente de ello, lo mantengo hasta intencionalmente, no soy de ninguna manera ignorante de los enemigos que esto me crea».

Cardano escribió a Tartaglia para pedirle el secreto de las ecuaciones cúbicas, pero fue rechazado en términos muy claros: «Cuando me proponga publicar mi invención, la publicaré en una obra hecha por mí, y no en el trabajo de otro hombre, por eso su excelencia va a tener que disculparme». Ofreciéndole la perspectiva de convertirse en un señor rico, Cardano logró atraer a Tartaglia a Milán para una reunión en 1539 y, finalmente influyó sobre él para que revelase el secreto, tras haber jurado llevarlo a su lecho de muerte y, con la promesa de grabar el método en clave, de modo que sería ininteligible incluso para sus ejecutores. Tartaglia añadió otro nivel de seguridad mediante la codificación de la solución en forma de poema.

Mapa de Milán, 1572, del
«Civitates Orbis Terrarum»
de Georg Braun y Frans
Hogenberg.

Cardano y su asistente Ferrari se pusieron
rápidamente a trabajar para ampliar y mejorar la solución
de Tartaglia. Ferrari incluso la aplicó con éxito en las
ecuaciones bicuadradas (aquellas que incluyen el término
x^4). Los antiguos griegos habían concebido el álgebra
únicamente en términos de geometría, de manera que
los cuadrados eran áreas y cubos eran volúmenes. En
un marco de referencia como ese, un término de cuarto
grado se consideraba carente de sentido, ya que no
podían concebir un espacio de cuatro dimensiones. Sin
embargo, ahora lo inconcebible se había resuelto.

ENGAÑO Y MALICIA

En 1543, Cardano también conoció la obra de Scipione
del Ferro, y llegó a la conclusión de que el secreto
de Tartaglia no fue tan exclusivo y por lo tanto se
consideró absuelto del juramento de confidencialidad.
En 1545, publicó *Ars Magna*, un logro monumental
en matemáticas que incluía la discusión de las
soluciones para las ecuaciones de tercer y cuarto grado,
dándole el crédito a Tartaglia como debía. Tartaglia

enfureció e hizo pública la polémica, a lo que Ferrari
respondió asumiendo la defensa de su amo: «Usted
tiene la infamia de decir que Cardano es ignorante en
matemáticas, y lo llama inculto y de mente simple, un
hombre de bajo prestigio y charla basta y las demás
palabras ofensivas similares demasiado tediosas para
repetirlas. Dado que su excelencia es prevenido por
el grado que tiene, y porque este asunto me ocupa
personalmente ya que soy su creador, he asumido
la responsabilidad para dar a conocer públicamente
vuestro engaño y malicia».

En 1548, a Tartaglia le quedó claro que su solicitud
de una cátedra lucrativa en Brescia dependía de
demostrar sus credenciales matemáticas mediante una
disputa con Ferrari, y se organizó un debate público
entre ambos en Milán. Después del primer día, sin
embargo, Tartaglia se dio cuenta de que el joven había

sobrepasado sus capacidades, y se fue de la ciudad en la ignominia. La vergonzosa derrota causó daños duraderos en su carrera y, para colmo de males, la solución a las ecuaciones cúbicas llegó a ser conocida como el método de Cardano.

NÚMEROS NEGATIVOS E IMAGINARIOS

El método de Cardano para resolver ecuaciones cúbicas fue famoso por su uso de los números que eran tanto negativos como imaginarios. Los números negativos habían planteado un desafío desde hacía mucho tiempo para los matemáticos, que generalmente los concebían como sin sentido o pensaban en ellos solamente como términos de deuda. Los antiguos griegos habían evitado el problema pensando geométricamente: en todas sus matemáticas aparecían longitudes, áreas, etc., que, por definición, eran cantidades positivas. El matemático indio Brahmagupta había establecido las normas para las operaciones aritméticas con números negativos (*ver* pp. 87-89), pero incluso su estudio las caracteriza como «deudas». Al-Juarismi (*ver* p. 104) estaba dispuesto a seguir a Brahmagupta en el uso de los números negativos como herramientas para la resolución de ecuaciones, pero la lógica geométrica de sus fuentes de inspiración griegas le convenció de que los negativos no tenían sentido alguno.

Pacioli también analizó aspectos negativos, pero de nuevo solo como deudas en el contexto de la contabilidad. Todavía nadie estaba dispuesto a aceptar un número negativo como la solución a una ecuación, a pesar de que ahora se reconoce que hay soluciones positivas y negativas para las cuadradas y bicuadradas (por ejemplo, en la ecuación $x^2 = 4$, x podría ser 2 o -2).

Aún más preocupante para los matemáticos eran los términos aparentemente sin sentido como por ejemplo $\sqrt{-1}$. Dado que un negativo multiplicado por un negativo es un positivo, es imposible que un número multiplicado por sí mismo (es decir, un cuadrado) sea negativo y por lo tanto imposible de encontrar la raíz cuadrada de un negativo. Estos números ahora se denominan números imaginarios, y los matemáticos han llegado a darse cuenta de que son indispensables en operaciones como la resolución de ecuaciones complejas. También son útiles en ingeniería eléctrica para determinar la amplitud de la corriente alterna.

El problema que enfrenta Cardano en uno de los problemas en su *Ars Magna* fue que una solución

Portada de los «Nuevos problemas e invenciones», de Tartaglia, donde expone su enfrentamiento con Cardano.

incluía el término $\sqrt{-15}$. Aunque describió tales números como «ficticios», fue capaz de trabajar con el término imaginario, ya que apareció en una multiplicación: $(5 - \sqrt{-15})(5 + \sqrt{-15})$. Multiplicando los términos entre paréntesis descartó los números imaginarios dejando $25 - (-15) = 25 + 15 = 40$.

Al emplear con éxito los números imaginarios, Cardano (y Ferrari) abrió la puerta a otro tipo de números: los números complejos. Los números complejos son los que combinan números reales e imaginarios, y pueden ser descritos por la ecuación $a + bi$, donde a y b son números reales e i es un número imaginario, como por ejemplo $\sqrt{-1}$.

EL HECHICERO DE LA REINA: JOHN DEE

Famoso hoy en día como un hechicero de los Tudor y notorio desde la época isabelina por sus conversaciones con los ángeles, John Dee (1527-1609) puede parecer una figura extraña en un libro de matemáticas. Sin embargo, estas fueron su primer amor de estudiante, y fue el autor de importantes libros sobre el tema.

John Dee fue una figura clave en el Renacimiento británico, y sus matemáticas eran una parte esencial de las actividades más esotéricas; de hecho, en ese momento, las matemáticas y la magia se veían como algo muy parecido. Dee fue acusado de «obsceno, y de proponer procesos inútiles de cálculo y conjura». A pesar de que no pudo haber hecho grandes avances matemáticos específicos, jugó un papel decisivo en el proceso por el cual las matemáticas se trasladaron de la teoría a la práctica, la transformación del mundo a través de su aplicación en áreas como la mecánica y la navegación y ayudar a marcar el comienzo de un nuevo mundo de la tecnología, los inicios de la revolución científica y la posterior industrial.

EL ESCARABAJO VOLADOR GIGANTE DE JOHN DEE

El padre de Dee había sido oficial de la realeza y comerciante de tela, por lo que John recibió una buena educación, fue a la Universidad de Cambridge, donde afirmó haber estudiado 18 horas al día, teniendo solo cuatro horas de sueño y dos para otras actividades. Estudió matemáticas como herramienta para la investigación filosófica, pero también por sus aplicaciones prácticas. En 1547, sentó las bases de su reputación como hechicero y maestro de las artes místicas mediante la construcción de una pieza ingeniosa para la puesta en escena de la producción *Paz*, de Aristófanes. El uso de lo que más tarde describió como «taumaturgia» (hoy en día, un término comúnmente entendido como magia, pero para Dee «un arte matemático... que diere un orden determinado para hacer obras extrañas, en el sentido de ser percibido y de admirar en gran medida al hombre»), construyó un

Dr. John Dee, dispuesto a navegar.

gigante escarabajo volador mecánico. Esta maravilla artificial, más tarde conocida como «el escarabajo de Aristófanes», apareció en la escena culminante, en la que se elevó hasta el techo de la sala de la universidad con el actor principal montado sobre su lomo.

Isabel I eligió su fecha de coronación con la ayuda de Dee.

su «sistema de filosofía... estableció sus primeras y más profundas raíces». Más tarde creó, según su propio relato, una especie de sensación en París con una serie de conferencias sobre matemáticas.

En 1551, Dee regresó a Gran Bretaña y presentó al joven Eduardo VI algunas de sus obras, entre ellas una sobre los tamaños y las distancias de los cuerpos celestes. Hacia el 1553, se le consideraba un intelectual de prestigio suficiente para ser incluido en un estudio nacional de académicos, donde fue catalogado como un «*astronomus peritissimus*», un astrónomo experto. Cuando Eduardo murió y su hermana católica María subió al trono, el simpatizante protestante Dee estaba en una posición peligrosa. En 1555, fue arrestado por «calcular», lo que equivale a una acusación de brujería en una época donde, como afirmó el cronista John Aubrey más de un siglo después, las autoridades habían «quemado libros de matemáticas por ser libros de conjura».

Dee tenía ambiciones de dominar todo el conocimiento disponible en Europa, y en 1548, después de haber agotado el plan de estudios que ofrecían en Cambridge, viajó a los Países Bajos del sur (la actual Bélgica) y estudió en la Universidad de Lovaina. En esa época Lovaina estaba en la vanguardia de las matemáticas aplicadas en campos como la cartografía, la astronomía y la astrología, y Dee hizo amistad con personalidades como Gerardus Mercator (creador de la proyección de Mercator, uno de los primeros intentos de desarrollar mapas que representasen con precisión longitud y latitud, y uno de los primeros en incorporar los descubrimientos del Nuevo Mundo en sus mapas). Allí fue donde, según Dee escribió más tarde, surgió

ESTRELLAS DE LA SUERTE

María murió en 1558 y Elizabeth subió al trono. Entonces se produjo un evidente aumento en la suerte de Dee. Se mudó a la casa de su madre en Mortlake, donde reunió una gran biblioteca de libros y creó laboratorios de alquimia. Su enfoque matemático sobre la astrología fue solicitado para calcular la fecha más favorable para

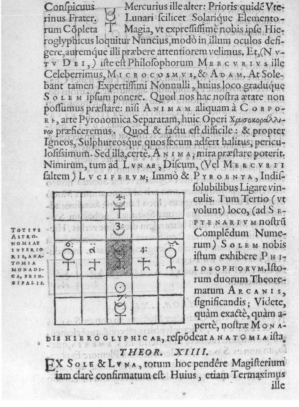

Portada de la obra de Dee de 1564 sobre símbolos y sabiduría antigua, «Monas Hieroglyphica».

En el libro Dee explica la sabiduría esotérica detrás de la creación de un símbolo conocido como la mónada, que se ve cerca de la parte superior de la página

la coronación de Isabel, y después fue su tutor personal para que fuese capaz de entender uno de sus libros sobre matemáticas, su de *Propaedeumata Aphoristica*, 1568. En 1570 editó una traducción al inglés de los *Elementos* de Euclides, añadiendo un gran *Mathematicall Preface* donde realizó un apoyo rotundo al valor de las matemáticas: «O cómoda seducción, o deslumbrante persuasión para hacer frente a una ciencia cuyo objeto es tan antiguo, tan puro, tan excelente, que rodea a todas las criaturas, que utiliza la sabiduría omnipotente e incomprensible del Creador, en distinta creación de todas las criaturas: en todas sus partes bien diferenciadas, propiedades, naturaleza y virtudes, por orden, y el número más absoluto, traído de la nada a la formalidad de su ser y estado».

En 1572, una nova («estrella nueva») apareció en los cielos (comúnmente conocida hoy como la supernova de Tycho Brahe de 1572). Dee y su asistente Thomas

Digges hicieron observaciones precisas y estaban de acuerdo con Brahe sobre el tema. En su *Parallacticae commentationis praxosque,* de 1573, Dee mostró cómo utilizar métodos trigonométricos para hallar la distancia a la nueva estrella. Digges más tarde amplió el concepto revolucionario de Dee sobre que el Universo, en lugar de ser una serie de esferas cristalinas alrededor de la Tierra que, como afirma la cosmología ptolemaica dominante, era en realidad un espacio que se extiende infinitamente hacia arriba desde la Tierra. Dee también se adhirió al nuevo sistema del heliocentrismo de Copérnico.

EL PERFECTO ARTE DE LA NAVEGACIÓN

Además de la astronomía y la astrología, Dee aplica su destreza matemática en el campo de la navegación y la cartografía. Con el descubrimiento de nuevas estrellas se hizo añicos el antiguo dogma sobre los cielos y la

Escrito en tan solo 12 días en un estado místico, el libro pretende revelar la clave de los misterios cósmicos.

apertura de nuevos ámbitos de investigación, por lo que el descubrimiento del Nuevo Mundo había abierto nuevas áreas a la ciencia y al comercio para colonizar. Las matemáticas serían la herramienta clave en este esfuerzo.

Desde 1555 Dee fue empleado de la Compañía de Moscovia, una empresa comercial formada por el explorador Sebastián Cabot para abrir partes de América del Norte a la influencia y la explotación británicas. Dee utilizó lo que había aprendido de Mercator para elaborar mapas, y enseñó la geometría, la navegación y la astronomía a los exploradores de la Compañía. Al mismo tiempo, comenzó a desarrollar los fundamentos filosóficos de una nueva dirección en la política exterior británica, dirigida a replantear una declaración al Nuevo Mundo y establecer un Imperio Británico (una frase acuñada por el propio Dee en su publicación de 1577 *Memoriales generales y raros en materia del arte perfecto de la navegación*).

CONVERSACIONES CON LOS ÁNGELES

Fue la búsqueda de Dee para entender el lenguaje de la naturaleza lo que le atrajo a las matemáticas, pero su ambición de descubrir la sabiduría oculta del Universo lo llevaría al desastre. No contento con los resultados que pudiera obtener de la filosofía natural y de las matemáticas, decidió trabajar en el campo de la tecnología.

En aquella época, se creía que existían ángeles y actuaban como una especie de intermediarios entre el mundo terrestre y el sobrenatural; Dee utilizó piedras de cristal de adivinación, bolas de cristal, para intentar establecer contacto con estos seres exóticos. Por desgracia, a pesar de sus muchos e insistentes intentos, no parecía poseer la sensibilidad adecuada para usar las piedras él mismo y se vio obligado a depender de intermediarios poco fiables. Así comenzó su asociación con el alquimista y charlatán Edward Kelly, quien se presentó en su puerta en 1582, y le convenció para contar con sus servicios.

Trabajando con Kelley, Dee creía que había hecho contacto con los ángeles, que pasaron sobre una gran cantidad de material, cifrado en un idioma extraño, codificado. Los «ángeles» afirmaron que era el idioma de Enoc (un patriarca del Antiguo Testamento que previó el Diluvio y enumeró muchos nombres de ángeles), y las sesiones de adivinación de Dee y Kelley generaron volumen tras volumen de códigos de sabiduría, junto con órdenes peligrosas y perturbadoras. Dee estaba tan cegado con la idea de contactar con los ángeles, que no vió lo que estaba sucediendo.

Al parecer, bajo las órdenes directas de los ángeles, Dee, Kelley y sus esposas viajaron a la ciudad de Praga en 1587 para una audiencia con el emperador Rodolfo II, al que Dee había instruido por petición de los ángeles para reprenderle por sus errores religiosos. Mientras que en Praga los ángeles, a través de Kelley, hicieron una comunicación final: mandaron a Dee que intercambiase su esposa con la de Kelley durante una noche, y de mala gana aceptaron, arreglándose de alguna manera para también persuadir a sus esposas.

Después de esto, Dee y Kelley se separaron, y Dee regresó a Gran Bretaña para encontrar que su biblioteca y laboratorio habían sido saqueados. Sus finanzas y su situación nunca se recuperaron, y más tarde perdió a su esposa e hijos debido a la terrible peste. Vivió acosado por las sospechas de brujería y demonología y finalmente murió en la más absoluta pobreza en 1609.

LOGARITMOS

Un logaritmo es un exponente inverso. Para dar un ejemplo sencillo, $2^3 = 8$ se puede expresar con palabras como «2 elevado al exponente 3 es igual a 8»; el inverso de esto es «logaritmo de base 2 de 8 es igual a 3» o $\log_2 (8) = 3$. El término dentro del paréntesis se llama «argumento», y un logaritmo se puede describir como la respuesta a la pregunta: «¿A qué potencia se debe elevar la base para dar el argumento?».

Así que en el ejemplo $\log_2 (8)$, el 2 debe elevarse a la potencia de 3 para dar el argumento 8. En términos más generales, si $a^x = y$, $\text{Log}_a (y) = x$. En un logaritmo se dice que x es la potencia a la que a debe ser elevada para dar y.

LA ARITMÉTICA MÁS ÚTIL

Los logaritmos son importantes para la historia de las matemáticas y las disciplinas afines, ya que revolucionaron el proceso laborioso y difícil del cálculo, ofrecían la potencia de la calculadora de bolsillo moderna antes de que algo así existiese. Una página web de una universidad contemporánea describe el logaritmo como «quizás el único concepto aritmético más útil en todas las ciencias», mientras que el astrónomo y matemático francés Pierre-Simon Laplace (1749 a 1827) comentó que la invención de los logaritmos había duplicado la vida útil de los astrónomos reduciendo a la mitad sus labores.

La invención de los logaritmos surgió de un deseo de hacer la multiplicación y la división tan simple como la suma y la resta. Esto es posible cuando una serie aritmética corresponde a una serie geométrica. El ejemplo más simple de esto es la conexión entre los naturales (o contables) números, y las potencias de 2. En la siguiente tabla, la fila inferior muestra las potencias de 2 y la fila superior muestra los exponentes de los cuales 2 debe elevarse para dar estas potencias (recuerda que cualquier cosa elevada a la potencia 0 es 1):

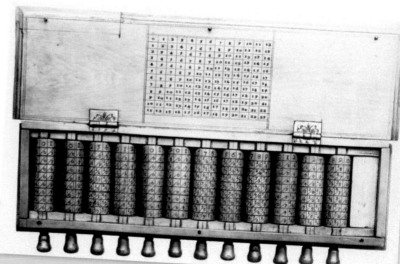

LOS HUESOS DE NAPIER

John Napier construyó un dispositivo de cálculo compuesto por barras, que podían alinearse de acuerdo a los números que se multiplicaban. Entonces la respuesta fue sumar los números inscritos en las divisiones de las varillas. Estas se hacían generalmente de madera, pero también hubo versiones caras en marfil, cuerno o hueso, y por eso se conoció como los huesos de Napier. A pesar de que no utilizaba los logaritmos, el ábaco de Napier prefiguró las herramientas de cálculo que lo hicieron, incluyendo la regla de cálculo, que fue inventada por el matemático británico William Oughtred en 1632.

Esta versión del ábaco de Napier utilizaba cilindros que giraban en una caja.

0	1	2	3	4	5	6	7	8	9	10
1	2	4	8	16	32	64	128	256	512	1024

El terrateniente escocés John Napier era el señor de Merchistoun. Sus hazañas matemáticas le hicieron ganar el apodo de «Maravilloso de Merchistoun».

La fila superior es una serie aritmética y la fila inferior es una serie geométrica. La multiplicación 16 por 64 es muy difícil de hacer mentalmente, pero recuerda que cuando se multiplican los exponentes de la misma base simplemente hay que sumar los exponentes (*ver* p. 60), de tal manera que $a^x \times a^y = a^{x+y}$. De esta manera, se puede utilizar la tabla para buscar los exponentes que corresponden a 16 y 64, sumarlos, y luego usar la tabla para buscar la potencia que corresponde a esto. Al hacer esto, obtenemos 4 (el exponente de 16) + 6 (el exponente de 64) = 10, que corresponde a 1.024, que nos dice que $16 \times 64 = 1.024$ sin tener que hacer ninguna multiplicación.

EL MARAVILLOSO CANON DE NAPIER

El principio de la vinculación de las progresiones geométricas y aritméticas fue investigado en detalle por el matemático escocés John Napier (1550-1617) en su tratado de 1614 *Mirifici Logarithmorum Canonis Descriptio* («Descripción del maravilloso canon de logaritmos»). Acuñó el término «logaritmo» mediante la combinación de las palabras griegas *logos* («relación») y *arithmos* («números»), para dar logaritmo («relación de números»). Con la ayuda del matemático londinense Henry Briggs, Napier desarrolló las tablas de logaritmos de base 10 para su uso en los cálculos, y estos se conocen ahora como $\log_{10}$ o logaritmos comunes.

Briggs publicó las tablas de logaritmos comunes en 1624, aunque el matemático suizo Joost Bürgi, que había descubierto los logaritmos de forma independiente, ya había publicado las primeras tablas en 1620. Para manejar multiplicaciones difíciles, los usuarios simplemente buscan los logaritmos que se corresponden con los números de partida, los suman y luego buscan el antilogaritmo de la suma para encontrar el producto de la multiplicación inicial. Para la división, un logaritmo se resta de los demás y luego se busca el antilogaritmo del resultado. Los logaritmos también simplifican la búsqueda de los cuadrados, cubos, raíces cuadradas y raíces cúbicas. Para encontrar el cuadrado de un número, se busca el logaritmo, se multiplica por dos y

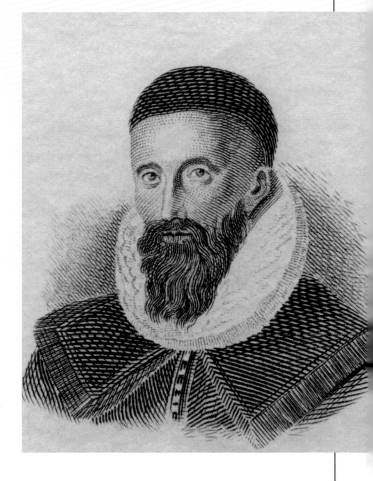

EL CAÑÓN DE NAPIER

Dado el título de su obra fundamental de 1614, es irónico que John Napier también fuese un inventor de armamento. Le propuso a James VI de Escocia (James I de Inglaterra) la construcción de una primera forma de tanque: un carro de metal con agujeros en su armadura, a través del cual los pequeños cañones podían ser disparados a la vez que estaban protegidos.

luego se busca el antilogaritmo para dar la respuesta. Para encontrar la raíz cúbica de un número, se divide el logaritmo por tres y se busca el antilogaritmo.

LA REVOLUCIÓN CIENTÍFICA

A medida que el siglo XVI daba paso al XVII, las matemáticas jugaron un papel fundamental en el nacimiento de una revolución intelectual mayor que cualquiera de las ocurridas antes: la revolución científica. Las antiguas certezas sobre el Universo y la naturaleza se iban abriendo paso, aunque no sin una batalla, y la mejor arma en el arsenal de los nuevos filósofos naturales será el rigor matemático.

Una sola ciencia por encima de todas las demás, incluida las matemáticas, reinó de manera suprema: la astronomía. Esta sería el crisol de la revolución científica y también llevaría a avances trascendentales en el campo de las matemáticas.

LA NUEVA HIPÓTESIS DE COPÉRNICO

La figura a la que generalmente se acreditó el inicio de la revolución científica fue un clérigo y astrónomo polaco, Nikolaj Kopernik (1473-1543), más conocido por la forma latinizada de su nombre, Copérnico. Sus observaciones de los planetas y las estrellas y su estudio cercano del aparato matemático de la astronomía, conocido como las «Tablas alfonsíes de coordenadas celestes» (*ver* p. 109), le convenció de que algo estaba mal en la cosmología ptolemaica estándar.

Ptolomeo y sus sucesores habían tratado de dar descripciones matemáticas rigurosas de los cielos que encajasen con las observaciones que hicieron y que también se adhiriesen a la premisa básica de la cosmología, que la Tierra era el centro del Universo. Este modelo geocéntrico contempla los planetas y las estrellas como objetos fijos en esferas cristalinas, cada uno anidado dentro del otro, girando alrededor de la Tierra en el centro. Se suponía que los movimientos de estas esferas, es decir, las órbitas de los planetas y el giro de las estrellas, debían ser circulares.

Los supuestos básicos de este modelo planteaban problemas para los astrónomos debido a que las observaciones reales revelaban ciertas anomalías. Por ejemplo, a veces los planetas parecían moverse hacia atrás en el cielo visto desde la Tierra, un fenómeno conocido como movimiento retrógrado. Para explicar esto, el sistema de Ptolomeo llegó a alternativas complejas, como afirmar que los planetas se movían en epiciclos, pequeños círculos. Incluso con estas explicaciones adicionales, el sistema de Ptolomeo no funcionó tan bien, como la creciente imprecisión de las *Tablas alfonsíes* demostró.

Copérnico vio cómo las matemáticas exponían los fallos en el sistema de Ptolomeo y llegó a la conclusión de que el modelo geocéntrico debía estar mal. Como escribió el gran astrónomo danés del siglo XVI Tycho Brahe, «concluyó que las hipótesis establecidas por Ptolomeo admiten algo inadecuado en violación de los axiomas de las matemáticas». Copérnico luego utilizó las matemáticas para demostrar que un modelo heliocéntrico (centrado en el Sol) explicaba las observaciones mucho mejor. El movimiento retrógrado de los planetas es solo aparente, una ilusión causada por las órbitas alrededor del Sol de los planetas en relación a la órbita solar propia de la Tierra.

Consciente de que su nuevo modelo del Universo era polémico y podría causar problemas con las autoridades de la Iglesia, Copérnico contuvo la publicación de su obra magna, *De revolutionibus orbium coelestium* («Sobre la revolución de las esferas celestes»), hasta que estuvo en su lecho de muerte en 1543. Pero un partidario joven entusiasmado y ayudante, Georg Joachim Rheticus, profesor de matemáticas y astronomía en la Universidad de Wittenberg, ya había leído un borrador y en 1539 había publicado su *Narratio Prima* («Primer informe»). En él, Rheticus explicaba cómo Copérnico había utilizado las matemáticas como el medio para llevar a cabo su revolución conceptual: «Procede a partir de las primeras observaciones de su propia ... [que] luego compara entonces con la hipótesis de Ptolomeo y los antiguos ... se encuentra con que la prueba astronómica requiere su rechazo; él asume nuevas hipótesis ... mediante la aplicación de las matemáticas, establece geométricamente las

Grabado póstumo de Copérnico.

NICOLAI COPERNICI

net, in quo terram cum orbe lunari tanquam epicyclo contineri diximus. Quinto loco Venus nono menfe reducitur. Sextum denig locum Mercurius tenet, octuaginta dierum fpacio circü currens, in medio uero omnium refidet Sol. Quis enim in hoc

I. Stellarum fixarum fphaera immobilis.
II. Saturnus anno. XXX. reuoluitur.
III. Iouis. XII. annorum reuolutio.
IIII. Martis bima reuolutio.
V. Tellaris
VI. Venus nonimenfis
VII. Mercuri. LXXX. dierum
☉ Sol.

pulcherrimo templo lampadem hanc in alio uel meliori loco po neret, quàm unde totum fimul pofsit illuminare? Siquidem non inepte quidam lucernam mundi, alij mentem, alij rectorem uo-cant. Trimegiftus uifibilem Deum, Sophoclis Electra intuentē omnia. Ita profecto tanquam in folio re gali Sol refidens circum agentem gubernat Aftrorum familiam. Tellus quoq minime fraudatur lunari minifterio, fed ut Ariftoteles de animalibus ait, maximā Luna cū terra cognatiōnē habet. Concipit interea à Sole terra, & impregnatur annuo partu. Inuenimus igitur fub hac

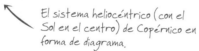
El sistema heliocéntrico (con el Sol en el centro) de Copérnico en forma de diagrama.

Grabado de Tycho Brahe trabajando con el mural cuadrante, un artilugio en la pared que servía para averiguar la posición de las estrellas.

conclusiones que se pueden extraer de ellas ... y después de realizar todas estas operaciones finalmente escribe las leyes de la astronomía...».

LA GUERRA CON MARTE

La nueva teoría heliocéntrica de Copérnico inspiró significativos avances de la siguiente generación, entre ellos principalmente el del matemático y astrónomo alemán Johannes Kepler (1571-1630) quien, tras estudiar el sistema copernicano en la universidad, comenzó una búsqueda que ocupó toda su vida para descubrir el misterio cósmico del Universo.

Convencido de que las matemáticas podían revelar el secreto de orden divino de la creación, primero trató de aplicar la teoría de los sólidos platónicos (*ver* p. 70) para explicar las órbitas de los planetas e intentar demostrar que la órbita de cada uno de los seis planetas conocidos

(Mercurio, Venus, Tierra, Marte, Júpiter y Saturno) estaba dentro de las esferas limitadas por los cinco sólidos platónicos.

En su búsqueda de datos astronómicos mejores para perfeccionar y probar su modelo, Kepler trabajó para el astrónomo danés Tycho Brahe en Praga en 1599, y heredó su gran cantidad de observaciones sin precedentes cuando el anciano murió en 1601. Los datos puros tuvieron ocupado a Kepler en años de cálculos complicados cuando intentaba averiguar la órbita precisa del planeta Marte, un proceso que generó más de 1.000 hojas de cálculo. Kepler más tarde se refirió a este trabajo como «mi guerra con Marte».

El problema era que el sistema copernicano todavía estaba limitado por una suposición errónea: que las órbitas de los planetas debían ser circulares. Kepler finalmente descubrió que la órbita de Marte era una elipse, con el Sol como uno de sus focos, y que lo mismo era aplicable a todos los planetas: esto se conoce ahora como la primera ley de Kepler del movimiento planetario. También descubrió que la línea que une el planeta al Sol recorría áreas iguales en tiempos iguales. Publicó sus dos primeras leyes en 1609, pero su tercera ley no se publicó hasta 1619. Esta describe cómo la longitud de tiempo que tarda cada planeta en completar una órbita del Sol (conocido como su periodo) se relaciona con su distancia orbital media, de modo que, para cualquier par de planetas, la relación de los cuadrados de sus periodos es la misma que la relación de los cubos de su distancia orbital media. Esto se le ocurrió a Kepler de repente, mientras decía a un amigo: «... y si quieres el momento exacto en el que fue concebido mentalmente, fue el ocho de marzo de este año, mil seiscientos dieciocho».

Más tarde la tercera ley de Kepler inspiró a Isaac Newton en su obra sobre las matemáticas de la gravedad.

Kepler hizo otros avances significativos matemáticos y científicos, incluyendo innovadores trabajos sobre óptica. Inventó el telescopio astronómico de doble lente convexa y fue el primero en describir cómo se forma una imagen boca abajo en la retina humana. Su esposa murió trágicamente en 1611 y se volvió a casar dos años más tarde y su banquete de bodas desató reflexiones matemáticas sobre la mejor manera de calcular la cantidad de vino en un barril de lados curvos. En 1615, su *Nova stereometria doliorum* («Nueva geometría sólida de los barriles de vino»), describió un método para determinar el volumen dividiendo el barril en un número infinito de secciones planas y sumando sus áreas. Esta fue una forma de encontrar el área bajo una curva, un problema que había sido un quebradero de cabeza para matemáticos desde Arquímedes y que llevaría al desarrollo del cálculo de Isaac Newton y Gottfried Leibniz (*ver* p. 156).

Herramientas de la revolución científica: una esfera armilar (lateral derecho), un prisma y un conjunto de huesos de Napier.

HERRAMIENTAS PARA EL TRABAJO

Los siglos XVI y XVII hicieron importantes avances en las herramientas y el lenguaje de las matemáticas. El invento de Napier de los logaritmos (*ver* p. 136) redujo radicalmente la mano de obra necesaria en cálculos complejos, al igual que el desarrollo de ayudas de cálculo como las reglas. El incremento de tablas de funciones trigonométricas también ahorró mano de obra. Pero igual de importante fue la evolución de la notación, más simple, más útil y mejor para las matemáticas. Napier, por ejemplo, mejoró la notación decimal de Stevin (*ver* p. 127) y popularizó el uso de la coma decimal. El signo de igualdad había aparecido por primera vez impreso en 1557, aunque los signos de más y menos aparecieron mucho antes en el libro *Aritmética mercantil,* del matemático alemán Johannes Widmann, publicado en 1489. La «x» para la multiplicación fue presentada por William Oughtred a principios del siglo XVII, mientras que el óbelo (÷) se imprimió por primera vez en 1659. François Viète (*ver* pp. 126-27) fue la figura clave en la introducción de la notación científica que se utiliza en el álgebra, con vocales para cantidades desconocidas y consonantes para cantidades conocidas. Sin embargo, la notación utilizada en álgebra simbólica no alcanzó su forma definitiva hasta la publicación de las obras de René Descartes (*ver* p. 144) y Leonhard Euler (*ver* p. 167).

GALILEO

Considerado el primer gran científico en el sentido moderno de la palabra, Galileo Galilei (1564-1643) hizo descubrimientos trascendentales en muchos campos, como la astronomía, la mecánica y la física del movimiento, la gravedad, la óptica y la hidrostática. A pesar de sus muchos trabajos, consideraba las matemáticas como el origen y la base de las otras ciencias. Fueron las matemáticas lo que Galileo vio como el verdadero centro de su universo intelectual.

Su pasión por las matemáticas, recogida en su libro de 1623 *Il Saggiatore* («El ensayador») donde plasmó su famosa defensa de la centralidad de las matemáticas: «La filosofía está escrita en este gran libro, el Universo, que se encuentra continuamente abierto a nuestra mirada. Pero el libro no se puede entender a menos que uno aprenda a comprender el idioma y leer los caracteres en que está escrito. Está escrito en el lenguaje de las matemáticas y sus caracteres son triángulos, círculos y otras figuras geométricas, sin las cuales es humanamente imposible entender una sola palabra de él; sin ellos uno está vagando en un oscuro laberinto».

SOLTAR LA PELOTA

El padre de Galileo quería que este estudiara medicina y se matriculó en la Universidad de Pisa para hacer precisamente eso. Según la leyenda, Galileo se decantó por las matemáticas después de pasar por delante de la puerta abierta de una sala de conferencias, donde se enseñaba geometría y convenció a su padre para que le permitiera estudiar filosofía natural (lo que hoy llamaríamos ciencia) y matemáticas en lugar de medicina. Galileo tenía una naturaleza curiosa y perspicaz, como se demuestra en anécdotas como la de sus descubrimientos sobre el péndulo en 1583. Según la historia, Galileo estaba en la iglesia cuando se dio cuenta de que la cantidad de tiempo que tarda el péndulo para completar su giro (es decir, su periodo) era la misma sin importar la altura desde la que fuese lanzado, lo que confirmó por sí mismo comparando la oscilación con los latidos de su corazón. Más tarde demostró que el cuadrado del periodo de un péndulo varía con su longitud. En 1589, fue nombrado profesor de Matemáticas en la Universidad de Pisa, donde cambió la dominante

Vista de la Torre de Pisa y de unas bolas como las que Galileo utilizó para sus estudios sobre la caída de los cuerpos.

teoría aristotélica de la caída de los cuerpos, que sostenía que un objeto más pesado caía más rápido. Varios analistas anteriores habían señalado que la realidad contradice esta teoría, y Galileo hizo un famoso experimento en el que lanzó dos bolas de tamaño idéntico pero diferente peso desde la Torre de Pisa, demostrando que caían casi al mismo tiempo (la diferencia, que calculó más tarde, se debe a la resistencia del aire).

«EL MENSAJERO DE LAS ESTRELLAS»

En 1609, Galileo leyó informes sobre un nuevo dispositivo curioso que se demostró en los Países Bajos, un telescopio, y él mismo construyó de inmediato una serie de ellos. Usándolos, hizo observaciones revolucionarias de las lunas de Júpiter, las manchas solares, los anillos de Saturno y las características lunares. La publicación de sus hallazgos en su obra de 1610 *Sidereus Nuncius* («El mensajero de las estrellas») le trajo fama internacional. Sus descubrimientos aportaron peso a la teoría copernicana de un cosmos heliocéntrico, pero en 1616 la Iglesia católica consideró este punto de vista herético y en 1632 Galileo también entró en conflicto con el papa Urbano VIII con la publicación de *Diálogo sobre los dos principales sistemas del mundo*, que apoyaba encarecidamente el modelo copernicano. Sometido a juicio por herejía en 1633, se vio obligado a renegar de su creencia de que la Tierra giraba alrededor del Sol, aunque, según la leyenda, murmuró en voz baja *«eppur si muove»* («y sin embargo se mueve») durante su juicio. Declarado culpable, fue condenado a arresto domiciliario y continuó trabajando en la física del movimiento y otras cuestiones. Llevó de contrabando el manuscrito de su último libro, *Discursos y descubrimientos matemáticos sobre dos nuevas ciencias* (que trataba sobre la naturaleza matemática de la materia y el movimiento de los objetos), a Holanda para publicarlo en 1638. Uno de sus últimos proyectos antes de su muerte en 1642, aún bajo arresto domiciliario, fue inventar el primer reloj de péndulo.

LOS COMPONENTES DEL MOVIMIENTO

A pesar de que fue más conocido por sus descubrimientos astronómicos, la mayor obra de Galileo fue sobre la física y la matemática del movimiento. La visión aristotélica predominante era que un cuerpo en movimiento se movía por su propio impulso hasta que el impulso se acababa, que era el momento en el que caía hacia abajo. Galileo demostró que los componentes verticales y horizontales de un objeto en movimiento estaban separados. Demostró que el movimiento vertical, causado por la gravedad, hacía que un cuerpo en caída recorriese una distancia proporcional al cuadrado del tiempo de descenso; en otras palabras, la gravedad hacía la aceleración uniforme. Puso unas esferas en un plano inclinado, de manera que consiguió frenar su caída lo suficiente para medir la distancia y el tiempo, y al dejar

que las bolas cayesen fuera de la tabla y marcasen su impacto en el suelo, demostró que la distancia recorrida dependía de la velocidad de lanzamiento, pero que todos los proyectiles tardaron el mismo tiempo en golpear el suelo. Trazando sus trayectorias, demostró, y probó matemáticamente, que un proyectil seguía una trayectoria parabólica, con lo que de manera concluyente refutó la teoría aristotélica.

El legado más importante de Galileo, sin embargo, fue el germen del método científico en sí: el experimento y la observación se pueden utilizar para probar la validez de una descripción matemática propuesta de un fenómeno.

Dibujo de la Luna de Galileo que muestra los cráteres lunares siendo él la primera persona en verlos.

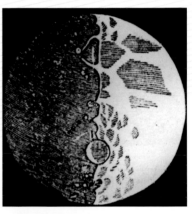

Páginas de un cuaderno de Galileo que muestran la facilidad que tenía para el cálculo.

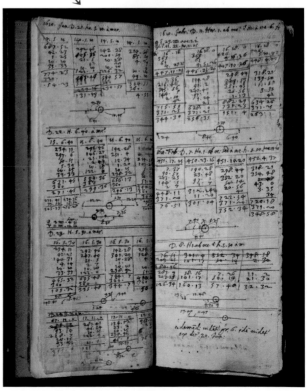

DESCARTES: LAS MATEMÁTICAS CONTRA EL GENIO MALIGNO

Para muchas de las grandes mentes del siglo XVII, la naturaleza del Universo fue una pregunta cuya respuesta eran las matemáticas. Esto fue así para el filósofo, científico y matemático francés René Descartes (1596-1650), que pasó toda su vida tratando de construir un sistema unificado de conocimiento a partir de cero, utilizando las matemáticas como fundamento.

UN SUEÑO DE GEOMETRÍA

Nacido en una familia distinguida, Descartes fue educado por los jesuitas, después de pasar la mayor parte de sus primeros años en cama debido a problemas de salud. Disfrutó de las matemáticas desde una edad temprana y en el colegio de los jesuitas se convirtió en su asignatura favorita «debido a la certeza de sus pruebas y a la lógica de su razonamiento». Después de graduarse, estudió en la Universidad de Poitiers, donde consiguió un título en derecho, y luego trabajó como ingeniero militar.

Sin embargo, en noviembre de 1619 se dedicó a tiempo completo a las actividades intelectuales por un sueño en el que tuvo la revelación de que la física podía ser reducida a la geometría y que todas las ciencias podrían estar conectadas por las matemáticas. Escribió en líneas generales un nuevo método de investigación que resolvería todos los problemas de la filosofía natural, con base en la manera que se hizo la geometría, por ejemplo, en Euclides. Pasaría el resto de su vida persiguiendo este sueño y esta revelación de su juventud.

GEOMETRÍA ANALÍTICA

En 1637, Descartes publicó un tratado filosófico, *Discurso del método*, donde expuso sus ideas sobre cómo hacer filosofía e incluyó como apéndice una demostración práctica de su método que daba un nuevo enfoque a la geometría. El apéndice, llamado *La Géométrie*, es generalmente considerado como el texto fundador de la geometría analítica, donde se inició la fusión de la geometría y el álgebra que posteriormente hizo posible el desarrollo del cálculo (*ver* p. 156).

El matrimonio que hacía Descartes del álgebra y la geometría se basaba en la comprensión de que cualquier ecuación algebraica podría resolverse a través de la geometría, si las cantidades en cuestión se tomaban como las coordenadas de puntos. Una serie de puntos es una curva (en matemáticas, el término «curva» incluye

Grabado de René Descartes.

UNA PERSONA NO MADRUGADORA

Desde la infancia, Descartes se acostumbró a levantarse tarde. Sin embargo, en 1649 obtuvo un puesto como tutor personal de matemáticas de la reina Cristina de Suecia y se consternó al saber que ella esperaba que sus lecciones empezasen a las cinco de la mañana. Incapaz de hacer frente a las frías mañanas de Estocolmo, Descartes enfermó de neumonía y murió en febrero de 1650.

DISCOVRS
DE LA METHODE

Pour bien conduire fa raifon, & chercher
la verité dans les fciences.

Si ce difcours femble trop long pour eftre tout leu en vnefois, on le pour-
ra diftinguer en fix parties. Et en la premiere on trouuera diuerfes
confiderations touchant les fciences. En la fecunde, les principales re-
gles de la Methode que l'Autheur a cherché. En la 3, quelques vnes
de celles de la Morale qu'il a tirée de cette Methode. En la 4, les
raifons par lefquelles il prouue l'exiftence de Dieu, & de l'ame hu-
maine, qui font les fondemens de fa Metaphyfique. En la 5, l'ordre
des queftions de Phyfique qu'il a cherchées, & particulierement
l'explication du mouuement du cœur, & de quelques autres difficul-
tez, qui appartiennent à la Medecine, puis auffi la difference qui eft
entre noftre ame & celle des beftes. Et en la derniere, quelles chofes
il croit eftre requifes pour aller plus auant en la recherche de la Na-
ture qu'il n'a efté, & quelles raifons l'ont fait efcrire.

L E bon fens eft la chofe du monde la *PREMIERE*
PARTIE.
mieux partagée : car chafcun penfe en
eftre fi bien pouruû, que ceux mefme qui
font les plus difficiles à contenter en tou-
te autre chofe, n'ont point couftume d'en
defirer plus qu'ils en ont. En quoy il n'eft pas vray fem-
blable que tous fe trôpent : Mais pluftoft cela tefmoigne
que la puiffance de bien iuger, & diftinguer le vray
d'auec le faux, qui eft proprement ce qu'on nomme le
bon fens, ou la raifon, eft naturellement efgale en tous
les hommes ; Et ainfi que la diuerfité de nos opinions ne
vient pas de ce que les vns font plus raifonnables que les
autres,

Primera página de la edición de 1658 del «Discurso del método», de Descartes.

líneas rectas). Cualquier ecuación en la que una variable está relacionada con otra (es decir, una ecuación con x e y) define una curva, lo que significa que cualquier ecuación algebraica se puede resolver con la geometría y que cualquier problema geométrico puede describirse con álgebra.

El uso de Descartes de la geometría de coordenadas (ver p. 146) dio lugar a lo que ahora se llama geometría cartesiana, aunque su versión inicial no era la misma que la actual. Por ejemplo, Descartes no extendió los ejes hacia los negativos (la forma cuadrante conocida de un gráfico cartesiano fue introducida por Newton muchas décadas más tarde), y sus ejes no eran siempre en ángulo recto. Pero sí que introdujo y popularizó muchas innovaciones utilizadas hoy en día, como el uso de las letras del principio del alfabeto (a, b, c) para las constantes conocidas y las letras del final (x, y, z) para las variables desconocidas. Descartes también utilizó exponentes para los índices, aunque seguía escribiendo a^2 como aa.

Una de sus innovaciones más importantes fue la de rechazar la antigua censura de la homogeneidad. Los antiguos griegos trabajaron con dimensiones reales, de modo que x o y especificaban la longitud de una línea; esto significaba a su vez que x^2 debía ser un área y x^3 un volumen. Pero esto también significaba que, por ejemplo, x^2 no podría ser igual a y, porque eran diferentes tipos de cantidad. Descartes eliminó este problema definiendo x, x^2 y x^3 como partes de una línea, y aunque él no acababa de dar el salto final y las considera cantidades sin dimensión (es decir, números puros), su nuevo

tratamiento permitió la posibilidad de mayores potencias de x (x^4, x^5 y así sucesivamente) y abrió la puerta a la geometría más allá de las tres dimensiones.

EL DEMONIO Y EL CEREBRO EN LA CUBETA DE DESCARTES

Para Descartes, las matemáticas eran la fuente última de la certeza en el mundo. Hoy en día, es más famoso como filósofo, y una de sus ideas más conocidas es un experimento mental conocido como el genio maligno de Descartes (donde «genio» se entiende como demonio). Descartes preguntó: ¿cómo podemos estar seguros de que realmente estamos viviendo y sintiendo el mundo exterior, en lugar de un simulacro provocado por un demonio que trata de engañarnos? La versión moderna de este experimento mental es el cerebro en una cubeta, en el que un cerebro sin cuerpo flotando está en un tanque de líquido, conectado a un superordenador que simula una realidad virtual totalmente convincente. ¿Cómo sabe el lector que este no es su caso, mientras está leyendo esto? Esta hipótesis es la base para la película *Matrix*, entre otras. Para Descartes, esta fue la última declaración de la posición filosófica conocida como el escepticismo: ¿cómo podemos saber nada con seguridad? La respuesta de Descartes fue comenzar con la declaración más simple que se puede hacer acerca de la realidad de uno mismo: *cogito ergo sum*, «pienso, luego existo». Pero también consideró las matemáticas como la respuesta al problema del escepticismo, porque las verdades matemáticas son irrefutables y necesarias. Por ejemplo, dos más dos debe ser igual a cuatro, sea la realidad o no una simulación de un genio maligno.

Escena de «Matrix», cuya premisa principal es la hipótesis del cerebro en la cubeta.

GRÁFICAS Y COORDENADAS

Las gráficas modernas, como las que se enseñan en los colegios, tienen lo que se conoce como coordenadas cartesianas y se dibujan en el plano cartesiano (estos términos también se conocen como coordenadas rectangulares en el plano rectangular, respectivamente). El conjunto más simple posible de coordenadas rectangulares o cartesianas es un par de líneas perpendiculares numéricas (llamados ejes), con incrementos uniformes.

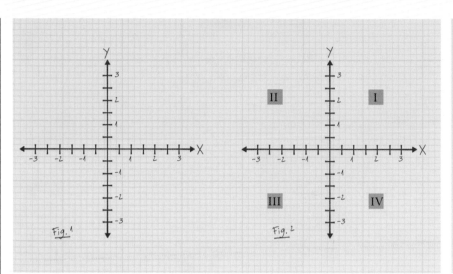

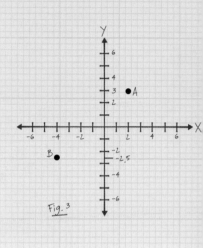

Esto significa que cada punto en cada eje es una unidad entera de diferencia, y las unidades se separan de forma equitativa. La línea horizontal se conoce como el eje x, y la vertical, como el eje y. Las dos líneas de números se intersecan en sus puntos cero y ambas se alargan para incluir puntos numerados negativos de modo que toda la disposición da el cuadrante conocido (Figura 1). A veces los cuadrantes están numerados I, II, III y IV, en sentido antihorario. Cuadrante I es donde tanto x como y son positivos; II es donde x es negativo e y es positivo; III es donde tanto x como y son negativos; y IV es donde x es positivo e y es negativo (Figura 2).

COORDENADAS

Los puntos trazados en coordenadas cartesianas se especifican como pares de números, conocidos como pares ordenados. Por ejemplo, en la figura 3, el punto A está definido por el par ordenado (2,3); el primer número representa el valor en el eje x (es decir, la longitud del

punto) y el segundo número representa el valor en el eje y (la altura del punto). Por convención, los números se separan por una coma, pero sin espacios. Se dice que el par está «ordenado» porque el orden es importante: (2,3) no es el mismo punto que (3,2). El punto B tiene dos coordenadas negativas, dando el par ordenado (-4, -2,5). El punto (0,0) se llama el origen.

En general, en un gráfico con los ejes x e y, la x representa la variable independiente y la y es la variable dependiente, llamado así porque su valor depende del valor de x. En un par ordenado de valores x e y, la coordenada variable independiente (es decir, el valor de x) se llama abscisa, y la coordinada variable dependiente (el valor y) se llama la ordenada.

GRÁFICAS SIMPLES

Las gráficas en un plano cartesiano representan una relación entre dos variables. La relación entre x e y siempre se puede escribir de manera que y se exprese en términos de x. La Fig. 4 muestra cuatro relaciones simples para ilustrar el punto:

A: $y = 5$

B: $y = x + 1$

C: $y = 2x$

D: $y = x^2$

Parece que el primer ejemplo no presenta ninguna x, pero en realidad es lo mismo que escribir $y = 5x^0$ porque cualquier cosa a la potencia 0 es 1; en consecuencia, el término redundante se elimina.

Cada una de estas cuatro relaciones define una curva (recordemos que una línea recta se considera un tipo de curva). Para calcular la curva correspondiente a cada relación, todo lo que hay que hacer es calcular el valor de y que se corresponda con el valor de x cuando x crece. En la primera relación, el valor cambiante de x no tiene efecto sobre el valor de y, por lo que la relación simplemente describe una línea recta horizontal que corta el eje y en 5. En la segunda relación, y es siempre una unidad más alta que x, de modo que en $x = 1$, $y = 2$, etc. Esto describe una línea recta en un ángulo de 45° que corta el eje y en 1 y el eje x en -1. La tercera relación describe una línea recta con una pendiente mucho más pronunciada (*ver* p. 160) que pasa por el origen (0,0). La cuarta relación describe una curva conocida como una parábola que se apoya en el origen y luego sube a cada lado y es simétrica en torno al eje y.

NI INÚTIL NI ABSURDA

La línea numérica que proporciona cada eje de un gráfico cartesiano parece una idea simple y evidente, sin embargo, es sorprendentemente reciente y polémica, ya que hace que los números negativos sean reales, en el mismo sentido que los números contables positivos son reales. Muchos matemáticos y filósofos alegaron con vehemencia que los números negativos eran ficciones absurdas, señalando que es imposible tener algo menor que nada. La línea numérica se mostró por primera vez en una impresión del matemático británico John Wallis en 1685. Este no aceptó inequívocamente los números negativos en general, pero en un pasaje sobre el uso de los negativos en álgebra señaló que «las cantidades negativas no son ni inútiles ni absurdas, cuando se comprenden correctamente». Wallis puso el ejemplo de un hombre que camina hacia delante 5 metros desde el punto A, a continuación retrocede 8 metros, y entonces hacía la pregunta «¿dónde está ahora desde su punto de partida?». La respuesta que Wallis dio fue -3 metros e ilustró el ejemplo con una línea numérica, lo que provocó que su contemporáneo Newton usara rectas numéricas perpendiculares para producir un gráfico cuadrante del tipo ubicuo.

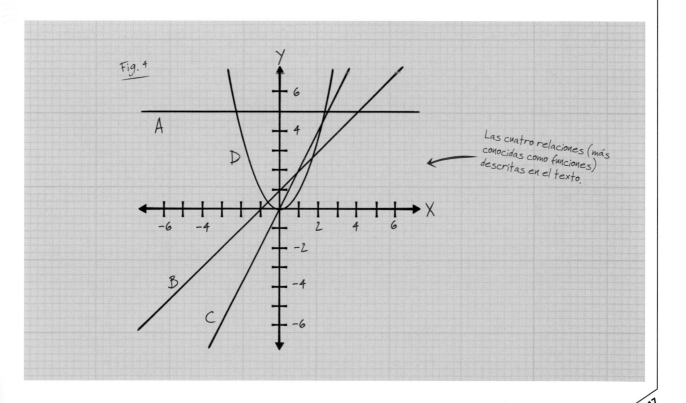

Fig. 4

Las cuatro relaciones (más conocidas como funciones) descritas en el texto.

FERMAT Y SUS TEOREMAS

Pierre de Fermat (1601-1675) fue un abogado, magistrado, clasicista y lingüista francés, y probablemente uno de los más grandes matemáticos «aficionados» de todos los tiempos. Hoy en día, es más conocido por su último teorema, pero ese fue solo uno de los muchos que realizó, la mayoría de los cuales estaban en el campo de la teoría de números, un área de las matemáticas que inició la era moderna.

Pierre de Fermat con los accesorios de su afición.

EL BROMISTA MATEMÁTICO

Fermat no publicó casi nada como tal, sino que sus logros se distribuyeron únicamente a través de su correspondencia. Gran parte de esta estaba dirigida a Marin Mersenne (1588-1648), un monje francés que

tuvo un papel vital en la efervescencia matemática de la Francia del siglo XVII, actuando como centro de intercambio de correspondencia entre los matemáticos, sobre todo en el campo de la teoría de números. La estrategia favorita de Fermat era emitir un teorema sin una demostración que lo acompañase, desafiando así a otros a probarlo. Como resultado, había un cierto escepticismo sobre si realmente obtenía todas las pruebas que él decía.

EL ÚLTIMO TEOREMA

El ejemplo más famoso es el que se conoce como el «último teorema de Fermat», llamado así porque fue el último de sus muchos teoremas que debía probarse. En su ejemplar de la *Arithmetica* de Diofanto, Fermat escribió una nota en el margen junto a la sección titulada «Dividir un número cuadrado en otros dos números cuadrados». Las ternas pitagóricas (*ver* p. 66) son un ejemplo de una construcción de este tipo, que tiene la forma $a^2 + b^2 = c^2$. La nota que Fermat escribió decía que era imposible llegar a una construcción de este tipo para cualquier potencia superior a 2, por lo que, por ejemplo, no podía haber un conjunto de tres enteros como $a^3 + b^3 = c^3$. Dicho de una manera más general, el último teorema de Fermat dice que no hay tres números enteros positivos que puedan cumplir con la ecuación $a^n + b^n = c^n$ para $n > 2$ (el símbolo> significa «mayor que»). Junto a esta afirmación, escribió: «he descubierto para el hecho una demostración excelente. Pero este margen es demasiado pequeño para que quepa en él».

Esta afirmación más bien fortuita desató 300 años de investigación intensos a medida que otros intentaban recrear esta demostración mítica, y hubo que esperar para la resolución de esta teoría de números hasta finales del

Andrew Wiles demostró el último teorema de Fermat.

amarga disputa sobre la prioridad con Descartes (*ver* p. 144). Al igual que Descartes, Fermat sugirió el uso de un tercer eje para extender la geometría analítica a tres dimensiones. También trabajó en los infinitesimales y los métodos de búsqueda de tangentes a la curva que prefiguraron el cálculo de Newton y Leibniz (*ver* p. 156). Quizás igual de importante fue su correspondencia con Blaise Pascal, que le llevó al desarrollo de un nuevo campo de las matemáticas, la probabilidad (*ver* p. 150). Su aportación principal puede describirse como el cálculo para averiguar si la probabilidad de que dos eventos independientes, p y q respectivamente, ocurran a la vez es $p \times q$.

Fermat escribió su nota en el margen del problema VIII de la «Arithmetica», de Diofanto.

siglo XIX y casi principios del XX. Se establecieron premios para recompensar a quien pudiera lograrlo, y no fue hasta 1995 cuando se declaró probado. El matemático británico Andrew Wiles recogió un cheque por el logro, pero la demostración de Wiles utilizaba ramas de las matemáticas desconocidas para Fermat, por lo que no pudo haber sido demostración suya. Así que, de hecho, la búsqueda de la demostración perdida de Fermat sigue, aunque muchos dudan de que hubiese obtenido una realmente.

OTROS TEOREMAS

Fermat enunció muchos otros teoremas, incluyendo el que se conoce como el «pequeño teorema de Fermat», que concierne números primos grandes y que se utiliza hoy en día en los sistemas de seguridad de tarjetas de crédito, y su teorema sobre la suma de dos cuadrados. Este último establece que cualquier número primo impar será la suma de dos números cuadrados si, y solo si, deja un resto de 1 cuando se divide por 4. Por ejemplo, 13 es un número primo impar, y es la suma de $3^2 + 2^2$ (es decir, $9 + 4$); al dividirlo por 4 y se obtiene 3 con un resto de 1. Esto funciona para cualquier número primo impar que cumple el criterio, por ejemplo, 5 (que es $1^2 + 2^2$), 41 ($4^2 + 5^2$) y 79.601 ($200^2 + 199^2$).

De forma independiente, Fermat también descubrió un tipo de geometría analítica, lo que provocó una

CUESTIÓN DE AZAR

Entre las aplicaciones del mundo real más importantes de las matemáticas está el campo de la probabilidad y las matemáticas de azar y probabilidad. La teoría de probabilidad permite calcular cualquier cosa con precisión matemática, desde la caída de los dados a la prima que debemos pagar por un seguro. Es aplicable a aspectos y campos tan diversos que ha atraído a muchos estudiosos.

Los seres humanos han disfrutado de los juegos de azar desde tiempos prehistóricos, pero no fue hasta el siglo XVII que los principios de la teoría de probabilidad fueron elaborados por primera vez por dos de los grandes matemáticos de la época, Pierre de Fermat (*ver* p. 148) y Blaise Pascal (*ver* p. 152). En una correspondencia que ahora se ha hecho famosa, Fermat y Pascal descubrieron la solución al problema de un jugador muy conocido llamado «el problema de los puntos».

EL PROBLEMA DE LOS PUNTOS

Este problema originalmente estaba ligado a un juego de dados, pero por la simplicidad se describe mejor utilizando un lanzamiento de una moneda. Imaginemos que Pascal y Fermat están jugando a un juego de lanzar una moneda por dinero. Pascal ha elegido cara y Fermat, cruz. Cada uno ha apostado 50 francos, y el primero que gane 10 lanzamientos se llevará 100 francos. Después de 15 lanzamientos, cara ha salido 8 veces y cruz solo 7, en otras palabras, Pascal tiene una ventaja de 8:7. Pero antes de que el juego pueda acabar, llaman a Pascal por una citación de urgencia y ambos tienen que acordar un reparto justo del dinero. Podrían simplemente declarar a Pascal el ganador, ya que estaba por delante, pero es posible que Fermat le superase si el juego hubiese continuado, así que esto parecía injusto. Podrían dividir el dinero en 8:7 para reflejar los resultados alcanzados, pero una solución de este tipo en realidad no reflejaría la realidad de la situación, ya que era más probable que Pascal llegase a 10 primero y se llevase el bote entero. Pascal y Fermat se dieron cuenta de que la pregunta clave era, «¿cuánto más probable?».

Fermat escribió a Pascal, sugiriéndole una solución inteligente. Si el juego hubiese continuado, habría habido un máximo de cuatro lanzamientos de moneda; después de cuatro lanzamientos más de la moneda, uno de los hombres, inevitablemente, habría alcanzado los puntos adicionales necesarios para llegar a 10. O bien Pascal habría ganado al menos dos de los lanzamientos, o Fermat habría ganado al menos tres. Fermat seguidamente pasó a contabilizar los 16 resultados posibles que el juego podría haber tenido (con C permanente para cara y X para cruz), como CCCC, XXCC, XXCX, etc., y luego contar cuántos habrían dado lugar a una victoria para Pascal (*ver* abajo). De los 16 resultados posibles, cada uno igualmente probables, 11 harían a Pascal el ganador y 5 harían a Fermat el ganador, por lo que el bote se debe dividir 11:5 a favor de Pascal (es decir, él debe recibir $^{11}/_{16}$ del bote). Esta es una manera de decir que la probabilidad de que Pascal ganase el juego era de $^{11}/_{16}$.

Posibles resultados del lanzamiento de moneda de Fermat y Pascal (en cursiva y subrayado se indican los resultados favorables para Pascal):

CCCC
CCCX
CCXC
CCXX
CXCC
CXCX
CXXC
CXXX
XCCC
XCCX
XCXC
XCXX
XXCC
XXCX
XXXC
XXXX

Obviamente, algunos de los lanzamientos serían redundantes en algunas de estas secuencias, por ejemplo, si los dos primeros salían cara, Pascal ya sería el ganador. De lo que Fermat se había dado cuenta era de que la inclusión de los lanzamientos redundantes hacía cada secuencia igualmente probable, y por lo tanto comparable. Al contar el número de resultados igualmente probables, es posible llegar a la probabilidad de un suceso. La probabilidad de un suceso (por ejemplo, ganar un juego de azar) es el número de maneras igualmente probables en que el evento podría ocurrir dividido por el número total de posibles resultados. En este caso hubo 11 formas igualmente probables en que podría producirse la victoria de Pascal, de un total de 16 resultados posibles.

TABLA DE MORTALIDAD DE LONDRES

John Graunt (1620-1674) fue un comerciante de Londres que recolectó datos sobre nacimientos y muertes y utilizó las estadísticas para predecir la esperanza de vida. En la tabla de mortalidad de Londres, mostró cuántas de cada 100 personas podrían sobrevivir durante 10, 20, 30, 40 años y así sucesivamente, hasta 100. Esto sentó las bases de la ciencia actuarial, uno de los usos prácticos más importantes de la probabilidad. Las tablas actuariales se utilizan para establecer las primas de seguros, por ejemplo.

El antiguo Puente de Londres, en el siglo XVII.

PROBABILIDAD SIMPLE

Teniendo en cuenta la distinción entre un suceso y un resultado, ahora podemos utilizar la siguiente fórmula para calcular la probabilidad (P) de un suceso:

P (suceso) = número de formas en que un suceso puede ocurrir / número total de posibles resultados

Debido a que la parte superior de esta fórmula debe, por definición, ser más pequeña que la parte inferior, una probabilidad (P) siempre se expresa como un número entre 0 y 1. Si P = 0, un evento nunca ocurrirá; si P = 1, sin duda se producirá un suceso.

Sumando las probabilidades de los sucesos individuales, podemos calcular la probabilidad de resultados múltiples (con tal de que se excluyan mutuamente), de manera que P (A o B) = P (A) + P (B). Por ejemplo, la probabilidad de obtener un 1 o un 6 en un dado es P (1) + P (6) = $^1/_6$ + $^1/_6$ = $^2/_6$ = $^1/_3$.

Si dos sucesos no son mutuamente excluyentes, entonces P (A o B) = P (A) + P (B) - P (A y B). Por ejemplo, la probabilidad de sacar un diamante o un rey de una baraja de 52 cartas es P (sacar un diamante) + P (sacar un rey) , P (sacar un rey de diamantes) = $^{13}/_{52}$ + $^4/_{52}$, $^1/_{52}$ = $^{16}/_{52}$ = $^4/_{13}$ (aproximadamente 0'3).

Al multiplicar probabilidades, podemos calcular la probabilidad de múltiples sucesos independientes que ocurran. La fórmula para la probabilidad de que dos eventos independientes se produzcan es P (A y B) = P (A) × P (B). Por ejemplo, la probabilidad de lanzar dos caras seguidas es P (C) × P (C) = $^1/_2$ × $^1/_2$ = $^1/_4$ o 0'25.

ALGUNAS PROBABILIDADES SIMPLES

El azar y la probabilidad son una parte integral de la vida cotidiana, pero son más evidentes en los juegos de azar. A continuación se presentan algunos ejemplos comunes:
- La probabilidad de que en un lanzamiento de monedas salga cara arriba, P (H) es ½ o 0'5.
- La probabilidad de que en un lanzamiento de dados salga 6, P (6), es $^1/_6$ o aproximadamente 0'167.
- La probabilidad de sacar un número par con un solo dado, P (par), es $^3/_6$ o 0'5.
- La probabilidad de sacar un diamante de una baraja de 52 cartas, P (diamante), es $^{13}/_{52}$ = $^1/_4$ o 0'5.

PASCAL Y SU TRIÁNGULO

El triángulo de Pascal es una disposición triangular de números realizados por la suma de pares de números vecinos para dar los números por debajo de ellos. Se llama así en honor al matemático francés Blaise Pascal (1623-1662), a pesar de que ya había sido descrito varias veces antes. El persa al-Karaji había elaborado una versión en el siglo x, mientras que en China se conoce como el triángulo de Yang Hui por el matemático del siglo xiii y en Italia es llamado como el triángulo de Tartaglia (ver p. 128).

REPLETO DE NÚMEROS

Pascal enunció el triángulo como una tabla conveniente de coeficientes binomiales. Un binomio es una expresión con dos términos que son operados únicamente por operaciones aritméticas sencillas. Por lo general, toman la forma $(x + y)^n$. Al expandir la expresión (es decir, multiplicar los corchetes), se obtiene una serie de términos, cada uno con un coeficiente (un número que multiplica un término). Por ejemplo, la ampliación de la expresión $(x + y)^2$ da $x^2 + 2xy + y^2$, donde los coeficientes son 1, 2 y 1 (un coeficiente de 1 no se muestra en un término porque es redundante). Si se hace una tabla de las expansiones de los diferentes órdenes de binomios, hay un patrón en los coeficientes evidente (*ver* tabla abajo).

Las contribuciones de Pascal incluyen una investigación a fondo de los diversos patrones y propiedades del triángulo, algunas de las cuales son opuestas (recuerda que la fila superior y las diagonales exteriores son conocidas como las cero, no las primeras):

- Después de la diagonal exterior de 1, la siguiente diagonal son los de cómputo o números naturales (1, 2, 3, 4, 5,...); la de después son los números triangulares (1, 3, 6, 10, 15,...); la siguiente son los números triangulares piramidales (1, 4, 10, 20, 35,...).

El brillante matemático francés Blaise Pascal, que murió trágicamente joven.

Binomio	Expansión	Coeficientes
$(x + y)^0$	1	1
$(x + y)^1$	$x + y$	1, 1
$(x + y)^2$	$x^2 + 2xy + y^2$	1, 2, 1
$(x + y)^3$	$x^3 + 3x^2y + 3xy^2 + y^3$	1, 3, 3, 1
$(x + y)^4$	$x^4 + 4x^3y + 6x^2y^2 + 4xy^3 + y^4$	1, 4, 6, 4, 1
$(x + y)^5$	$x^5 + 5x^4y + 10x^3y^2 + 10x^2y^3 + 5xy^4 + y^5$	1, 5, 10, 10, 5, 1

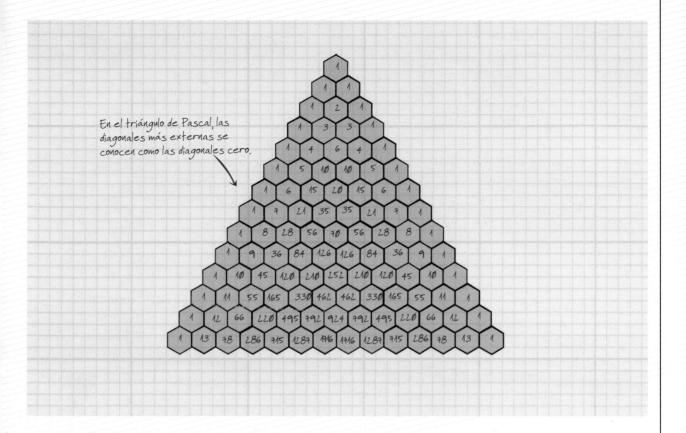

En el triángulo de Pascal, las diagonales más externas se conocen como las diagonales cero.

- Si el primer elemento de una fila es un número primo, todos los otros números en la fila superior a 1 son divisibles por él. Por ejemplo, en la fila 7 (que tiene los elementos 1, 7, 21, 35, 35, 21, 7, 1), los números 7, 21 y 35 son divisibles por 7. Esta propiedad se repite siempre.
- La suma de los números en la fila n es igual a 2 elevado a la n potencia (es decir, 2^n). Por ejemplo, para la segunda fila, $n = 2$, y $2^2 = 1 + 2 + 1 = 4$;

para la cuarta fila, $n = 4$ y $2^4 = 1 + 4 + 6 + 4 + 1 = 16$.
- Si presentas una fila en un solo número mediante el uso de cada elemento como un dígito del número (arrastrándolos cuando un elemento tiene más de un dígito), el número es igual a 11 a la n potencia, donde n es el número de la fila.
- La suma de cada diagonal oblicua da los números de Fibonacci (*ver* p. 117) en secuencia.

Número de fila	Potencia de 11	Resultado de la potencia de 11	Números en la fila real
Fila 0	0	1	1
Fila 1	1	11	11
Fila 2	2	121	1 2 1
Fila 3	3	1331	1 3 3 1
Fila 4	4	14641	1 4 6 4 1
Fila 5	5	161051	1 5 10 10 5 1
Fila 6	6	1771561	1 6 15 20 15 6 1
Fila 7	7	19487171	1 7 21 35 35 21 7 1
Fila 8	8	214358881	1 8 28 56 70 56 28 8 1

HEXAGRAMAS MÍSTICOS Y BARÓMETROS DE MERCURIO

El triángulo de Pascal era solo un área de investigación entre muchas (matemáticas, ciencia y filosofía) que Pascal abarcó en su trágicamente corta vida. Siendo un niño prodigio cuya madre había muerto cuando él tenía tres años, Pascal recibió una educación matemática no convencional de su padre, un matemático y recaudador de impuestos, asistiendo a reuniones dirigidas por Mersenne (*ver* p. 148), donde habría conocido a muchos de los iluminados de Francia del siglo XVII. Con solo 16 años, hizo su primer descubrimiento original, ahora conocido como el teorema de Pascal o hexagrama místico de Pascal, que establece que cuando seis puntos en un tipo de curva cónica (la curva que se forma cuando un avión se cruza con un cono) se unen para formar un hexágono, la intersección de los tres pares de lados opuestos se cruza con una línea recta. Más tarde, en correspondencia con Fermat, inventó la teoría de probabilidad (*ver* p. 150) y también simplificó el laborioso método de Fermat de contar posibles resultados mediante el uso de su triángulo: la suma de la fila correspondiente al número de sucesos necesarios para resolver un juego daba el número de posibles resultados.

En 1646, Pascal se acercó a la religión, convirtiéndose en un jansenista apasionado (una secta austera del catolicismo), y continuó haciendo importantes descubrimientos. En 1658-1659, desarrolló una versión del cálculo integral, que él llamó la «teoría de los indivisibles», más de una década antes que Newton (*ver* p. 158). También inventó una máquina calculadora (*ver* recuadro «La Pascalina») e hizo un trabajo importante sobre las presiones en líquidos y gases. Demostró el principio del barómetro (que la altura de una columna de mercurio depende de la presión de la atmósfera circundante), abriendo un nuevo mundo de la predicción del tiempo y medición de altitud; también demostró que el espacio en la parte superior de la columna de mercurio era un vacío. Su trabajo pionero sobre la hidrostática, incluyendo su descubrimiento de lo que ahora se conoce como el principio de Pascal, que dice que en un fluido encerrado se ejerce una presión por igual en todas las direcciones, ha sido reconocida con el uso de su nombre para la unidad científica estándar de la presión: 1 pascal = 1 newton por metro cuadrado. Pascal murió de cáncer de estómago a la edad de 39, habiendo diseñado un sistema de transporte público de París, justo antes de su muerte.

LA APUESTA DE PASCAL

En su último libro, *Pensées* («Pensamientos»), que quedó inconcluso debido a su muerte prematura, Pascal dio un famoso argumento para creer en Dios. Más o menos se resume con la proposición de que si Dios no existe, de todos modos no se pierde nada al creer, pero si Dios existe, se gana «una vida infinitamente feliz», así que tiene sentido que en el balance de riesgos para ser recompensado haya que creer en Dios. Este argumento es un precursor intrigante de la teoría de juegos (*ver* p. 178), en la que la mejor estrategia de un participante racional depende de la relación riesgo-recompensa de posibles cursos de acción. Muchos se han planteado objeciones sobre la apuesta de Pascal. ¿Se puede cambiar de creencia a voluntad? ¿Hay algún valor en creer por el propio interés? ¿En qué deidad debe uno creer? ¿Se refería Pascal solo a Dios en su denominación particular del catolicismo o servirá cualquier deidad como Odin o Kali, por ejemplo?

Primera aparición de lo que se conoció como el triángulo de Pascal, en la portada de «Kauffmann Rechnung», de Petrus Apianus, en 1527.

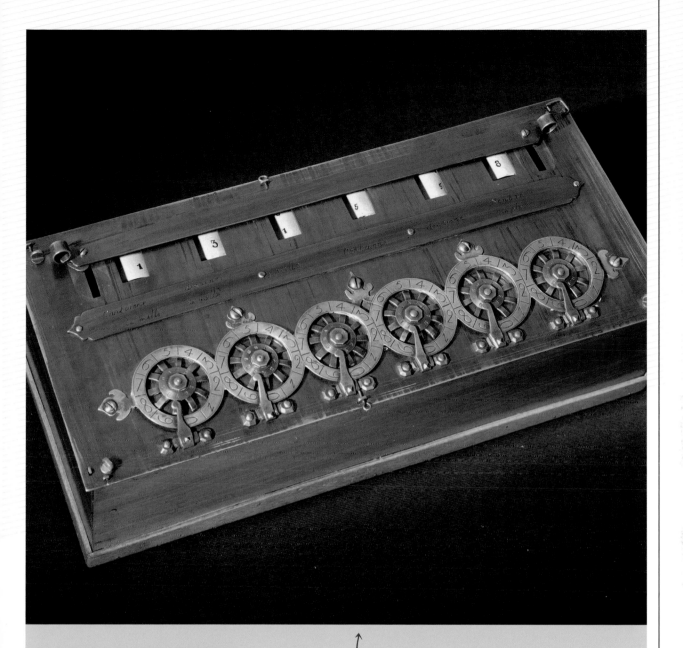

Calculadora Pascalina con los diales utilizados para establecer las cantidades y las ventanas de lectura.

LA PASCALINA

En 1642, a la edad de 18 años, Pascal diseñó y construyó por primera vez una de las máquinas de sumar con el fin de ayudar a su padre (recaudador de impuestos) con la rutina de cálculo. Conocida como la Pascalina, el artefacto tomó la forma de una caja de latón rectangular que contenía un número de ruedas y una serie de esferas en la parte superior. Las esferas estaban preparadas para los números correspondientes con un lápiz, el mango se retiraba y la respuesta aparecía en pequeñas ventanas en la parte superior. La primera Pascalina podría manejar solo los números de cinco dígitos, pero Pascal intentó comercializar su dispositivo, con el tiempo construyó 50 de ellas, y los modelos posteriores podían manejar hasta ocho dígitos. La Pascalina básicamente hacía todo mediante la adición. Convirtiendo el número a restar en su complementario, la resta se pudo realizar por adición. La multiplicación podía hacerse mediante la adición repetida (el mismo método utilizado por los ordenadores modernos) y la división por sustracción. Aunque ingeniosas, las máquinas también fueron caprichosas y poco fiables, e incluso un ligero golpe podía hacer que la máquina diese una respuesta equivocada.

PRIORIZANDO EL CÁLCULO: NEWTON Y LEIBNIZ

El cálculo es una herramienta matemática para trabajar con curvas, en particular para determinar la pendiente de una curva y el área bajo la misma. Los antiguos babilonios y egipcios supieron encontrar la inclinación o pendiente de una línea recta (ver p. 26) y la forma de calcular el área debajo de ella.

Los matemáticos griegos antiguos habían calculado los volúmenes de algunas formas curvas, como esferas, y se habían enfrentado a problemas como el cálculo del volumen de vino contenido en un tarro con lados curvos, el mismo problema que llamó la atención de Kepler (*ver* p. 141). En los siglos XVI y XVII, eran los problemas de movimiento los que estaban bajo escrutinio, la trayectoria curvada de balas de cañón a través del aire, la aceleración de los objetos por la gravedad y las órbitas elípticas de los planetas , y estos nuevos métodos matemáticos requerían tener que lidiar con curvas. Durante el siglo XVII, muchas de las grandes mentes de las matemáticas europeas trabajaron en este problema, y esto llevó al desarrollo de lo que más tarde sería conocido como el cálculo.

ENFOQUE APROXIMADO

Los antiguos matemáticos griegos Eudoxo y Arquímedes, utilizando el método de agotamiento, habían desarrollado versiones de la integración, la operación de encontrar el área bajo una curva. Sin embargo, la diferenciación, encontrar la pendiente de una curva en un punto, fue otro reto. La geometría analítica de Descartes y sus coordenadas cartesianas (*ver* p. 146) ofrecieron herramientas esenciales tanto para representar como para abordar estos problemas, y durante mucho tiempo hubo un enfoque general a la vista: la aproximación. Al imaginar una curva como una serie de líneas rectas (tangentes) y el área bajo la curva como una serie de rectángulos y triángulos, es posible aproximar integrales y derivadas (los productos de integración y diferenciación, es decir, las áreas y las pendientes, respectivamente). El uso de rectángulos y triángulos cada vez más pequeños (conocidos como «la cuadratura de la curva» o «cuadratura») permitiría una aproximación más cercana, pero aún sería solo una aproximación.

INDICIOS DE UN MÉTODO

En 1665, muchos grandes nombres habían contribuido al desarrollo de métodos para la integración y la diferenciación. Kepler y Galileo habían dado indicios, y el protegido de Galileo, Bonaventura Cavalieri, desarrolló una teoría incorporando los conceptos de ambos. Fermat (*ver* p. 148) encontró las derivadas de algunas curvas específicas (de hecho, algunos historiadores consideran que él es el verdadero padre del cálculo) y un profesor de matemáticas de Cambridge del siglo XVII, Isaac Barrow, describió un método para encontrar derivadas tomando tangentes a las curvas. Sin embargo, fue uno de sus

La habitación en la que Isaac Newton nació en Woolsthorpe Manor, con los instrumentos de astronomía que utilizó a lo largo de su vida.

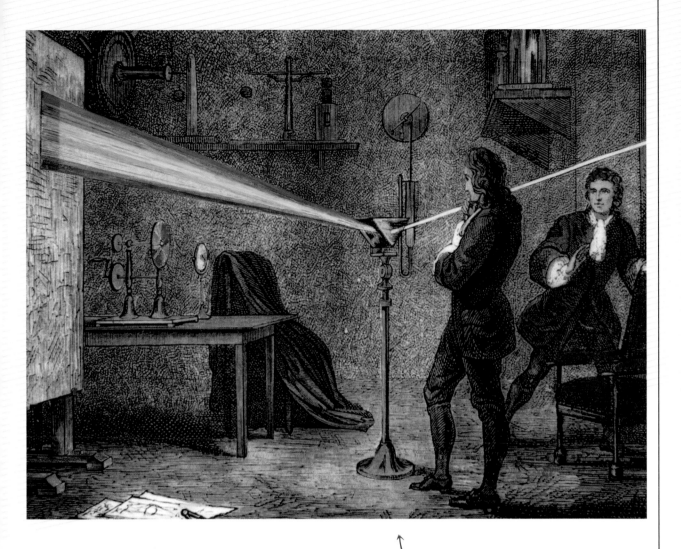

Newton utilizando un prisma para dividir la luz blanca en sus componentes

estudiantes el que solucionó el problema de una vez por todas generalizando lo que había sido anteriormente específico: Isaac Newton. Como Newton reconoció más tarde: «Saqué el indicio de este método a partir de la forma de dibujar tangentes de Fermat y al aplicarla a ecuaciones abstractas, directa e invertidamente, lo hice en general».

SOBRE HOMBROS DE GIGANTES

Isaac Newton (1643-1727), hijo póstumo de clase acomodada, mostró un talento para las matemáticas y la filosofía natural y estudió en la Universidad de Cambridge con Isaac Barrow de profesor. En el periodo de 1665-1666, conocido hoy como su *annus mirabilis* («El año de los milagros»), Newton logró algunos de los mayores descubrimientos matemáticos y científicos de la Historia. Según el estudioso de Newton, Derek Gjertsen, «en un periodo extraordinariamente corto un estudiante de 24 años creó las matemáticas modernas, la mecánica

y la óptica. No hay nada remotamente parecido en la historia del pensamiento».

Newton conseguiría la fama, la fortuna, el título de caballero y el reconocimiento intachable como el gran hombre de ciencia británica. Durante muchos años fue presidente de la Royal Society, la sociedad científica preeminente de la época, después de haber escrito el *Philosophiae Naturalis Principia Mathematica* («Principios matemáticos de filosofía natural», publicado en 1687 y, más conocido como *Principia*), que generalmente se considera el tratado científico más importante que se haya publicado. Hoy en día, Newton es más famoso por su descubrimiento de la ley del cuadrado inverso de la gravedad, que dice que la fuerza de gravedad entre dos objetos varía como el inverso del cuadrado de la distancia entre ambos, y así cuantificó con precisión la ley de la naturaleza que hace que las manzanas caigan y los planetas giren alrededor del Sol. Al reflexionar sobre sus logros, dijo la famosa frase: «Si he logrado ver más lejos, ha sido porque he subido a hombros de gigantes».

Los gigantes en cuestión pueden incluir a hombres como Fermat y Barrow, ya que, basándose en su trabajo, Newton inventó el cálculo, aunque él lo llamó «método de fluxiones». Llamó al índice de cambio instantáneo en un punto particular de la curva (es decir, la derivada) la fluxión, mientras que los cambios de coordenadas x e y de la curva eran los fluentes. Usando este método, calculó una función derivada que da la pendiente en cualquier punto de una curva. Por ejemplo, para la curva $y = 4x$ la derivada (o, para Newton, fluxión) es 4; para $y = x^2$ es $2x$; y para $y = x^3$ es $3x^2$.

Newton también aclaró lo que los matemáticos anteriores, como Barrow, solo habían insinuado: que el «opuesto» de la diferenciación es la integración. Conocido como el teorema fundamental del cálculo, esto indica que la integración es la inversa de la diferenciación y viceversa, por lo que si integras una función y luego la diferencias, la función original se restaura.

Newton describió con más detalle lo que él llamó «método de fluentes» diciendo que era «un método mediante el cual cuadrar esas líneas torcidas que podían elevarse al cuadrado»; hoy en día, esto se llama integración. Fue capaz de lograr esto gracias a su capacidad sin precedentes para trabajar con series infinitas. Newton se dio cuenta de que, en lugar de sumar hasta el infinito, una suma que involucra serie infinita se acercaría a un objetivo finito o límite, y que esto podría ser utilizado para cuadrar una curva , efectivamente, usando rectángulos infinitamente finos para dar el área bajo la curva. Como la anchura de cada rectángulo se aproxima a cero, su suma se aproxima cada vez más estrechamente el área bajo la curva.

TODA UNA ACADEMIA

No obstante la genialidad de los logros de Newton, el cálculo era aparentemente un desarrollo que estaba en el aire. Su hora había llegado, y no mucho después de que Newton inventase, y no publicase, su método de fluxiones, el cálculo fue inventado independientemente por el gran pensador alemán, abogado y diplomático ocasional Gottfried Leibniz (1646-1716). La variedad de logros de Leibniz era extraordinaria, y él fue descrito célebremente por Federico el Grande de Prusia como «toda una academia en sí mismo». En 1673, Leibniz visitó Londres para presentar una máquina calculadora que había ideado y fue elegido miembro de la Royal Society. A continuación, regresó a París, y en los siguientes dos años llegó de forma independiente a las teorías de la serie infinita y el cálculo infinitesimal, teniendo mucho cuidado de diseñar un sistema de notación que pudiese ser fácilmente comprendido y utilizado por otros matemáticos, a diferencia de Newton, que no había hecho ningún esfuerzo para hacer que su teoría difícil de fluxiones fuese accesible a los demás. «En símbolos», escribió Leibniz, «se observa una ventaja en el descubrimiento de que es mayor cuando expresan la naturaleza exacta de una cosa breve y, por así decirlo, imaginarlo; entonces verdaderamente el trabajo de pensamiento es maravillosamente menor».

APORTACIONES DE DOS HOMBRES

El rumor del descubrimiento de Leibniz se filtró y Newton se instó a publicar su propia versión y establecer prioridades, pero Newton odiaba apresurarse (no iba a publicar un informe completo de su propia versión del cálculo hasta el 1704, como un apéndice a su Óptica). Él se limitó a escribir una «patente» cifrada como reivindicación para Leibniz en 1676: «No puedo explicar las fluxiones ahora, he preferido ocultarlo así: 6accdae13eff7i3l9n4o4qrr4s8t12vx». El código daba el número de letras de cada palabra de una frase en latín, que, a su vez, se tradujo en: «Dada una ecuación en la que se encuentran mezcladas diversas fluentes, hallar las fluxiones de estas variables».

Leibniz no fue, sin embargo, disuadido de publicar un relato de su cálculo en 1684, sin hacer mención de Newton. Dejó de lado las preocupaciones sobre la prioridad: «Reconozco que el señor Newton ya tenía los principios... pero uno no llega a todos los resultados en una sola vez; un hombre hace un aporte, otro hombre otro». Newton lo consideró de manera diferente («los segundos inventores no cuentan para nada», insistiría), lanzando una disputa feroz y muy personal a través de representantes y, finalmente, usando su posición en la Royal Society produjo un informe injurioso que hablaba de un intento de asesinato moral de Leibniz. Mucho tiempo después de la muerte de Leibniz, en 1716, Newton se regodeó de que «rompió el corazón de Leibniz con su respuesta».

Retrato de Leibniz, con una impactante peluca.

Newton, en el apogeo de sus facultades, dos años después de la publicación de «Principia».

¿QUÉ ES UNA SERIE INFINITA?

Las series infinitas son sumas compuestas por un número infinito de términos. Por ejemplo, supongamos que a ti y a un amigo os piden que cerréis una puerta pero por turnos, primero cerrarla a la mitad de lo que está abierta, después la mitad de esa distancia, y así sucesivamente. En primer lugar, cerrarías la mitad de la distancia total, entonces tu amigo cerraría un cuarto de la distancia total, luego tu $1/8$ de la distancia total, y así sucesivamente. La puerta se cierra solamente cuando todas estas fracciones se suman a 1. Cada fracción es un término de la suma, y cada término os representa a ti y a tu amigo haciendo turnos para cerrar la mitad de la puerta. Sabemos que la suma final de todas las series será 1, pero nunca podemos anotar suficientes términos para llegar a uno solo; en otras palabras, tú y tu amigo podríais hacer turnos para siempre y nunca conseguiríais cerrar la puerta lo suficiente. En términos matemáticos, se dice que el límite de la suma total es una a medida que el número de términos tiende a infinito (ver p. 174).

PENDIENTES Y DERIVADOS

El cálculo, del latín «guijarros» o «pequeñas piedras», se llama así porque trata de piezas pequeñas, piezas tan pequeñas que se conocen como los infinitesimales. Estos son importantes porque, a pesar de que son tan pequeños como para ser casi lo mismo que cero, no son cero.

Es difícil hacer cálculos con cero, ya que todo lo dividido por cero es considerado como indeterminado, pero si un infinitesimal es sustituido en el lugar de cero, se vuelve posible realizar cálculos y obtener respuestas determinadas.

CAMBIO Y TIEMPO

En el cálculo, los infinitesimales permiten resolver las matemáticas de cambio. El cálculo tiene que ver con el cambio; específicamente, se desarrolló a partir de la necesidad de trabajar con objetos en movimiento y con líneas curvas. Estas son diferentes formas de hablar de lo mismo, ya que un objeto en movimiento traza un camino en el espacio a través del tiempo, y el trazado de la distancia que se ha movido con respecto al tiempo producirá una curva. La mejor manera de explicar tales conceptos complejos es con un ejemplo, como el de un objeto que cae.

CAÍDA DE OBJETOS

Jane tiene previsto lanzar una bala de cañón desde la Torre de Pisa. Isaac quiere fotografiarlo con su nueva cámara de alta velocidad. Para saber qué configuración utilizar, necesita saber exactamente lo rápido que la bala de cañón irá un segundo después de que Jane la tira. Jane sabe que la fórmula que relaciona la distancia recorrida por la bala de cañón con el tiempo que ha transcurrido es $d = 3t^2$, donde d es la distancia en «unidades de distancia» (las unidades reales, metros o pies, son inmateriales) y t es el tiempo en segundos. Así que calcula que después de un segundo la bala de cañón se habrá pasado tres unidades de distancia. Puesto que la velocidad es la distancia entre el tiempo, se calcula que la velocidad de la bala de cañón debe ser de tres unidades de distancia por segundo.

Isaac Newton señala que esto es solo el promedio de velocidad de la bala de cañón en el primer segundo, no la velocidad real a la que se desplaza en exactamente un segundo. Necesita saber la velocidad exacta de la bala de cañón en este instante particular. Esto es un problema porque la velocidad es la distancia recorrida dividida por el tiempo necesario para viajar o, dicho de otra manera, el cambio en la distancia dividida por el cambio en el tiempo. Así que para el periodo de 0-1 segundos, por ejemplo, la velocidad se puede escribir como (cambio de 0 a 3 unidades de distancia) dividido por (cambio de 0 segundos a 1 segundo), que es 3 dividido entre 1, como anteriormente. Pero para un instante preciso este método de velocidad de escritura da (cambio desde 3 a 3 unidades de distancia) dividido por (cambio desde 1 segundo a 1 segundo), en otras palabras, no hay cambio en la distancia ni cambio en el tiempo, lo que sugiere que la velocidad de la bala de cañón es 0 dividido por 0, que es indeterminado. ¿Cómo se pueden calcular una velocidad significativa para un solo instante?

Jane tiene una idea brillante. ¿Y si se mide el intervalo de tiempo de 1 segundo a 1 segundo, más un infinitesimal? Este poco más de tiempo es tan corto que es casi cero (en términos matemáticos, tiende hacia cero), pero, sobre todo, no es cero; es una cantidad que se puede incluir en una ecuación sin dar una respuesta indeterminada sin sentido. Jane decide utilizar una notación matemática, y llama a este infinitesimal extra de tiempo «delta t», escrito usando la letra griega para delta (Δ) como Δt.

Ella ya sabe hasta dónde ha caído la bala de cañón después de un segundo, y ahora puede expresar lo mucho que ha caído después de $(1 + \Delta t)$ segundos. Ella sabe que $d = 3t^2$; en este caso $t = (1 + \Delta t)$, por lo que puede sustituir la nueva expresión para dar $d = 3(1 + \Delta t)^2$. Cuando se eleva

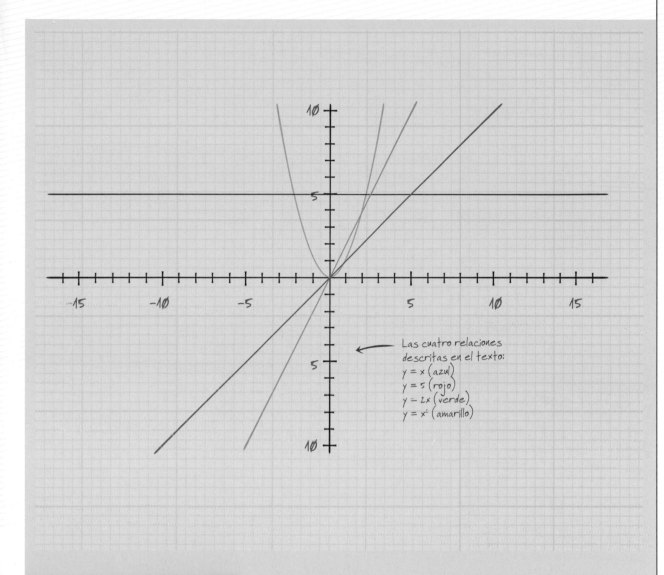

Las cuatro relaciones descritas en el texto:
$y = x$ (azul)
$y = 5$ (rojo)
$y = 2x$ (verde)
$y = x^2$ (amarillo)

PENDIENTES

La inclinación de la pendiente es una medida de su pendiente; en otras palabras, es la velocidad de cambio de la pendiente. Por definición, la inclinación se da en términos de unidades de distancia por unidad de distancia a lo largo, o elevación dividida por el trayecto. En términos de coordenadas cartesianas (*ver* p. 146), esto es y dividido por x (y / x). Por lo tanto la pendiente de la línea descrita por la ecuación $y = x$ será 1, ya que para cualquier valor de x, el valor de y será el mismo. Esto se puede ver en el gráfico que se muestra arriba, donde se demuestra que en $x = 1$, $y = 1$; en $x = 2$, $y = 2$; y así. Por cada unidad a lo largo del eje x, la línea se mueve una unidad a lo largo del eje y. (Dado que y siempre es lo mismo que x, podemos reemplazar la y en la ecuación de la pendiente por x, para dar x / x y la inclinación $x / x = 1$). Una línea horizontal, como y = 5, tendrá una pendiente de 0, porque nunca sube alguna unidad; es plana. Una línea más pronunciada, como y = 2x, tiene una pendiente superior; en este caso la línea sube 2x unidades para cada x unidades que se mueve hacia los lados, por lo que la ecuación de la pendiente puede escribirse como 2x / x; las x se anulan entre sí y queda 2, por lo que la pendiente de la recta es 2. Pero ¿qué pasa con una línea curva, como la línea descrita por la ecuación $y = x^2$? ¿Cuál es la pendiente de esta línea? A medida que la línea se mueve desde $x = 0$ a $x = 2$, sube desde 0 a 4 en el eje y, lo que sugiere una pendiente de $^4/_2 = 2$; pero de $x = 2$ a $x = 4$, la línea sube desde 4 a 16 en el eje y, lo que sugiere un gradiente de $^{12}/_2 = 6$. Claramente, cambia la pendiente, es diferente en distintos puntos de la curva, y para calcular la pendiente de una curva en cualquier punto es para lo que existe el cálculo.

al cuadrado una expresión entre paréntesis, se multiplica todo dentro de él por sí mismo, que en este caso da d = 3 × $(1 + 2\Delta t + (\Delta t)^2) = 3 + 6\Delta t + 3(\Delta t)^2$.

Ahora puede calcular el cambio en la distancia en el periodo de tiempo comprendido entre un segundo y $(1 + \Delta t)$ segundos: es la diferencia entre la nueva distancia y la distancia después de un segundo, que es $3 + 6\Delta t + 3(\Delta t)^2 - 3 = 6\Delta t + 3(\Delta t)^2$. Así que ahora sabe hasta qué punto ha llegado en el periodo de tiempo Δt segundos, y puede calcular la velocidad de la bala de cañón usando la ecuación velocidad = distancia dividida por el tiempo, que en este caso da $6\Delta t + 3(\Delta t)^2$ dividido por $\Delta t = 6 + 3\Delta t$. Puesto que Jane sabe que Δt es tan pequeño que es prácticamente cero, el término $3\Delta t$ también es prácticamente cero, por lo que la velocidad es de (6 + prácticamente nada) = 6. La velocidad de la bala de cañón en una segunda precisión es de 6 unidades de distancia por segundo.

VELOCIDAD COMO UNA PENDIENTE

Lo que Jane ha calculado con eficacia es la pendiente en $x = 1$ de la curva descrita por la bala de cañón en un gráfico de distancia (eje y) con respecto al tiempo (eje x). El problema que enfrentó al tratar de calcular la velocidad dividiendo (sin cambio en la distancia) por (sin cambio en el tiempo) es el mismo problema que alguien enfrenta tratando de averiguar la pendiente de una curva en cualquier punto único. La inclinación o pendiente, de una curva es la cantidad que sube dividida por la cantidad que atraviesa (*ver* recuadro «Pendientes», p. 161) o, para decirlo de otra manera, (cambio en y) dividido por (cambio en x). Sin embargo, en cualquier punto único en una curva no hay ningún cambio en x y por lo tanto ningún cambio en y, dando una pendiente insignificante de 0 dividido por 0.

Los matemáticos habían señalado que se podría promediar la pendiente de una porción de una curva con una línea secante. Es una línea recta que une dos puntos en una curva, y la pendiente de la secante da el promedio de cambio de la pendiente de la curva entre esos puntos. Cuanto más cerca estén los dos puntos de la secante, más cerca estará la secante de ser una tangente a la curva.

Una tangente es una línea recta que se apoya en la curva en un solo punto; su pendiente es la pendiente de la curva en ese punto. Si se puede calcular la pendiente de la tangente, se puede calcular la pendiente de la

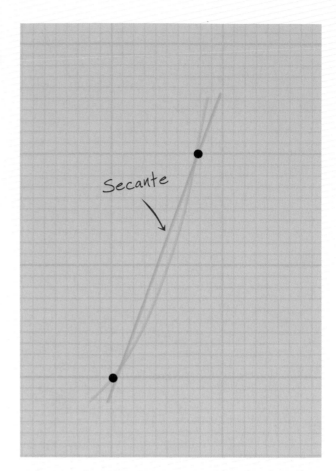

Secante

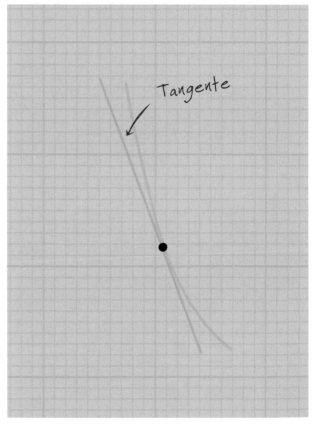

Tangente

curva en ese punto. De modo que si elegimos una secante con un solo punto en el x y el segundo punto a una distancia infinitesimal más allá, podríamos hacer el mismo truco que Jane hizo para calcular la velocidad de la bala de cañón.

Por ejemplo, si la curva es y = $3x^2$, la pendiente en x = 1 se puede calcular exactamente de la misma manera que Jane calculó la velocidad de la bala de cañón en t = 1 segundo, imaginando la pendiente de una secante entre x = 1 y x = 1 +Δx. En este caso, y representa la distancia, y la pendiente de la tangente a la curva (y por tanto de la propia curva en este punto) en x = 1 resulta ser 3. Esto se llama derivación, o la elaboración de un derivado. El derivado es la pendiente de una curva en un solo punto; también se le conoce como la pendiente de la recta tangente o la velocidad de cambio instantáneo.

Objetos curvos, como estas balas de cañón. ⟶

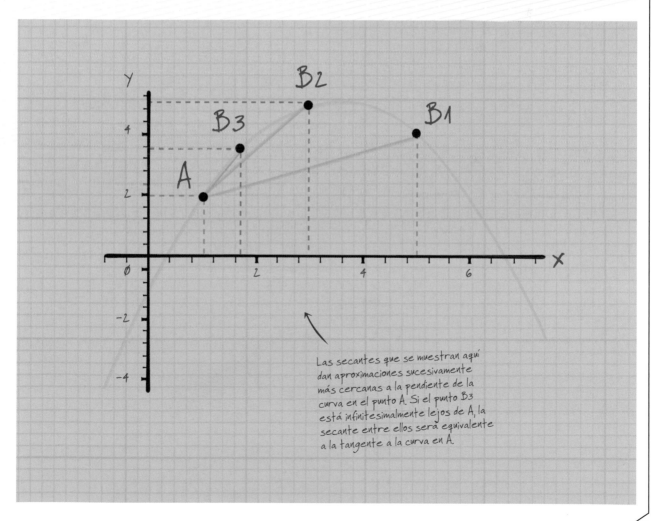

Las secantes que se muestran aquí dan aproximaciones sucesivamente más cercanas a la pendiente de la curva en el punto A. Si el punto B3 está infinitesimalmente lejos de A, la secante entre ellos será equivalente a la tangente a la curva en A.

LÍMITES

En matemáticas, un límite es una forma de decir que una cantidad se aproxima a un cierto punto sin llegar a alcanzarlo. Los límites son esenciales para el cálculo (ver p. 156) porque hacen posible trabajar con los infinitesimales. También hacen que sea posible lidiar con conceptos difíciles como el cero y el infinito, que no son números reales y no se pueden usar para algunas operaciones aritméticas (la división por ejemplo).

El resultado de la división por cero se dice que es indeterminado, y los términos indeterminados pueden complicar incluso cálculos aparentemente cotidianos, como la elaboración del porcentaje de interés ofrecido por una cuenta bancaria.

ROZANDO EL LÍMITE

El director te deja a cargo del banco por un día, pero antes de irse te dice los detalles de las últimas cuentas de ahorros con altos intereses que puedes ofrecer a nuevos clientes. Por desgracia, tiene una fórmula bastante complicada para la elaboración de la tasa de rentabilidad de dinero invertido: si la tasa de rentabilidad en € / año es R, y el dinero invertido inicialmente es x, entonces $R = (x^2 - 1) / (x - 1)$.

Tan pronto como el director se ha ido, un nuevo cliente llega y te pregunta cuál será la tasa de rentabilidad si se invierte solo 1€ en la nueva cuenta de ahorros. Poniendo el número 1 en la ecuación en lugar de x, se obtiene una respuesta difícil: $(1^2 - 1) / (1 - 1) = {}^0/_0$. Pero ${}^0/_0$ es indeterminado, y el cliente no está satisfecho con esta respuesta.

De repente tienes una idea genial; el problema es que la ecuación no puede gestionar una entrada de x = 1, por lo que tal vez si pruebas los infinitesimales que se acercan más y más a 1 podrías estar más cerca de una respuesta real. Con ayuda de la calculadora, dibujas un gráfico (abajo) de los valores de R según x se acerca más y más a 1, o, en términos matemáticos, cuando x tiende a 1 (los puntos suspensivos «...» indica que las cifras decimales continúan indefinidamente, por lo que los 9 continúan para siempre):

x	R
0'5	1'50000
0'9	1'90000
0'99	1'99000
0'999	1'99900
0'9999	1'99990
0'99999	1'99999
0'99999…	1'99999…

El cliente coge un bolígrafo y dibuja un gráfico de valores como este:

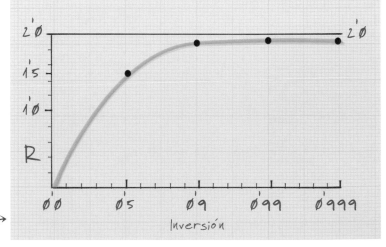

Gráfica de la función $(x^2-1)/(x-1)$ que muestra cómo la curva se aproxima al límite 2.

Como se puede ver, la curva se aplana cuando se aproxima a R = 2, pero nunca llega. Es obvio que cuando x tiende a 1, R se acerca a 2, lo que te permite decir al cliente con confianza que la tasa correcta de rentabilidad de una inversión de 1€ es de 2€ por año. En términos matemáticos, solo has calculado que el límite de la función $(x^2 - 1) / (x - 1)$ cuando x tiende a 1 es 2. La notación correcta para esto es utilizar el término «lim» con el valor de x debajo de ella:

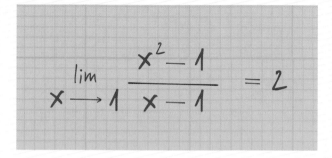

$$\lim_{x \to 1} \frac{x^2 - 1}{x - 1} = 2$$

SUBIR LA COLINA

Cuando se habla de límites, un matemático ofrecería una analogía a modo de advertencia: la función $(x^2 - 1) / (x - 1)$ es como una colina con una grieta a medio camino del continuo espacio-tiempo. No se puede indicar las coordenadas exactas de la grieta, ya que no existe en este universo, pero puedes acercarte lo suficientemente como para decir donde se encuentra con un grado de certeza matemática; en otras palabras, puedes demostrar donde está el límite de la ruptura. Sin embargo, si te acercas al límite desde abajo solamente, como en el ejemplo de la cuenta bancaria, donde nos salió el límite cuando x se acercó de 0 a 1, entonces puede que no sepas a ciencia cierta donde está el límite superior de la grieta. Para determinar el límite de la ruptura correctamente, también hay que abordarlo desde arriba. En el ejemplo de la cuenta bancaria, es necesario calcular R para valores de x mayores que 1 pero sucesivamente más pequeños (es decir, para valores de x de 1'5, 1'1, 1'01, 1'001, 1'0001, y así sucesivamente). Al hacerlo, encuentras que cuando x tiende a 1, R se acerca a 2, lo que confirma el resultado que obtuviste antes.

Si el punto representa el límite, el corredor debe acercarse a él tanto desde abajo como desde arriba para estar seguro de su ubicación.

Muchos de los conceptos relativos a los límites fueron desarrollados por un grupo de matemáticos suizos del siglo XVIII a las afueras de Basilea (ver página siguiente).

EULER

En el siglo XVIII, las matemáticas europeas habían superado con creces las fuentes de inspiración antiguas y orientales. El cálculo (ver p. 156) se desarrolló como una herramienta de gran alcance para abordar muchas áreas de las matemáticas y la ciencia, como la dinámica celeste y la dinámica de fluidos.

También hubo avances importantes en la teoría de números, especialmente el descubrimiento de los números complejos (un número complejo es un número imaginario, como la raíz cuadrada de menos uno, junto con un número real) y la débil conjetura de Goldbach; la conclusión del matemático alemán Christian Goldbach (1690-1764) de que todos los números impares mayores que 7 son la suma de tres primos impares. El matemático más productivo e influyente durante este periodo, y quizás de cualquier periodo, fue Leonhard Euler, quien hizo contribuciones a prácticamente todas las áreas de las matemáticas.

EL IMPARABLE EULER

Leonhard Euler (1707-1783) nació en Basilea y, después de graduarse en filosofía en la Universidad de Basilea en 1723, estudió con Johann Bernoulli, uno de una familia de titanes matemáticos que dominaron las matemáticas en Suiza (*ver* recuadro «Los legendarios muchachos Bernoulli»). Posteriormente, Euler pasó la mayor parte de su carrera en las academias de Berlín y San Petersburgo, donde trabajó incansablemente para generar una producción colosal de documentos, libros, cartas y proyectos prácticos. Incluso después de quedarse ciego en la década de 1760 y ya no podía ver ni escribir, continuó trabajando, dictando a los escribas. El historiador de origen holandés de las matemáticas Dirk Struik llamó a Euler el «matemático más productivo del siglo XVIII, sino de todos los tiempos». En el año 1775, por ejemplo, se dice que había producido de media de un escrito sobre matemáticas cada semana, y hacia el final de su carrera había publicado 856 libros y artículos (más que ningún otro matemático) y su obra completa llenó alrededor de unos 60 u 80 volúmenes. De hecho, se ha estimado que, de todo el trabajo matemático y científico publicado durante todo el siglo XVIII, una cuarta parte fue escrita por Euler.

EL NÚMERO DE EULER

Euler hizo descubrimientos y avances en todos los campos de las matemáticas. El gran matemático francés del siglo

LOS LEGENDARIOS MUCHACHOS BERNOULLI

Los Bernoulli eran una familia de comerciantes de Basilea, Suiza, que produjo nada menos que seis matemáticos sobresalientes en los siglos XVII y XVIII. Los más notables eran los hermanos Jacob (1654-1705) y Johann Bernoulli (1667-1748) y el hijo de Johann, Daniel (1700-1782). Sus logros incluyen el uso de cálculo para averiguar la pendiente curva que provoca que una bola ruede más rápido para llegar al final (llamada braquistócrona), aproximar el valor del número de Euler (el número irracional que ahora se conoce por lo general sencillamente como *e*) y descubrir lo que es ahora conocido como el principio de Bernoulli (la relación inversa entre la velocidad y la presión de un líquido o gas).

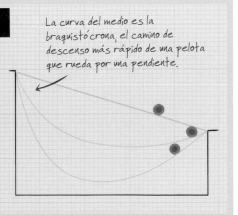

La curva del medio es la braquistócrona, el camino de descenso más rápido de una pelota que rueda por una pendiente.

LOS SIETE PUENTES DE KÖNIGSBERG

En la ciudad de Königsberg (hoy Kaliningrado) siete puentes conectan dos islas y el continente, lo que lleva a un desafío matemático popular del siglo XVIII: la forma de pasar por encima de los siete puentes y regresar al punto de partida, sin cruzar ningún puente más una vez. Euler reduce inteligentemente el problema a una representación abstracta conocida como un gráfico (a diferencia de la gráfica más familiar con coordenadas, este tipo de gráfico se compone de puntos llamados nodos que están conectados por líneas denominadas aristas) y demostró que no existe una solución porque el problema tiene cuatro nodos y un número impar de conexiones. Su prueba fundó la disciplina matemática conocida como topología.

Mapa que muestra seis de los siete puentes. La ilustración de la dama oculta el séptimo.

XVIII Pierre-Simon Laplace solía decir a los matemáticos más jóvenes « Leed a Euler, él es el maestro de todos nosotros». Pero es quizás más conocido por dos logros que llevan su nombre: el número de Euler y la identidad de Euler. El primero es uno de los nombres dados al número irracional *e*, una notación originada por Euler, probablemente a partir de la primera letra de la palabra «exponencial».

Una forma de generar e es con la fórmula $(1 + 1 / n)^n$. A medida que *n* se hace más grande, el valor de esta expresión está cada vez más cerca de un límite, pero el límite no se alcanza nunca, porque *e* es un número irracional, lo que significa que las cifras decimales siguen infinitamente. Los primeros diez decimales de *e* son: 2'7182818284... Este número se da en la naturaleza, en el crecimiento demográfico, la proliferación de células tumorales y la desintegración radioactiva, y es la base del logaritmo natural, la alternativa habitual para los logaritmos comunes (*ver* p. 136). También se da en otros contextos, como el interés compuesto. La fórmula para calcular la tasa de interés efectiva anual con la capitalización continua es $e^r - 1$, donde *r* es la tasa de interés, por lo que si la tasa de interés nominal anual es de 20%, o 0'2, entonces la tasa efectiva anual = $e^{0.2} - 1$ = 0'2214... Esto entonces se puede utilizar para calcular el rendimiento anual de forma normal, por ejemplo, una inversión de 10.000 € se convertirá en 12'214 € después de un año de la capitalización continua.

Euler destacó por descubrir profundos vínculos entre los números y los conceptos de diferentes áreas de las matemáticas, y la identidad de Euler es un buen ejemplo. Es la ecuación $e^{i\pi} = -1$ (donde *i* es el número imaginario $\sqrt{-1}$), que es admirada generalmente por los matemáticos como la más sublime y hermosa de todas las ecuaciones, que combina como lo hace el número de Euler, exponenciales, negativos, los números imaginarios y pi.

LA NOTACIÓN DE EULER

Otro de los grandes legados de Euler es su sistema de notación matemático. Según Dirk Struik, «su notación es casi moderna, o tal vez mejor debería decir que nuestra notación ¡es casi la de Euler!». Euler fue el responsable de inventar o popularizar gran parte de la notación matemática moderna, incluyendo:

- El símbolo *e* para la base del logaritmo natural.
- El símbolo *i* para el número imaginario que es la raíz cuadrada de -1.
- La notación $f(x)$ para las funciones (es la manera general que se usa para expresar las relaciones entre las variables).
- La letra griega Σ (sigma) para indicar dónde sumar una serie de números.
- La letra griega π como el símbolo estándar para pi.
- Las abreviaturas «sen», «cos» y «tg» para las funciones trigonométricas seno, coseno y tangente.
- El uso de *a*, *b* y *c* como constantes y de *x*, *y* y *z* como incógnitas en álgebra.

EN LA EDAD MODERNA

En los siglos xix y xx, las matemáticas viajaron a extraños y nuevos reinos, con incipientes campos desconocidos como la estadística, la teoría de juegos y las matemáticas computacionales. Se demostró que las matemáticas tenían límites de los que era imposible avanzar más allá, pero al mismo tiempo los matemáticos comenzaron a dominar infinito. Las matemáticas sentaron las bases de la revolución informática, y los ordenadores, a su vez, ayudaron a descubrir el extraño mundo del caos, en el que no se puede determinar nada, pero nada está hecho al azar.

Ilustración creada a partir de los principios de la teoría del caos, con un modelo que imita los procesos caóticos por los que las olas gigantes se generan en el mar.

ESTADÍSTICA

La estadística es la rama de las matemáticas que se ocupa de describir, analizar y hacer deducciones a partir de datos. Hacer deducciones o usar un razonamiento inductivo significa argumentar de lo específico a lo general. Por ejemplo, si supieras las edades de fallecimiento de miles de personas en una ciudad, a partir de estos datos específicos podrías deducir información general sobre la esperanza de vida para la población de la ciudad en su conjunto.

La estadística es una de las más potentes y amplias aplicaciones de las matemáticas y desempeña un papel crucial en una gran gama de campos, desde la investigación científica, la ingeniería, la inteligencia artificial, la informática y la tecnología de la información, a los negocios, la educación, la salud e incluso la política.

HISTORIA BREVE DE LA ESTADÍSTICA

La estadística está estrechamente vinculada a la probabilidad, que trata con sucesos aleatorios y no aleatorios y la probabilidad de que los patrones y correlaciones sean debidos al azar. En consecuencia, la historia de la estadística se suele decir que comenzó con el trabajo de Fermat y Pascal, en concreto sobre la probabilidad (ver p. 150). Esto fue seguido por la obra de John Graunt sobre las tablas de mortalidad (ver p. 151)

que, a su vez, fueron utilizadas por el matemático y astrónomo Edmund Halley como base de su artículo de 1693 «Estimación de los niveles de mortalidad de los hombres procedentes de las tablas curiosas de los nacimientos y funerales en la ciudad de Breslau; con un intento de determinar el precio de las rentas vitalicias en vidas». Fue la primera de una larga serie de estudios actuariales que intentaban aplicar métodos estadísticos para el negocio de hacer dinero a través de los seguros (una forma de juego y por lo tanto que implica probabilidad).

Otro punto de vista alternativo sobre el origen de las estadísticas proviene del estadístico británico R. A.

Frecuentemente considerado el mejor gráfico estadístico que se ha dibujado, el gráfico de Charles Joseph Minard de 1869 muestra el tamaño de los ejércitos de Napoleón durante la invasión y la retirada de Rusia en 1812.

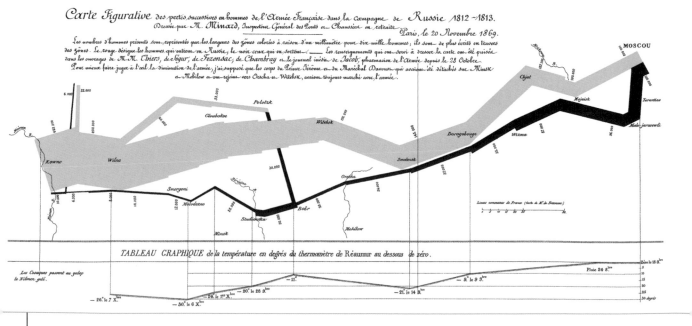

Fisher (1890-1962), autor de los libros seminales de 1925 *Métodos estadísticos para los investigadores*, considerado como uno de los hitos de la historia de la estadística. En su prefacio, Fisher señala la publicación de 1763 del matemático británico Thomas Bayes (1701-1761) *Un ensayo hacia la solución de un problema sobre la doctrina de posibilidades*, que Fisher describe como «el primer intento de utilizar la teoría de la probabilidad como un instrumento de razonamiento inductivo; es decir, para argumentar de lo particular a lo general, o de la muestra a la población». El artículo de Bayes, publicado póstumamente, describía una forma de estimar la probabilidad condicional, es decir, la probabilidad de un acontecimiento producido por la ocurrencia de otro evento o, más en general, la forma de deducir causas a partir de efectos. El teorema de Bayes [que generalmente está escrito en notación algebraica como $p(A \mid B) = p(B \mid A) \, p(A) / p(B)$, donde el separador vertical significa «dado», pA es la probabilidad del evento A y pB es la probabilidad del evento B] es un medio para cuantificar la incertidumbre, produciendo un número que da la probabilidad de que una hipótesis sea verdadera.

A principios del siglo XIX, el método bayesiano se convirtió en la base para la primera floración de auténticas estadísticas, la teoría de los errores en astronomía. Los astrónomos de la época estaban preocupados de poner su ciencia sobre la base aún más rigurosa y amplia posible mediante la combinación de datos de múltiples observadores, mientras que al mismo tiempo que reconoce la gran variedad de errores de observación que afectaron a la práctica de la astronomía. Observar las estrellas a través de telescopios fue sorprendentemente subjetivo en la naturaleza, por lo que los matemáticos, liderados por el francés Pierre-Simon Laplace (1849-1827) y el alemán Carl Friedrich Gauss (*ver* p. 174), aplicaron las matemáticas de la probabilidad «con el fin de disminuir los errores derivados de las imperfecciones de los instrumentos y los órganos sensoriales», en palabras de Thomas Simpson (1710-1761), el estadístico británico que introdujo la idea de una distribución de errores.

Alrededor del cambio del siglo XIX al XX, los biometristas británicos Francis Galton (1822-1911) y Karl Pearson (1857-1936) se combinaron para crear la estadística moderna, con técnicas como la correlación (donde se cuantifica el grado en que dos variables cambian conjuntamente) y de regresión múltiple (una manera de describir la relación entre varias variables

independientes y una variable dependiente). Mientras tanto, Fisher ayudó a popularizar la idea de una prueba de significancia, una manera de determinar la probabilidad de resultados que se obtiene por casualidad. Estos métodos son los pilares de las estadísticas utilizadas en la investigación científica moderna.

LA DISTRIBUCIÓN NORMAL

Abraham de Moivre (1667-1754), un matemático anglofrancés que a menudo actuaba como consultor para los jugadores, descubrió lo que hoy se conoce como la distribución normal o «curva de campana» (porque se ve en forma de campana). Esta es la curva obtenida por el trazado de la distribución de valores alrededor de un promedio y puede utilizarse para una amplia variedad de datos desde, por ejemplo, la altura de la población general, hasta los lugares donde acabaran las bolas que se lancen al azar hacia una celosía de varas de madera. En una distribución normal, la mayoría de los puntos de referencias están agrupados en el centro, alrededor de lo que se conoce como el promedio (comúnmente llamada media). Cuanto más lejos llegue desde el centro, menor número de puntos hay, y los extremos de la curva representan valores atípicos. La distribución normal es una herramienta muy útil para el análisis de cómo la varianza se compara con una población general. En los deportes, por ejemplo, se puede decir quiénes son los atletas de elite cuantificando con exactitud hasta qué punto de la media llegan sus desempeños. La distancia desde el centro se conoce como desviación, y se mide en unidades conocidas como desviaciones típicas (σ). En una distribución normal, el 68% de los valores se encuentran dentro de 1 σ de la media, el 95% están a 2 σ y el 99'7% están dentro de 3 σ.

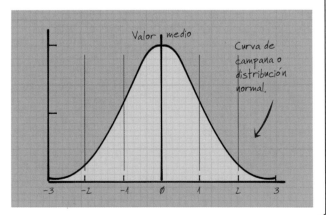

Curva de campana o distribución normal.

HASTA EL INFINITO Y MÁS ALLÁ

En el siglo XIX, las matemáticas llegaron a extraños nuevos mundos, con nuevas dimensiones, números imaginarios y superficies con un solo lado. Abriendo el camino estuvo el matemático alemán Carl Friedrich Gauss (1777 hasta 1855), también conocido como el «príncipe de los matemáticos».

Gauss fue un niño prodigio, impresionó a su padre a los tres años al corregir su aritmética y a sus profesores a los siete años sumando los números 1-100 en segundos (*ver* p. 7). Pasó a hacer avances en la teoría de números, geometría, estadística, astronomía y electromagnetismo.

AL LÍMITE

Sin embargo, incluso Gauss, reconocido como el matemático más grande de su época y aclamado por sus contemporáneos como el mejor desde la antigüedad, se encontró con una barrera aparentemente insuperable: el infinito. Desde la época de los antiguos griegos, el infinito había sido problemático, como hizo evidente Zenón de Elea con su famosa paradoja sobre Aquiles y la tortuga (*ver* p. 70). Por ejemplo, ¿cuál es el resultado de dividir por infinito (la notación estándar para el infinito es ∞)? Uno dividido por infinito ($^1/_\infty$) no puede ser igual a cero, ya que incluso un número infinito de cero porciones sigue siendo igual a cero, pero si las porciones tienen un valor mayor que cero, entonces un número infinito de ellas se puede sumar ¡hasta el infinito!

Una forma de evitar este problema es el uso de límites (*ver* p. 164). De este modo, en lugar de dividir uno por infinito, lo dividimos por números cada vez mayores y el resultado se hará cada vez más pequeño. Una gráfica de la función ($^1/_x$) muestra que cuando x tiende hacia el infinito, el valor de la función tiende a cero, y podemos decir que el límite de $^1/x$ cuando x tiende a infinito es 0.

Para una función que aumenta de tamaño, como $2x$, podemos decir que la función tiende a infinito cuando x tiende a infinito. Los límites son una especie de barrera, pero este término no ocupa lo que se conoce como infinito real. «Protesto contra el uso de una cantidad

Gauss fue un joven prodigio de las matemáticas.

infinita como una entidad real», escribió Gauss, «esto nunca se ha permitido en matemáticas. El infinito es solo una manera de hablar, en la que se habla propiamente de límites hacia los que unos ratios determinados pueden llegar tan cerca como se quiera, mientras que a otros se les permite aumentar sin límite».

LOS LÍMITES DE LAS MATEMÁTICAS

La teoría de conjuntos acabaría definiendo los límites de las matemáticas mismas. A principios del siglo XX, el matemático alemán David Hilbert (1862-1943) desafió a las matemáticas para establecerlas sobre una base axiomática, en la que todos los posibles enunciados matemáticos podrían probarse a partir de unos pocos axiomas fundamentales. Sin embargo, la ambición de Hilbert por las matemáticas se hizo añicos por el teorema de incompletitud del matemático austríaco Kurt Gödel (1906-1978). En términos muy generales, el teorema de Gödel demostró que el conjunto de teoremas matemáticos demostrables es solo un subconjunto del conjunto de teoremas que son ciertos. Se dice que los conjuntos son «no co-extensivos». En otras palabras, hay algunos teoremas que son ciertos, pero que no se puede demostrar que sean verdad, y por lo tanto el plan de Hilbert para las matemáticas quedó incompleto eternamente.

EL HOTEL DE HILBERT

David Hilbert utilizó una paradoja interesante para ilustrar un aspecto del infinito. Imaginó un hotel con un número infinito de habitaciones, todas ocupadas por un número infinito de huéspedes, seguramente sería imposible conseguir una habitación en un hotel. De hecho, Hilbert destacó que lo único que necesario es que el gerente cambie a todos los huéspedes a la habitación de al lado: el huésped en la habitación 1 se pasa a la habitación 2, el huésped de la habitación 2 se pasa a la habitación 3, y así sucesivamente. Dado que hay un número infinito de habitaciones, puede haber un número infinito de cambios de habitación y dejar la habitación 1 libre para un nuevo huésped. Incluso es posible encontrar habitaciones para un número infinito de nuevos huéspedes. A cada huésped existente se le pide que pase a la habitación cuyo número sea el doble de su número actual, el huésped de la habitación 1 se pasa a la habitación 2, el huésped de la habitación 2 se pasa a la habitación 4, el huésped de la habitación 3 se mueve a la habitación 6, y así sucesivamente; esto deja libre un número infinito de habitaciones impares que se pueden asignar a nuevos huéspedes.

Kurt Gödel paseando con Albert Einstein.

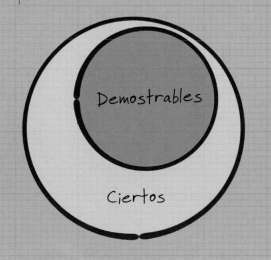

El conjunto de teoremas matemáticos demostrables es solo un subconjunto del conjunto de teoremas que son ciertos, lo que significa que hay teoremas que son ciertos, pero no demostrables.

Demostrables

Ciertos

MÁQUINAS CREADAS A PARTIR DE LAS MATEMÁTICAS

En 1854, el profesor irlandés de matemáticas George Boole (1815-1864) publicó lo que llamó «la más valiosa, sino la única contribución valiosa que he hecho o estoy a punto de hacer a la Ciencia y por la que me gustaría, si cabe la posibilidad, que todo el mundo me recordase de aquí en adelante».

Su libro *Investigación sobre las leyes del pensamiento, sobre las que se fundan las teorías matemáticas de la lógica y las probabilidades* incorpora la lógica en las matemáticas, reduciéndola a una forma algebraica sencilla. De hecho, Boole también hizo un trabajo importante sobre cálculo antes de tener la mala suerte de coger un resfriado volviendo a casa bajo la lluvia. Fue una desgracia, porque su esposa tenía la creencia excéntrica de que el remedio para una enfermedad debía ser similar a la causa, por esa razón metió a Boole en la cama y le arrojó cubos de agua encima; nunca se recuperó y murió de neumonía.

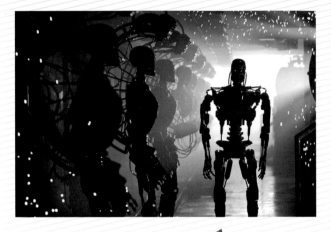

El resultado final lógico de equipar ordenadores con la lógica de Boole.

UN MÉTODO EFECTIVO

La lógica booleana forma la base de la computación digital, ya que proporciona un sistema en el que las entradas se pueden procesar en pasos simples para dar resultados complejos. La lógica booleana utiliza operaciones equivalentes a lo que los informáticos llaman puertas lógicas. Por ejemplo, una puerta AND (y) indica que las entradas x AND y son necesarias para producir la salida z. Una puerta OR (o) indica que x OR $y = z$. Una puerta XOR (de OR eXclusivo) indica que x OR y BUT NOT BOTH (pero no ambas) = z. Con estas tres instrucciones simples, es posible que una máquina o circuito electrónico opere en una entrada numérica para sumar (y repitiendo o invirtiendo la suma, para multiplicar, restar y dividir) y crear los resultados.

La lógica booleana es una forma de lo que se conoce como método efectivo o mecánico. Un método efectivo es en el que, mediante la realización de un conjunto de instrucciones exactas por pasos, una entrada puede ser transformada en una salida. A finales del siglo XIX y principios del XX, este fue el sistema empleado por los ordenadores originales, secretarios humanos encargados de hacer cálculos numéricos sin sentido. Ellos no necesitaban saber matemáticas, lo único que tenían que hacer era seguir el método y convertir los entradas en salidas.

LA MÁQUINA UNIVERSAL DE TURING

Fue la consideración de que una máquina fuese capaz de realizar este «método efectivo» lo que llevó al matemático británico Alan Turing (*ver* p. 178) a plantear lo que se ha conocido como la máquina universal de Turing, un dispositivo simple que consiste en una cabeza o un escáner que puede tanto leer como escribir un rollo de cinta inagotable que se extiende en ambas direcciones. La cabeza de escáner puede leer si la cinta de debajo contiene un 1 o un 0 y reaccionar de acuerdo con la forma en que ha sido programada. Dependiendo de la instrucción que siga y la entrada (lo que lee), la cabeza puede sobreescribir el símbolo existente, mover un espacio hacia la izquierda o hacia la derecha, detener o cambiar de estado (que significa seguir una instrucción

ENIAC, el primer ordenador de ámbito general electrónico.

Parte de la máquina diferencial de Babbage.

diferente). Simplemente siguiendo estas reglas, una máquina de Turing puede realizar cualquier tarea que un ordenador moderno pueda lograr, con un tiempo y una cinta ilimitados. Por ejemplo, si está programado con las operaciones para crear puertas lógicas booleanas, la máquina podría funcionar como un «sumador binario», un sistema que suma entradas binarias (es decir, añade números juntos). Esto es exactamente lo que los ordenadores electrónicos modernos hacen pero, con 64 o más sumadores binarios, las máquinas de hoy pueden hacer cálculos inmensamente largos y complejos en una fracción de segundo.

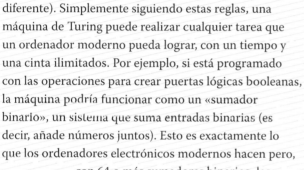

Un chip, que usa la lógica de Boole para operar.

EL MOTOR ANALÍTICO

Las máquinas computadoras propuestas por Turing y otros durante la década de 1930 fueron muy diferentes a las máquinas calculadoras. Estas pueden entender las entradas numéricas, realizar operaciones matemáticas con ellas y producir respuestas numéricas. Los ordenadores pueden manejar cualquier entrada o salida, siempre y cuando estén en la forma simbólica correcta y puedan programarse para realizar diferentes operaciones. Así era cuando Turing colaboró con el ingeniero Thomas Flowers para crear Colossus, el primer ordenador electrónico digital, en 1943, que fue un hito en la tecnología. Pero no fue la primera computadora máquina. Esta había sido diseñada y construida por el matemático británico Charles Babbage (1791-1871). En la década de 1820, Babbage diseñó y construyó parte de una calculadora mecánica sofisticada llamada la máquina diferencial, y en 1834 concibió un dispositivo mucho más ambicioso, la máquina analítica, lo que habría sido el primer ordenador de propósito general. Estaba previsto que tuviese un almacenamiento de memoria y una unidad central de procesamiento y que se hubiese programado por medio de tarjetas perforadas conectadas entre sí con cintas (una idea que Babbage sacó del telar de Jacquard). Por desgracia, las exigencias del diseño superaron tanto la tecnología de la época y los limitados fondos disponibles de Babbage que nunca se construyó una versión a gran escala, aunque sí creó parte de una versión simplificada del dispositivo antes de su muerte.

ALAN TURING

Generalmente considerado como el padre de la informática, Alan Mathison Turing (1912-1954) fue un brillante matemático y científico que tuvo un final extraño y trágico.

Sus más famosos logros fueron la teoría de la máquina universal de Turing (*ver* p. 176), el diseño y la construcción de algunos de los primeros ordenadores electrónicos del mundo, y su trabajo para descifrar el código en Bletchley Park, en Buckinghamshire, sede del Instituto Gubernamental de Códigos y Cifras británico (GC & CS) durante la Segunda Guerra Mundial.

Alan Turing.

que todos los enunciados matemáticos son completos (es decir, que se podía demostrar que eran ciertos) y determinable. Determinable en este contexto significa que es posible decir que un enunciado es demostrable por métodos efectivos, es decir, mediante la realización de un conjunto de instrucciones precisas, paso a paso. Gödel había destruido la posibilidad de la completitud matemática; la máquina universal de Turing probaría que ningún sistema coherente y formal de la aritmética era determinable.

PROBLEMAS INDETERMINABLES

El primer gran avance de Turing, que logró cuando tenía solo 22 años, fue la máquina universal de Turing. Esto no solo creó la base teórica de la tecnología informática moderna, sino que también permitió que Turing llegase a una prueba similar al teorema de incompletitud de Gödel (*ver* p. 175). David Hilbert había querido demostrar

BOMBA SORPRESA

El estallido de la Segunda Guerra Mundial hizo que Turing fuese reclutado para el cónclave de alto secreto

EL TEST DE TURING

El diario en el que Turing publicó su artículo seminal proponiendo el test de Turing.

En 1950, Turing escribió un artículo seminal sobre la inteligencia artificial, abordando la cuestión de si una máquina puede ser inteligente. Para Turing, la pregunta era demasiado vaga para que tuviese sentido y en su lugar propuso que era más útil preguntar si una máquina puede parecer inteligente. Para responder a esto, Turing propuso una versión de lo que él llama el juego de imitación, un juego de salón en el que una persona utiliza preguntas escritas para ver si él puede decir cuál de los dos participantes son mujeres. En la prueba de Turing, uno de los participantes es un ordenador y el otro un ser humano, y el reto era ver si, en el transcurso de una conversación extensa y profunda con los dos, un juez humano puede decir cuál es cuál. El premio anual Loebner ofrece una recompensa en efectivo al equipo que consiga hacer un programa para superar el test de Turing, pero, a pesar del pronóstico optimista de Turing de que para el año 2000 una máquina inteligente sería capaz de pasar la prueba el 70% de las veces, nadie se ha acercado.

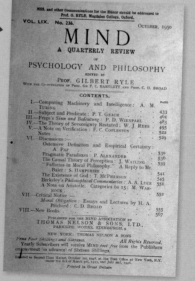

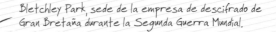
Bletchley Park, sede de la empresa de descifrado de Gran Bretaña durante la Segunda Guerra Mundial.

de los cerebritos en Bletchley Park, donde jugó un papel decisivo en la concepción y el diseño de los dispositivos que descifran códigos conocidos como «bombes» que ayudaron a descifrar el código alemán Enigma. Esto, combinado con el trabajo de Turing sobre el sistema de cifrado «Fish» del Alto Mando alemán, acortó la guerra dos años. Turing recibió la Orden del Imperio británico por su contribución, pero el trabajo en Bletchley Park se mantuvo en secreto hasta mucho después de su muerte, para que el resto del mundo no supiera nada de su trabajo de guerra.

ACE, INTELIGENCIA ARTIFICIAL Y VIDA ARTIFICIAL

Después de la guerra, Turing se unió a la competición para construir el primer ordenador digital con programa

de almacenado electrónico del mundo, y concibió un diseño ambicioso y muy específico conocido como el *Authomatic Computing Engine* (ACE) en el Laboratorio Nacional de Física de Londres. Por desgracia, su diseño era demasiado adelantado a su tiempo; requería, por ejemplo, una memoria de alta velocidad de una capacidad similar a la utilizada en los primeros Apple Macintosh, y Turing acabó en el laboratorio de ordenadores de la Royal Society (RSCML) en la Universidad de Manchester.

En la RSCML, Turing continuó desarrollando la arquitectura y los programas de ordenador y contribuyó con el diseño de los Ferranti Mark I, el primer ordenador electrónico digital disponible en el mercado mundial. Pero el alcance de su trabajo fue más allá de la tecnología informática, con su exploración de la informática como una analogía de la cognición humana, lo que le convirtió en uno de los fundadores de la ciencia cognitiva. Turing también hizo una importante labor a principios de la inteligencia artificial (*ver* recuadro «El test de Turing») y en el momento de su muerte, fue pionero en el nuevo campo de la vida artificial, en el que los sistemas biológicos autorreplicantes se modelaban en el ciberespacio.

¿TURING FUE ASESINADO?

Los teóricos de la conspiración señalan que en el momento de fallecimiento de Turing la causa fue la gran ansiedad que le producían las autoridades británicas. Los servicios secretos temían que los comunistas atrapasen homosexuales destacados y los utilizasen para reunir información de Inteligencia. Turing seguía haciendo un trabajo altamente clasificado, pero también era un homosexual practicante que pasaba las vacaciones en países europeos cerca del Telón de Acero. ¿Es posible que los servicios secretos lo considerasen un riesgo demasiado grande para la seguridad y asesinaran a una de las mentes más brillantes en su campo, a un hombre cuyo genio y dedicación hicieron de él un héroe de guerra anónimo?

LA MANZANA ENVENENADA

En la época de Turing la homosexualidad todavía era ilegal, pero él era peligrosamente abierto sobre su sexualidad. En 1952, tonta, o ingenuamente, informó a la policía sobre su relación gay al notificar un robo en su casa y fue acusado, condenado y obligado a someterse a un tratamiento hormonal. También perdió su habilitación para el trabajo más importante relacionado con la inteligencia con el que él todavía estaba comprometido y fue sometido a un programa de supervisión agotador por parte de las autoridades. Si estuvo o no relacionado con su aparente suicidio en 1954, no está comprobado, pero parece que lo hizo recubriendo una manzana con cianuro. La película favorita de Turing era *Blancanieves y los siete enanitos*, y era muy dado a repetir la frase que pronuncia la siniestra bruja (madrastra de Blancanieves): «Una manzana envenenada y un inocente mordisco. Muerta la creerán y viva la enterrarán».

EL DILEMA DEL PRISIONERO: LA TEORÍA DE JUEGOS

La teoría de juegos es el estudio matemático de la toma de decisiones en situaciones competitivas o de conflicto. Estas situaciones incluyen juegos o cartas, por ejemplo, pero también se extiende a las cosas como los tratados de paz, los mercados de acciones e incluso las estrategias de supervivencia de los animales.

RESUMEN DE LA HISTORIA DE LA TEORÍA DEL JUEGO

La apuesta de Pascal sobre la conveniencia o no de creer en Dios (ver p. 154) puede verse como una forma de teoría de juegos, pero el tema no llegó formalmente a existir hasta la década de 1920. Fue desarrollado por el matemático húngaro-estadounidense John von Neumann (1903 a 1957), que en 1928 se le ocurrió una «teoría de juegos de salón». En su artículo sobre el tema, von Neumann analizó las matemáticas detrás de un juego de suma cero de dos personas (en el que la ganancia de un jugador es la pérdida del otro), y describió un principio fundamental de la teoría de juegos conocida como la regla minimax, la estrategia que minimiza la pérdida máxima o maximiza la ganancia mínima. En la década de 1950, el matemático estadounidense John Nash, conocido por *Una mente maravillosa* (ver p. 182), trabajó sobre la teoría de juegos que a la larga le valió para conseguir un Premio Nobel, y hoy en día la teoría de juegos se utiliza para guiar las subastas del gobierno, informar de las negociaciones de paz y los programas informáticos de diseño de comercio financiero. El papel central de la teoría de juegos en economía se refleja en el hecho de que en 2005, 2007 y 2009, el Premio Nobel de Economía fue a expertos de la teoría de juegos.

SUPONER LO PEOR

El ejemplo clásico de la teoría de juegos es un simple juego conocido como «el dilema del prisionero». Esto supone un escenario en el que dos hombres, llamémosles Dick Turpin y Bugsy Malone, son arrestados bajo sospecha de asesinato e interrogados en habitaciones separadas. Si ambos confiesan el crimen, cada uno recibirá una década de años de prisión. Si ambos hombres niegan haber cometido

el delito, pueden ser acusados de solo un delito menor y tendrán cada uno dos años. Pero si solo uno de ellos confiesa, se irá libre y el otro hombre obtendrá 20 años. ¿Cuál es la estrategia más racional para cada prisionero?

El enfoque de la teoría de juegos a la solución de este problema es la elaboración de una matriz que representa las estrategias de cada jugador y la recompensa que se producen cuando se combinan, como se muestra en la página siguiente.

Podría parecer que la mejor estrategia sería para los dos aferrarse a las negaciones y conseguir una pena relativamente pequeña, pero el análisis de la teoría de juegos demuestra que para los jugadores racionales esto está mal. La matriz muestra que, para cada uno de forma individual, una estrategia de negación ofrece el peor riesgo/recompensa equilibrio (riesgo de 20 años/

La teoría de juegos ayuda a los economistas a analizar cómo y por qué los agentes de bolsa actúan como lo hacen.

		Bugsy Malone (BM)	
		CONFESAR	NEGAR
Dick Turpin (DT)	CONFESAR	DT 10 años/BM 10 años	DT 0 años/BM 20 años
	NEGAR	DT 20 años/BM 0 años	DT 2 años/BM 2 años

recompensa de dos años), mientras que la estrategia de la confesión ofrece un mejor equilibrio (riesgo de diez años/recompensa libre).

Uno de los supuestos de la teoría del juego es que los jugadores son racionales y actúan de acuerdo con las estrategias racionales que deben esperar de los demás jugadores. De modo que si Dick Turpin piensa a través de sus opciones de forma racional, verá que negar el delito dará sus frutos en solo uno de los cuatro resultados posibles, mientras que la confesión podía obtener el máximo beneficio y al menos garantizar que evita la pena más alta.

Bugsy Malone racionalizará de la misma manera, y por lo tanto los criminales acabarán confesando y teniendo diez años cada uno cuando podrían haber salido con tan solo dos años. La teoría de juegos demuestra que actuar racionalmente puede conducir a un resultado aparentemente contrario a la intuición.

JUGAR EN EQUIPO

Los supuestos que subyacen a la teoría de juegos podrían parecer inaplicables a los juegos del mundo real como el béisbol o el fútbol americano, pero un estudio fascinante de 2009 de la Oficina Nacional de Investigación Económica mostró cómo la teoría de

juegos podría suponer una diferencia real para el éxito de los principales equipos de la liga en ambos deportes. Un análisis de la teoría del juego de la Liga Mayor de Béisbol, por ejemplo, encontró que los lanzadores que tiran un 10% menos de bolas rápidas tendrían una ventaja de alrededor de 15 carreras menos en una temporada, que es aproximadamente el 2% del total de carreras que un equipo consigue, lo que podría significar una o dos victorias adicionales al año. Del mismo modo, en la Liga Nacional de Fútbol de Estados Unidos, la teoría de juegos predice que si un equipo pasa de lanzar del 56% del tiempo (el promedio de 2009) al 70%, anotaría diez puntos adicionales a lo largo de una temporada, que equivale al 3% de su puntuación total.

Los equipos de béisbol y fútbol americano pueden beneficiarse de la teoría de juegos.

ELEMENTOS DEL JUEGO

Un juego en el sentido de la teoría de juegos se define por tener tres elementos básicos:
- Los jugadores, los participantes, que son considerados completamente racionales (es decir, actúan solo de forma racional, una suposición que tiende a limitar las aplicaciones en el mundo real de la teoría de juegos).
- Las estrategias o acciones, los movimientos que cada jugador hace.
- La recompensa, los puntos, recompensas o sanciones que se derivan de la estrategia o acciones, también llamada la utilidad.

JOHN NASH

Gracias a la película de 2001 *Una mente maravillosa*, John Nash (1928-2015) ahora se encuentra entre los más famosos matemáticos. Ganador del Premio Nobel y aspirante una sola vez a la Medalla Fields (el más alto honor en matemáticas), Nash hizo importantes contribuciones a las matemáticas, incluyendo el descubrimiento del equilibrio de Nash en la teoría de juegos y la obra sobre la geometría compleja. Sin embargo, durante gran parte de su vida desapareció de las matemáticas hasta tal punto que muchos contemporáneos asumieron que estaba muerto.

UN ARTÍCULO MARAVILLOSO

En 1948, después de graduarse en el Carnegie Institute of Technology, Nash llegó a Princeton para comenzar un doctorado en matemáticas. Su carta de recomendación de su profesor de la universidad decía simplemente: «Este hombre es un genio». En este momento, las matemáticas de Princeton estaban dominadas por John von Neumann, el padre de la teoría de juegos (*ver* p. 180), que entonces estaba tratando de extender su análisis matemático de juegos de suma cero abiertos (en los que todos los movimientos son visibles, por lo tanto, «abiertos», y en los que, si un jugador gana, el otro pierde y por lo tanto «suma cero») a los juegos donde los resultados son menos negros y blancos y los jugadores pueden contener información privada.

Sin embargo, esto requería una forma de demostrar matemáticamente alianzas y estrategias de cooperación, pero resultaba inviable.

Nash le dio un enfoque contrario a la intuición al problema, explorando los efectos de la dinámica de grupo en juegos mediante el examen de la toma de decisiones individuales. Ideó el concepto de un equilibrio, donde cada jugador se bloquea en una sola estrategia, debido a la estrategia de todos los demás jugadores, por lo que los jugadores adoptan un conjunto de estrategias que se mantiene estable incluso cuando las estrategias no maximizan los resultados individuales (*ver* recuadro «El equilibrio de Nash»). Nash demostró matemáticamente que tal equilibrio existe siempre en una amplia variedad de juegos. A pesar del desaliento de von Neumann, Nash escribió un artículo ya clásico sobre el equilibrio en 1949, y este trabajo le llevaría finalmente a ser galardonado con el Premio Nobel de Economía en 1994. Según Roger Myerson, un experto economista y en la teoría de juego de la Universidad de Chicago, «la teoría de Nash... ahora debe ser reconocida como uno de los avances intelectuales destacados del siglo XX. La formulación del equilibrio de Nash ha tenido un impacto fundamental y ubicuo en

El Instituto de Estudios Avanzados de Princeton, del que formó parte John Nash.

la economía y las ciencias sociales; es comparable al del descubrimiento de la doble hélice del ADN en las ciencias biológicas».

MENTE EN LLAMAS

Después de la publicación de su artículo, Nash parecía estar en el camino hacia la grandeza matemática. Se fue al Instituto de Tecnología de Massachusetts en 1951, y trabajó en otros campos de las matemáticas, como la geometría diferencial (la aplicación del cálculo y el álgebra a la geometría) y la geometría de las variedades (espacios abstractos que, cuando se observan lo suficientemente cerca, se asemejan al espacio bi o tridimensinal de la geometría normal). Sin embargo, al llegar a su apogeo en 1958, compitiendo por la Medalla Fields, cayó en la locura.

Nash había mostrado excentricidades desde la infancia, pero a finales de 1950 desarrolló delirios paranoides y finalmente fue ingresado en un hospital psiquiátrico. En los siguientes 30 años más o menos, Nash luchó contra la enfermedad mental y entraba y salía de los hospitales. Con el tiempo se sobrepuso a sus problemas mentales, manteniéndolos alejados por su propia cuenta, y en la década de 1990 protagonizó una remontada notable y se involucró en la nueva investigación. En 1994, el impacto de su trabajo en la teoría de juegos fue reconocido cuando compartió el Premio Nobel de Economía con otros que habían explorado las ramificaciones de equilibrios de Nash. En el mismo año, el gobierno de Estados Unidos utilizó la teoría de juegos para diseñar una subasta federal de longitudes de onda de teléfonos celulares, consiguiendo 7.000 millones de dólares en lo que el *New York Times*

Russell Crowe en una escena de la película biográfica de Nash, «Una mente maravillosa».

llamó «la mayor subasta de todos los tiempos». En 2013, Nash participó activamente en la investigación matemática sobre la lógica, la teoría de juegos, la cosmología y la gravitación.

EL EQUILIBRIO DE NASH

Imaginemos que 20 agricultores han formado una cooperativa para comprar 20 nuevos tractores, uno para cada granja. Hay dos modelos que se ofrecen, uno de lujo que cuesta 20.000 y otro económico que cuesta 10.000 (la moneda concreta no importa), y los agricultores han acordado que la cooperativa dividirá la cuenta en partes iguales entre cada miembro. Al ser pobres, los agricultores preferirían individualmente para obtener el modelo más barato pero, como actores racionales, cada uno de ellos reconoce que si economiza personalmente pero todo el mundo va por la versión cara, ahorrará 500 (390.000 / 20 = 19.500) a pesar de terminar con el modelo económico. Así que la estrategia racional para cada individuo es elegir el modelo caro, y el equilibrio de Nash para el grupo en su conjunto es que cada uno elige el tractor de 20.000. La estrategia individual óptima está en el resultado menos favorable para el grupo como un todo. Otro ejemplo del equilibrio de Nash en el trabajo es el resultado racional de juego del dilema del prisionero (*ver* p. 180).

TEORÍA DEL CAOS

En 1961, el matemático estadounidense Edward Lorenz (1917-2008) estaba dirigiendo una simulación por ordenador de las condiciones meteorológicas cuando notó algo raro: cuando inició la misma simulación dos veces, con la misma configuración inicial cada vez, obtuvo dos resultados completamente diferentes. La simulación hacía la suma 2 + 2 dos veces y obtuvo dos resultados distintos.

Con el tiempo, Lorenz descubrió la causa del peculiar efecto: la segunda vez el modelo había guardado sus ajustes de entrada con tres decimales en lugar de seis, debido a un error de redondeo. Sin embargo, este cambio minúsculo en las condiciones iniciales se había traducido en un resultado totalmente diferente. Este descubrimiento llevó a Lorenz a preguntarse si «la batida de las alas de una mariposa en Brasil podría desencadenar un tornado en Texas». Lorenz había descubierto el efecto mariposa y creado una nueva rama de las matemáticas: la teoría del caos. Según lo especificado por la mecánica de Newton, donde se suponía que la medición cada vez más precisa de las posiciones y movimientos de los cuerpos celestes iniciales llevaría a predicciones cada vez más precisas de sus posiciones futuras.

LA REVOLUCIÓN DEL CAOS

De hecho, la teoría del caos ya había sido descubierta, aunque no reconocida. Alrededor de 1900, el matemático y físico francés Henri Poincaré (1854-1912) descubrió el fenómeno de inestabilidad dinámica. Hasta este punto, las matemáticas y la física habían trabajado en el principio del determinismo, la creencia de que si supieras las condiciones de partida de cualquier proceso o sistema, podrías afirmar con certeza el resultado. El último ejemplo de esto se creía que era el movimiento de los planetas. Poincaré encontró que para el llamado «problema de los tres cuerpos» (en relación con las órbitas de tres cuerpos que orbitan entre sí), esta suposición era falsa. Las ecuaciones que rigen su movimiento hizo que incluso la diferencia más pequeña desataría la propagación de manera espectacular, dando lugar a enormes dudas en la predicción. No importa cómo de pequeñas sean las primeras dudas, la incertidumbre sobre el resultado seguía siendo enorme. En el tiempo de Poincaré esto se llamaba inestabilidad dinámica; ahora se denomina el caos. El trabajo de Poincaré y otros que habían anticipado la teoría del caos no se aprecia plenamente hasta después de Lorenz y el efecto mariposa, pero ahora es reconocido

¿Un sistema de tormenta visto desde el espacio podría haber sido provocado por el batir de las alas de una mariposa a un océano de distancia?

Los vórtices en el aire son sistemas caóticos.

como uno de los descubrimientos fundamentales y más profundos del siglo XX. La teoría del caos ayudó a romper la visión determinista predominante en el mundo físico, lo que demuestra que el comportamiento de muchos sistemas, desde el tiempo a las ruedas hidráulicas simples, no se puede definir con precisión.

UN MÉTODO ENTRE LA LOCURA

Caos en el sentido matemático no significa aleatorio o desordenado; de hecho, muchos de los sistemas caóticos muestran patrones regulares o ciclos. Estos pueden verse utilizando lo que se conoce como un gráfico de «diagrama de fases», donde toda una serie de variables o parámetros, en el caso del clima, por ejemplo, estos podrían ser la temperatura, la presión, la humedad, la precipitación y la velocidad del viento, pueden ser representados como un único punto. Cada punto representa el estado del sistema en un momento en el tiempo. Dicho sistema tiende a evolucionar hacia un estado de equilibrio sea cual sea su estado de inicio, de la misma manera que el agua que cae en cualquier lugar dentro del área de influencia de un río sigue los contornos del paisaje hasta que alcanza el fondo del valle y se une al río, gracias a la gravedad. Sistemas ordenados tienen puntos fijos de ciclo limitado o atractores periódicos fijos; por ejemplo, un péndulo oscilante es un sistema ordenado con un atractor de punto fijo, mientras que un sistema depredador-presa es un sistema ordenado con un ciclo limitado o atractor periódico. En cambio, los sistemas caóticos tienen atractores extraños o caóticos, donde el estado del sistema no se puede predecir con exactitud y nunca se

El atractor de Lorenz en dos dimensiones.

repite igual, y donde se tiende a oscilar o cambiar entre diferentes estados de equilibrio. Una de las características del espacio fásico de un sistema caótico es que no importa cuán minuciosamente se examina y exhibe el mismo nivel de complejidad e imprevisibilidad (se dice que es fractal en la naturaleza), aunque en general el sistema tiene un patrón. Por ejemplo, Lorenz modela el comportamiento de gas en un sistema simple donde el estado del sistema en un momento dado depende de su condición previa y descubrió que el sistema se comportaba de forma caótica, y cuando se representaron los resultados en un gráfico del espacio fásico, se produjo una forma característica de doble espiral similar a las alas de una mariposa. Es un patrón que ahora se conoce como el atractor de Lorenz.

FRACTALES

Si obtenemos un triángulo y proyectamos un triángulo más pequeño a cada lado, la forma de la estrella resultante todavía cabe dentro de un círculo dibujado alrededor del triángulo original y por lo tanto, todavía tendrá una superficie total inferior a la del círculo. Si se repite esta operación hasta el infinito, se conseguirá una figura geométrica llamada copo de nieve de Koch, que tiene un perímetro infinito, pero que todavía posee un área finita inferior a la del círculo. El copo de nieve de Koch es un tipo de fractal, un objeto que muestra la auto-similitud en todos los niveles, que a su vez significa que es infinitamente complejo. Los fractales son comunes en la naturaleza; por ejemplo, no importa cuánto se acerque a un extremo, sigue viendo el mismo grado de complejidad, y esto lo usan los programadores, que utilizan el software fractal para imitar las formas naturales en los gráficos de juegos de ordenador.

Conjunto fractal de Mandelbrot: no importa lo cerca que se vea el borde porque siempre mostrará el mismo grado de complejidad.

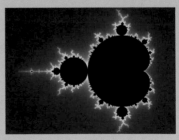

MI MENTE ESTÁ ABIERTA: PAUL ERDÖS

En la historia de las matemáticas hay muchos personajes excéntricos y notables, pero ninguno tan extraño como el matemático húngaro Paul Erdös (1913-1996), un hombre con una vida extraordinaria y errante, cuyo método de trabajo se volvió legendario.

OTRO TECHO, OTRA PRUEBA

Erdös fue hijo de dos matemáticos judíos, profesores en Budapest, y su vida estuvo marcada por la agitación en medio de las tempestades de la historia del siglo XX. En la Primera Guerra Mundial su padre fue capturado por los rusos y enviado a un campo de prisioneros en Siberia, y más tarde su madre fue víctima de los fascistas húngaros. Finalmente, la decadencia y el antisemitismo del periodo de entreguerras húngaro lo llevó al exilio, primero en el Reino Unido y más tarde en los Estados Unidos. Su brillantez como matemático provocó que le ofreciesen varios puestos de trabajo, pero él optó por pasar toda su vida como un erudito extravagante. Se hizo famoso por vivir con una sola maleta y una bolsa de plástico desgastadas, estableciéndose en un lugar el tiempo suficiente para hacer frente a un problema matemático antes de hospedarse, en una universidad o país, unos días más tarde. Su lema personal se decía que era: «Otro techo, otra prueba». Las contribuciones de Erdös abarcaron varios campos de las matemáticas, y lo vieron trabajar con cientos de colaboradores en problemas sobre la teoría de grafos, teoría de conjuntos, teoría de números, combinatoria (la rama de las matemáticas que se ocupa de las formas en que las cosas se pueden arreglar, combinar y contabilizar), teoría de aproximación (el estudio de cómo y con qué precisión, las funciones complejas se pueden aproximar mediante otras más sencillas) y la teoría de la probabilidad. Estaba particularmente preocupado por encontrar pruebas factibles que revelaron profundas verdades acerca de los resultados. Algunos de sus descubrimientos más conocidos eran pruebas para los problemas que ya habían sido resueltos. Por ejemplo, en 1845 el matemático francés Joseph Bertrand (1822-1900) hizo una famosa teoría, perfectamente resumida por la cancioncilla: «Te lo he dicho una vez y te lo diré otra vez; Siempre hay un primo entre n

Ron Graham (alias Tom Odda).

El gráfico numérico de Erdös.

y 2*n*» (En otras palabras, para cualquier número entero y su doble, siempre habrá un número primo entre los dos primeros números; por ejemplo, entre 2 y 4, hay un número primo, 3.) La conjetura de Bertrand se demostró en 1850, pero Erdös encontró una prueba sencilla, por sí mismo con tan solo 18 años.

EL MATEMÁTICO ERRANTE

Como los regímenes totalitarios se sucedían en su tierra natal, y la guerra y el genocidio devastaron su familia, Erdös se acostumbró a tener una vida itinerante. Era conocido por aparecer en la puerta de amigos y colaboradores matemáticos, imponiéndose a sí mismo como un invitado difícil durante unos días y luego seguir adelante. Vivió casi exclusivamente de las matemáticas, alegremente vagando en la habitación de su anfitrión a las 5 a.m. donde declaró «mi mente está abierta» y comenzó a debatir sobre las matemáticas. Su estilo de conferencia fue entusiasta pero excéntrico, que puede haber sido en parte debido a su consumo de estimulantes, incluyendo anfetaminas y cafeína; uno de sus muchos aforismos fue: «Un matemático es una máquina para dar vuelta al café en teoremas». Fuera del ámbito de las matemáticas era muy ingenuo. Por ejemplo, a pesar de ser dueño de algo más de un par de conjuntos de ropa interior, era incapaz de encender una lavadora y confió en sus anfitriones para lavar continuamente su ropa. Era sencillo, y donaba rápidamente cualquier dinero que le llegaba de su trabajo («la propiedad privada es una molestia», le gustaba remarcar). En una ocasión le regaló casi toda su nómina a un vagabundo que pedía limosna para una taza de té, y en otra generosamente prestó 1.000 dólares a un estudiante pobre que no podía permitirse

Paul Erdös, el matemático errante.

el lujo de ir a Harvard. Cuando el estudiante más tarde trató de devolverle el dinero, Erdös le dijo que hiciera lo mismo que había hecho él. La falta de fondos no impidió a Erdös ofrecer una serie de premios o «contratos» para la solución de problemas particulares.

EL NÚMERO ERDÖS

Erdös fue notablemente productivo durante mucho tiempo. A sus 70 años todavía publicaba de vez en cuando hasta medio centenar de trabajos al año, y bromeaba diciendo que su trabajo debe ser juzgado en el peso, no la calidad. Lo más notable, sin embargo, fue la extensión de sus colaboraciones. En el momento de su muerte en 1996, tuvo artículos en coautoría con 485 personas; más que ningún otro matemático de la Historia. Su enorme red de contactos en el mundo de las matemáticas le llevó a la idea del número Erdös, un número que cuantificaba la distancia entre Erdös y otros matemáticos. Cualquier persona que ha coescrito con Erdös se dice que tiene un número 1, mientras que alguien que ha sido coautor de un artículo con un coautor de Erdös se dice que tiene un número de Erdös 2, y así sucesivamente. A finales de 1990 el número Erdös más alto para cualquier matemático fue 7, aunque esto ahora puede haber aumentado. Los que tienen un número de Erdös 1 se consideran muy afortunados.

TÉRMINOS USUALES

Asociativo. Término aplicado a las operaciones de suma y multiplicación, donde el orden en el que se realizan las operaciones no es importante. Ej.: $(a+b)+c = a+(b+c)$.

Axioma. Principio fundamental e indemostrable sobre el que se construye una teoría.

Axis. Línea de referencia gráfica normalmente marcado con una X (horizontal) o una Y (vertical). En geometría, línea imaginaria sobre la cual un cuerpo rota.

Base. Conjunto de números usado en un sistema numérico (en el sistema en base dos, se usan únicamente el 0 y el 1), o el número que va a ser elevado a una potencia. Ej.: en 4^2, 4 es la base y 2 es la potencia.

Binario. Sistema numérico con solo dos números, 0 y 1. Por ejemplo, 110 es 6 en base 10.

Binomial. Un polinomio con dos términos.

Cálculo. Rama de las matemáticas que comprende el cálculo diferencial e integral (también conocidos como integración y derivación). El término «cálculo» se usa también para referirse a los métodos para hallar derivadas e integrales.

Circunferencia. El perímetro de un círculo.

Coeficiente. Número usado para multiplicar una variable. Por ejemplo, en la expresión $4x + 3 = y$, 4 es el coeficiente de la variable x; por convención, los coeficientes de 1 no se muestran.

Conjunto. Una colección de cosas (como números), donde cada miembro del conjunto se llama un elemento y solo hay uno de cada elemento; por ejemplo {1, 2, 3, 4, 5} es el conjunto de números de contar menos de 6.

Conmutativo. Término aplicado a las operaciones de suma y multiplicación donde el orden de los factores no altera el resultado. Ej.: $x + y = y + x$; $4x12 = 12x4$.

Constante. Valor fijo, opuesto a la variable, la cual puede cambiar su valor. En lenguaje algebraico, una constante es un número por sí mismo. Por ejemplo, en la ecuación $x + 3 = 7$, los números 3 y 6 son constantes; en notación algebraica, una constante se representa muchas veces con una de las primeras letras del alfabeto (a, b o c).

Coordenadas. Conjunto de números que ofrecen la localización de un punto. En un eje de coordenadas (ej.: un espacio bidimensional), las coordenadas están formadas por un par de números que dan la localización del punto en relación a los ejes x e y; en un espacio tridimensional, se necesitan tres números para especificar la localización de un punto.

Coseno. Junto con el seno y la tangente, una de las principales funciones trigonométricas. En un triángulo rectángulo, el coseno de un ángulo es la relación entre la longitud del lado adyacente al ángulo y la longitud de la hipotenusa (ej.: adyacente/hipotenusa). La abreviación de coseno es cos.

Cuadrado mágico. Una cuadrícula donde cada celda está llena de números, de tal manera que cada fila, columna y diagonal suman la misma cantidad.

Cuadrado. Un polígono de cuatro lados regulares, donde cada ángulo es de 90°. El término «cuadrado» también se refiere al producto de un número multiplicado por sí mismo, por ejemplo, el cuadrado de 4 es 16.

Cuerda. Línea recta que conecta dos puntos de una curva. Por ejemplo, dos puntos en la circunferencia de un círculo (el diámetro es una cuerda que pasa por el centro de un círculo).

Curva. Línea que fluye suavemente sin cambios bruscos. En matemáticas, una línea recta es un tipo de curva.

Decimal. Base 10; el sistema numérico de nuestro día a día es decimal porque usa 10 números (0-9). El término decimal se utiliza normalmente para describir un número con un punto decimal, como puede ser 14'23.

Derivación. En cálculo, el proceso de encontrar una derivada.

Derivada. En cálculo, la función que da la pendiente a una curva. El término derivada también se usa para lo que se encuentra a través del método de derivación.

Desviación típica. Una medida de la propagación de una distribución. Es la raíz cuadrada de la media de las diferencias al cuadrado de la media.

Diámetro. Cuerda que pasa a través del centro de un círculo.

Distribución normal. También conocida como la curva de la campana, la distribución de los puntos de datos de tal manera que cuando se representa en un gráfico da una curva en forma de campana. Esta curva se ve en muchas áreas diferentes, por ejemplo, si se traza la altura de la gente, se obtiene una distribución normal.

Ecuación cuadrática. Una ecuación donde el exponente más alto de cualquiera de las variables es 2; es decir, una ecuación con un cuadrado en ella, como $x^2 + y = 1$. Las ecuaciones cuadráticas además se conocen como ecuaciones de segundo grado.

Ecuación cuártica. Una ecuación donde el exponente más alto de cualquiera de las variables es 4; es decir, una ecuación con un cuarto poder en ella, como $x^4 + y = 1$. Las ecuaciones cuárticas además se conocen como ecuaciones de cuarto grado.

Ecuación cúbica. Ecuación donde el exponente más alto es 3. Por ejemplo, $x^3 + 7y + z^2 = 0$ es una ecuación cúbica porque contiene el término x^3.

Ecuación lineal. Una ecuación que hace una línea recta al trazar su gráfica. En álgebra, el término «ecuación lineal» significa una ecuación de primer orden, donde ninguna de las variables se eleva a una potencia superior a 1, es decir, no hay índices. Una ecuación lineal toma la forma $y = mx + b$, donde m es el coeficiente de x y b es una constante.

Ecuación. Enunciado en el que dos cosas son iguales usando números y/o símbolos a ambos lados del signo de igual (=).

Elipse. Círculo aplastado donde la suma de la distancia entre un punto del perímetro y dos puntos fijos (conocidos como focos) es constante. Un círculo es un tipo especial de elipse. Una elipse puede obtenerse al cortar una sección oblicua de un cono y, por ello, es conocida como una de las secciones cónicas.

Entero. Un número completo, sin fracciones. Los enteros incluyen todos los números positivos y negativos completos.

Exponente. También conocido como potencia o índice, a número que indica cuantas veces un número debería ser multiplicado por sí mismo. Por ejemplo, en la expresión 8^3, el exponente es 3 y muestra que 8 debe ser multiplicado por sí mismo 3 veces.

Expresión. Grupo de términos (números o símbolos) y operadores que expresa el valor de algo. El grupo puede comprender cálculos o fórmulas, pero una expresión no puede incluir un signo igual.

Factores. Números que pueden ser multiplicados juntos para dar otro número. Por ejemplo, los factores de 8 incluyen el 1,2 4 y 8 porque tanto 1 x 8 = 8 como 2 x 4 =8.

Fracción. Parte de un todo; relación de números o variables. El número de debajo de una fracción, conocido como denominador, muestra en cuántas partes está dividido el todo. El número superior, el numerado, muestra cuántas partes se están representando.

Fractal. Figura que es similar en todas sus partes y en todas las escalas.

Función. Relación entre valores. Una función es como un programa de ordenador que coge una aferencia, trabaja sobre ella y genera una referencia. En una función, cada valor aferente devuelve un solo valor eferente. La frase «función de variable x» se escribe como $f(x)$, así que se puede escribir $f(x) = x^2$, entendiéndose como «la función de x es x al cuadrado». Para esta fusión de x, cada valor aferente da un valor eferente que es el cuadrado de la aferencia.

Funciones trigonométricas. Razones trigonométricas que hacen que sea posible calcular lados y/o ángulos desconocidos de un triángulo conocido. Las funciones trigonométricas más comunes son seno, coseno y tangente.

Gradiente. La pendiente de una línea recta definida por crecimiento/recorrido, donde el crecimiento es la distancia en el eje y y el recorrido es la distancia a lo largo del eje x.

Gráfica. Dibujo formado al unir todos los puntos de una ecuación. Si la ecuación tiene dos variables, la gráfica es representando en un eje cartesiano en los ejes x e y. Este dibujo es conocido como la gráfica de una función.

Gráfico espacio fásico. Un gráfico dibujado en el espacio de fase, que es un espacio hipotético que tiene el mayor número de coordenadas que sean necesarias para definir el estado de un sistema dado, de modo que todos los estados posibles del sistema pueden ser representados, con cada estado representado como un punto en el espacio de fase.

Hipotenusa. El lado de un triángulo rectángulo opuesto al lado recto, el cual es también el lado más largo.

Infinitesimal. Número hipotético que es más grande que cero pero más pequeño que cualquier número real; en otras palabras, un número tan pequeño que prácticamente es cero sin llegar a ser cero. Los infinitesimales se usan en cálculos para evitar el problema de dividir entre cero.

Integración. En cálculo, el proceso de encontrar una integral definida.

Integral, definida. Una manera de encontrar el área bajo una curva.

Inverso. El opuesto de; una cantidad que anula otra cantidad. Ej.: el inverso de 3 es -3. El término inverso se usa a menudo al multiplicar, donde el inverso de 3 es 1/3.

Juego de suma cero. Un juego en el que el total de todas las ganancias y pérdidas es cero, de modo que, en un juego de dos jugadores, la ganancia de un jugador es igual a la pérdida del otro jugador.

Las ternas pitagóricas. Cualquier conjunto de tres enteros *a*, *b*, *c* que cumplan que $a^2 + b^2 = c^2$; por ejemplo $3^2 + 4^2 = 5^2$.

Límite. El valor al que una función o expresión se aproxima pero nunca alcanza. Por ejemplo, la función $^1/_x$ se acerca al límite 0 sin llegar a alcanzarlo.

Logaritmo. El número de veces que un número debe ser multiplicado por sí mismo para dar otro número, donde el primer número se llama la «base» y el segundo, el «argumento»; por ejemplo, 10 debe multiplicarse por sí mismo 3 veces para obtener 1.000, así que el logaritmo en base 10 de 1.000 es 3.

Media. La suma de los elementos dividida por el número de elementos.

Método de agotamiento. Una manera de aproximar el área de una figura, típicamente un círculo, dibujando en su interior una serie de polígonos (las áreas que son calculables) con un número de lados cada vez mayor hasta que el espacio entre el perímetro del círculo y el perímetro del polígono es casi todo cubierto o «agotado»; cuanto más espacio se pueda agotar (es decir, cuanto mayor es el número de lados del polígono), más se podrá aproximar el área del círculo. El método de agotamiento fue un precursor del cálculo integral.

Número áureo. Aproximadamente 1'61803… Esta cantidad, representada por la letra *phi* (φ), es la relación entre las dos partes de una línea dividida de manera que la relación de la parte más larga con la más corta es la misma que la de toda la parte más larga. Recíprocamente seria 0'61803…, lo que significa que $\phi - 1/\phi + 1$.

Número complejo. Combinación de un número real y otro imaginario, de forma $a + bi$, donde *a* y *b* son números reales e *i* es un número imaginario.

Número de Fibonacci. Un número de la secuencia de Fibonacci.

Número imaginario. Número que, cuando se eleva al cuadrado, da un resultado negativo. Esto es imposible en el mundo real, por tanto estos números son imaginarios. La unidad básica de los números imaginarios (equivalente al número real 1) es $\sqrt{-1}$ y es representado por *i*.

Número irracional. Número que no puede ser escrito como una fracción. Si un número irracional fuese escrito como un decimal, continuaría indefinidamente después del punto decimal. Pi es el ejemplo clásico: 3'14159…

Número perfecto. Un número que es la suma de sus factores; los ejemplos incluyen 6 (los factores de 6 son 1, 2 y 3, y 1 + 2 + 3 = 6) y 28 (los factores de 28 son 1, 2, 4, 7 y 14, y 1 + 2 + 4 + 7 + 14 = 28).

Número primo. Un número que solo puede ser dividido de manera uniforme por sí mismo o 1; es decir, un número para el cual los únicos factores son 1 y sí mismo.

Número racional. Un número que puede ser representado por una proporción o fracción; por ejemplo $^1/_2$, $^{13}/_{31}$, 0'75 (que es $^3/_4$), 5 ($^5/_1$) y -7 ($^{-7}/_1$).

Número real. Un número en la recta numérica; no un número imaginario. Los números reales son números racionales e irracionales, positivos y negativos, raíces y cuadrados.

Número triangular. Un número que puede ser representado por un patrón de puntos triangular; por ejemplo 1, 3, 6, 10 y 15 son números triangulares.

Operación. Un proceso matemático, como la multiplicación, suma, resta y división, pero incluyendo también exponentes y raíces cuadradas.

Operador. Un símbolo que representa una operación, por ejemplo, en la ecuación 2x + 4 = 14, el operador es el signo de adición (+).

Parábola. Una curva en forma de arco donde cualquier punto de la línea está a la misma distancia de un punto fijo (llamado foco) y una línea recta fija (llamada directriz). Dado que una parábola puede ser producida al hacer un corte a través de un cono, es una de las secciones cónicas.

Phi. La letra griega φ, que se utiliza para representar la proporción áurea.

Pi. La letra griega π, que se utiliza para representar la proporción de la relación de la circunferencia de un círculo y su diámetro. Pi es un número irracional con el valor 3'14159…

Poliedro. Un sólido con caras planas; cada cara es un polígono.

Polígono. Una forma bidimensional con lados rectos; en un polígono regular, todos los lados son iguales y todos los ángulos son iguales.

Polinomio. Una expresión con uno o más términos, compuesto por variables, constantes y / o exponentes; por ejemplo $4x^2 + 5 - xy$ es un polinomio con tres términos (conocido como un trinomio).

Potencia. Un exponente o índice.

Probabilidad. La posibilidad de que algo va a suceder. La probabilidad se expresa como una proporción o fracción entre 0 (imposible) y 1 (certeza completa).

Radián. Una unidad para medir ángulos en círculos. Un radián es el ángulo formado de tomar el radio de un círculo y envolverlo alrededor de la circunferencia, de modo que $360° = 2pi$ radianes.

Radio. Una línea desde el centro de un círculo hacia el perímetro, o la longitud de esta línea. El radio de un círculo es la mitad del diámetro.

Raíz cuadrada. La raíz cuadrada de un número es un valor que, multiplicado por sí mismo, da el número. La raíz cuadrada además puede demostrarse por el ½ exponente, la raíz cuadrada de $n = N^{1/2}$.

Raíz. Un término de uso frecuente como forma abreviada de la raíz cuadrada o cúbica. También refiere a los valores de una variable, donde una función es igual a cero; por ejemplo en la ecuación $x^2 - 4 = 0$, las raíces de la función $x^2 - 4$ son 2 y -2.

Recíproco. También conocido como el inverso multiplicativo, el recíproco de un número es 1 dividido por el número; el recíproco de n es $1/n$. Un recíproco también se puede mostrar por el exponente -1, por lo tanto, $1/n = n^{-1}$.

Recta numérica. Una línea que representa los números reales, incluyendo positivos, negativos y cero.

Secuencia de Fibonacci. La secuencia de números 0, 1, 1, 2, 3, 5, 8, 13, 21… donde cada número es igual a la suma de los dos números anteriores a él.

Seno. Junto con el coseno y la tangente, una de las principales funciones trigonométricas. En un triángulo de ángulo recto, el seno de un ángulo es la relación entre la longitud del lado opuesto al ángulo y la longitud de la hipotenusa (es decir, opuesto/hipotenusa); la abreviatura de seno es sen.

Serie. La suma de los términos de una secuencia de números; por ejemplo si la secuencia es 1, 2, 3, 4, 5, la serie es 1 + 2 + 3 + 4 + 5.

Sistema de valor posicional. Un sistema de numeración en el que el lugar ocupado por un número indica su valor; por ejemplo, en el número 341 en el sistema decimal (base 10), el lugar ocupado por el número 3 indica que su valor es de 300.

Sólido platónico. Un sólido convexo en el que cada cara es un polígono regular de la misma forma y tamaño; solo hay cinco sólidos, tetraedro (cuatro caras triangulares), cubo (seis caras cuadradas), octaedro (ocho caras triangulares), dodecaedro (12 caras pentagonales) e icosaedro (20 caras triangulares).

Subconjunto. Un conjunto que está completamente contenido en otro conjunto, es decir, si todos los elementos del conjunto A son también parte del conjunto B, a continuación, se establece que A es un subconjunto del conjunto B.

Tangente. Un término utilizado para referirse tanto a una línea y una función trigonométrica. Una línea tangente es una línea recta que toca una curva en un punto sin cruzarlo, la pendiente (o inclinación) de la recta tangente da la pendiente de la curva en ese punto. En trigonometría, la tangente de un ángulo en un triángulo de ángulo recto es la relación entre la longitud del lado opuesto al ángulo y la longitud del lado adyacente al ángulo (es decir, opuesto/adyacente); la abreviatura de tangente es tg.

Teorema de Pitágoras. Esto establece que, en un triángulo rectángulo, el cuadrado de la hipotenusa es igual a la suma de los cuadrados de los otros dos lados; esto se representa algebraicamente como $a^2 + b^2 = c^2$.

Término. Una parte de una expresión separada por operadores. En álgebra, los términos son constantes, variables o combinaciones de los dos; por ejemplo en la expresión $4x + 5 - xy^2$, los términos son $4x$, 5 y xy^2.

Triángulo de Pascal. Una figura que consiste en filas de números formados mediante la suma de números adyacentes en una fila y de escribir la suma entre ellos en la línea de abajo.

Trigonometría. También a veces conocido simplemente como «trig», el estudio y la medición de triángulos, específicamente el uso de funciones trigonométricas como seno, coseno y tangente.

Variable. Una cantidad que puede variar en valor. El término «variable» también puede referirse a la letra o la notación (generalmente x o y) utilizada para indicar una cantidad desconocida; por ejemplo, en la ecuación $4x + 5 = 15$, x es la variable.

ÍNDICE

CRÉDITOS FOTOGRÁFICOS

AKG-Images: 34, 106, 132, 139, 140 (izquierda y derecha), 144, 145 (arriba a la izquierda), 172; / Hervé Champollion: 80 (abajo); / De Agostini Pict.Lib : 35 (centro), 52; / Historic Maps: 165; / Andrea Jemolo: 19; / Erich Lessing: 8, 10, 23 (superior e inferior), 126, 129, 141, 142, 156; / R. u. S. Michaud: 76 (izquierda, derecha y centro), 101 (parte inferior); / Nimatallah: 159 (derecha); / Rabatti - Domingie: 124, 143 (abajo)

Dr. Wolfgang Beyer: 183 (abajo)

Bridgeman Art Library, The: 88; / Bibliotheque de l'Académie de Médecine, París, Francia: 61; / Omikron: 143 (centro); / Private Collection: 130, 151; / Tarker: 109

Corbis: 16, 131; / Atlantide Phototravel: 120; / Bettmann: 56 (izquierda), 71, 79 (a la derecha), 112, 136; / Bilic / PhotoCuisineRM: 123 (arriba a la derecha); / Odilon Dimier / Zenshui: 122; / Macduff Everton: 47 (arriba); / Imágenes Jason amigo / Loop: 43 (arriba); / Ursula Gahwiler / Robert Harding Imagery Mundial: 31; / La Galería Colección: 133; / Nathan Griffith: 123 (arriba a la izquierda); / La herencia de archivo: 79 (izquierda); / David Lees: 24, 39; / John Lund: 119; / Rick Maiman / Sygma: 113; / Michael Nicholson: 48; / Océano: 123 (abajo a la derecha); / Douglas Pearson: 108; / Imágenes de Dave Peck / Loop: 9 (arriba); / Jon Smith: 96 (izquierda); / Nico Tondini / Robert Harding Imagery Mundial: 12; / De Stapleton: 78; / Ken Welsh / * / Design Pics: 137; / Roger Wood: 30; / Adam Woolfit: 42

Getty Images: Jon Bradley: 92 (izquierda); / Rob Carr: 179 (centro); / De Agostini: 167; / Evening Standard: 177; / Leroy Francis: 89; / Win McNamee: 179 (abajo); / NASA: 182 (izquierda); / Roger Viollet: 159 (izquierda); / Tim Schamberger / AFP: 73 (abajo); / Science Photo Library: 2; / Spencer Platt: 178; / SSPL: 15, 155; / Time & Life Pictures: 173, 175 (arriba a la izquierda); / Tinta Viajes: 18

Istockphoto.com: 127 usuario Kmhkmh vía Wikipedia: 185

Lebrecht Music & Art: 56 (a la derecha); / De Agostini: 22; / Leemage: 105

NASA: 51; / Langley Research Center: 182 (derecha)

Oakland University: 184

Press Association Images: E. A. Glading/Demotix/ Demotix: 180

Private Collection: 65, 87, 110, 170 Rex Features: Everett Collection: 181; /Snap Stills: 145 (abajo a la derecha); /Warner Brothers/Everett: 174

Science Photo Library: 21 (arriba), 35, 50, 111 (izquierda y derecha), 154, 157; / Steve Allen: 6; / Adam Hart-Davies: 175 (derecha); / Geoeye: 9 (abajo); / Professor Peter Goddard: 149 (arriba); / Eric Heller: 168; / Library of Congress: 134 (izquierda y derecha), 135, 152; / Library of Congress, African yand Middle Eastern Division: 37 (a la derecha); / Gary Meszaros: 63; / New York Public Library: 38; / Photo Researchers: 26; / RIA Novosti: 21 (abajo); / Real Sociedad Astronómica: 97 (a la derecha), 149 (parte inferior); / John Sanford: 17; / Fuente Ciencia: 101 (arriba); / Seymour: 123 (parte inferior central); / Jean Soutif / Mira Ciencias: 99; / SkyScan: 46; / Adam G. Sylvester: 27; / Shelia Terry: 20, 36 (izquierda), 75 (arriba), 90, 116, 148

Shutterstock.com: 43 (abajo)

Sophiararebooks.com: 176 (abajo)

Thinkstock.com: 13, 33, 62, 93 (right), 121, 150, 163, 175 (centro a la izquierda)

Topfoto.co.uk: Alinari Archives: 117; /British Library Board/Robana: 84; /National Archives/Heritage-Images: 14; /The Granger Collection: 58, 75 (abajo), 77, 95, 100. 176 (arriba); / Roger-Viollet: 80 (centro), 81 (derecha); /World History Archive: 81 (arriba), 115

Wikimol: 183 (arriba)

Illustrations: A&E Creative © Carlton Books Ltd

Se ha hecho todo lo posible para reconocer correctamente y contactar con el origen y/o propietario de los derechos de cada imagen y la editorial pide disculpas por los errores u omisiones involuntarias, que serán corregidas en futuras ediciones de este libro.